U0743692

鲁迅全集补遗

（增订本）

刘运峰 编

天津出版传媒集团
天津人民出版社

图书在版编目(CIP)数据

鲁迅全集补遗 / 刘运峰编. -- 增订本. -- 天津：天津人民出版社, 2018.7
ISBN 978-7-201-13256-3

Ⅰ. ①鲁… Ⅱ. ①刘… Ⅲ. ①鲁迅著作-全集 Ⅳ. ①I210.1

中国版本图书馆 CIP 数据核字(2018)第 075642 号

鲁迅全集补遗
LUXUN QUANJI BUYI

出　　版　天津人民出版社
出 版 人　黄　沛
地　　址　天津市和平区西康路 35 号康岳大厦
邮政编码　300051
邮购电话　(022)23332469
网　　址　http://www.tjrmcbs.com
电子信箱　tjrmcbs@126.com

责任编辑　韩玉霞
封面设计　汤　磊

印　　刷　河北鹏润印刷有限公司
经　　销　新华书店
开　　本　880 毫米×1230 毫米　1/32
印　　张　20.625
插　　页　5
字　　数　550 千字
版次印次　2018 年 7 月第 1 版　2018 年 7 月第 1 次印刷
定　　价　98.00 元

版权所有　侵权必究
图书如出现印装质量问题，请致电联系调换(022-23332469)

增订本出版说明

2006年6月，本社出版了刘运峰先生编的《鲁迅全集补遗》，距今已经12个年头了。

十余年来，在鲁迅研究界和中国现代文学研究者的努力下，鲁迅的佚文佚信又时有发现，近年来的一些出版物（如《鲁迅藏拓本全集》）也对未曾收集的鲁迅文字有了不少的披露。有鉴于此，我们请作者在原书的基础上，对《鲁迅全集补遗》进行一次增订，以便将散见的鲁迅文字搜集起来，同时也借此订正初版的讹误。

这次增订，保持原书的结构、体例基本不变，但做了调整和补充，主要是：

（一）在《中国矿产志》部分，将清政府农工商部、学部对这部书的批文、鉴定，以及该书广告一并归入附录，以便于读者对该书的阅读和研究。

（二）在《人生象教》部分，将原书的“第九部分生殖”中涉及的外文名称附上中文译名。鲁迅在编写讲义时，社会上对于男女生殖系统还处于讳莫如深的阶段，因此在涉及有关名称时，鲁迅便使用了拉丁文、英文、或德文。此次修订，特请南开大学计算机与控制工程学院郭宇飞老师译为中文，括注于原文之后，以便于读者理解和参考。

（三）在集外文部分增加了根据鲁迅手稿抄录的有关汉画像说明、金石目录以及赠书题跋等。

（四）在书信部分增收了新发现的鲁迅致郁达夫、郦荔丞等人的书信。与初版相比，增订版新增收鲁迅作品约四十篇。

最后需要说明的是，《人生象敩》中的插图系根据原讲义影印，插图中以序号形式标注人体器官位置，但个别插图说明中的序号在原图中没有标出，为慎重起见，只能遵从原图，未随意添加，请读者谅解。

天津人民出版社
2018 年 5 月

出版说明

本书收录新版《鲁迅全集》(人民文学出版社 2005 年 11 月版)之外的鲁迅著作,是一部比较完整的鲁迅佚文集。

对鲁迅佚文的搜集,在鲁迅生前就开始了。1934 年,杨霁云在鲁迅的支持下,将鲁迅 1933 年之前未曾编集的鲁迅著作(包括部分翻译作品)编为《集外集》,于 1935 年 5 月由上海群众出版公司出版。

《集外集》出版之后,鲁迅曾亲自着手编辑其他佚文,并初步定名为《集外集外集》,但因病而中止。1938 年,许广平在鲁迅工作的基础上编辑完成了鲁迅的另一本佚文集——《集外集拾遗》,收入 1938 年 6 月版《鲁迅全集》第 7 卷,由鲁迅全集出版社出版。

1938 年版《鲁迅全集》出版之后,唐弢开始了搜集鲁迅佚文的工作,先后编辑完成了《鲁迅全集补遗》和《鲁迅全集补遗续编》,分别于 1946 年和 1952 年由上海出版公司出版。唐弢的这些辑佚成果,部分被 1956 年至 1958 年出版的 10 卷本《鲁迅全集》和 1958 年出版的 10 卷本《鲁迅译文集》所采用。

1958 年版《鲁迅全集》出版之后,鲁迅的佚文时有发现,但没有被编集。直到“文化大革命”结束,随着鲁迅著作注释本和 1981 年版《鲁迅全集》工作的启动,对鲁迅佚文的搜集出现了一个高潮，一批鲁迅的佚文佚信被陆续发现，这些成果集中体现在《鲁迅大辞典》编纂组编的《鲁迅佚文集》一书中，该书于1979年10月由四川人民出版社出版，内部发行。书中的大部分佚文佚信，后收录于1981年9月出版的16卷本《鲁迅全集》。

1981年版《鲁迅全集》的出版，为鲁迅研究界和广大读者提供了一个研究、阅读鲁迅著作的范本，同时人们也发现了它存在的明显不足。尤其是对鲁迅佚文的编辑上，还存在不少的遗漏。另外，随着鲁迅研究的不断深入，鲁迅的一些佚文佚信又逐渐被搜集和整理出来。为此，刘运峰先生在前人辑佚成果的基础上，汇集了1981年版《鲁迅全集》出版之后发现的鲁迅佚文佚信，以及从鲁迅整理古籍和石刻的手稿中钩稽、抄录的部分作品，编辑完成了《鲁迅佚文全集》，于2001年9月由群言出版社出版。该书的部分编辑成果，被2005年版《鲁迅全集》所吸纳。

2005年版《鲁迅全集》，是迄今为止最为完备的一部《鲁迅全集》，同1981年版相比，它增收了鲁迅佚文24篇、佚信18封、鲁迅致许广平信68封（即《两地书》中鲁迅致许广平的部分原信）、鲁迅答增田涉问信件集录等，共约20万字。但由于受到编辑体例的局限，这一版《鲁迅全集》仍有遗珠之憾。

为此，我们约请刘运峰先生对他原来编辑的《鲁迅佚文全集》重新进行增删整理，出版了这部《鲁迅全集补遗》。

本书分为七部分，内容包括鲁迅早期的三部专著，即《中国矿产志》（与顾琅合著）、《人生象敩》和《小说史大略》，以及集外文、书信、书籍广告和附录。专著部分以出版或印刷时间为序，其余部分分别以撰写或发表时间为序。

本书作品收录原则有二：一、经考证为鲁迅著作（包括经鲁迅修改和增订）者；二、作品形式比较完整，相对成文，具有一定的独立性。

本书校勘原则有五：一、凡见于手稿者，遵从手稿；二、作品中所使用的异体字、通假字，遵从原版，不作更动和统一；三、原作为竖排，一些涉及方位的词如不妨碍理解则不作注；四、作品中出现的计量单位、百分比等表述方法，如"十二启罗迈当""九九六六九六八八法吨""六十％""六〇％"等一仍其旧，以保留文本原貌；五、对作品中出现的明显错字直接予以更正，不另出校，漏字等予以填补，以〔〕为记。

我们希望本书的出版，能够在一定程度上弥补新版《鲁迅全集》的缺憾，同时也希望能够为广大读者和研究者阅读和研究鲁迅著作提供更多的方便。

天津人民出版社
2006年4月

目　　录

中国矿产志

人生象敩

小说史大略

集外文

一九〇三年

一九〇四年

一九〇六年

一九〇九年

一九一二年

一九一三年

一九一四年

一九一五年

一九一六年

一九一八年

一九一九年

一九二〇年

一九二一年

一九二二年

一九二三年

一九二四年

一九二五年

一九二六年

一九二七年

一九二九年

一九三〇年

一九三一年

一九三二年

一九三三年

一九三四年

一九三五年

一九三六年

书　信

书 籍 广 告

一 九 〇 九 年

一九二五年

一九二六年

一九二七年

一九二八年

一九二九年

一九三〇年

一九三一年

一九三三年

一九三四年

一九三五年

一九三六年

附录:家用账

中国矿产志

本书于光绪三十二年(1906)五月十一日由日本东京并木活版所出版,上海普及书局、南京启新书局、日本东京留学生会馆发行,署江宁顾琅、会稽周树人合纂。光绪三十二年十二月初一日增订再版,光绪三十三年正月十五日增订第三版,1911 年 10 月 20 日上海中华书局第四版。光绪三十二年十月初一日,清政府农工商部"通饬各省矿务议员、商务议员暨各商会酌量购阅"。同年十一月十三日,清政府学部批准该书为"中学堂参考书"。此书原为句读,今据增订第三版进行了校点和整理。

序

矿学之失传久矣。古者五金之贡早见《禹书》，铁冶起家者往往而有。黄金之多，计以斤镒；夜光之璧，动称径寸。宜乎研究日精，何以不昌若是？泰西探矿，必论地层。而管子亦言地堛，《周礼》廿人物其地图而授之，斯文尤简切详明，曰物曰图，包举采矿之能事而无遗。中国矿学之讲求，于此可见矣。尝见山左右之开煤矿者，率开双井，井下就煤层之厚者横开井字路，路至煤尽处始回掘。回掘者，掘取井字空白处所留煤柱也。乃大获利，父老相传，旧井井字路每架铁轨如轨辙，借以推挽煤车。按之西法，未始不同也。明季以貂珰从事探矿采矿，虽为天下之诟病，然其要莫亟于今。盖既累于鸦片之害，岁六七千万金，又累于赔款者，岁四五倍于六七千万金。不雨自天不苗，自地不发矿藏，将何繇得此？自英国以煤铁致富，富以致强，列雄乃争趋恐后，本国不足则求之他国，并设为兼弱攻昧，天演之常之说以导之。同治十一年，德人即遣聂诃芬氏遍搜中国，而于山左右为最详。胶州未据之先，实已探明钻石矿即夜光之璧之所在。侯官陈季同曾奉李文忠公之命往查而亲见之。西报言开有二区，黑钻已累累可见。中国矿产遍处皆是，早为他人所觊觎，若不亟自设法开采，将尽入他人之掌握。顾、周两君学矿多年，颇有心得。慨祖国地大物博之无稽，爰著《中国矿产志》一册，罗列全国矿产之所在，注之以图，陈之以说，使我国民深悉国产之所自有，以为后日开采之计，致富之源，强国之本，不致家藏货宝为他人所攘夺。用心至深，积虑至切，决非旦夕之功所能致。此书成，适鄙人游历东瀛，二君出以示余，余嘉其图之精，说之详，深有裨于祖国也，特为之说。以序之。

光绪丙午仲春　马良叙于江户旅次

例　言

一、是书概分二篇。首导言，以志中国今日所知之地质；次本言，以志中国今日所知之矿产。二者联属若形影，不知地质，无以知矿产，故首志之以为矿产导。

一、中国地质，中国未尝自为。其检索最详者，首推德人聂诃芬 Richthofen 氏，然亦偏而不全。今并刺取此他诸说，累集成篇，供参考已耳。兹事体大，即博通斯学者，亦非独力所能成。意者中国学术方将日蒸，旦暮必有兴者，吾惟蕲此书之早覆瓿耳。又篇中专名为多，而中国旧译，凡地层悉以数计，今则译其义若音，地史系统亦然。试为列表如此，以备稽考。

（一）原始代 Archaean Era

（1）片麻岩纪 Geniss Period

（2）结晶片岩纪 Crystalline schist Period

（二）太古代 Palaeozoic Era

（1）康勃利亚纪 Cambrian Period
（2）希庐利亚纪 Silurian Period
（3）叠伏尼亚纪 Devonian Period
} 太古代前半期

（4）煤纪 Carboniferous Period
（5）二叠纪 Permian Period
} 太古代后半期

（三）中古代 Mesozoic Era

(1)三叠纪 Triassic Period

(2)僦拉纪 Jurassic Period

(3)白垩纪 Cretaceous Period

(四)近古代 Cainozoic Era

(1)第三纪 Tertiary Period { 古期 / 新期 }

(2)第四纪 Quaternary Period { 洪积世 / 冲积世(即现世) }

一、中国矿产,因幅员广大,检索未详,故下举诸矿地,皆仅就已知者志之,非谓已尽于此也。又其间虽分金及非金两属,而所区别,又非确指纯质为言,如非金属中之矾石、硝石等皆是。幸勿以学术上之分类法例之。

一、矿产所在,皆揭其地。其较大者,略为说明,然亦多拾外人之言,正确与否,纂者亦难自决。第近臆说者,则固已节去之矣。

一、言中国地质及矿产之书,鲜见于世。而纂者于普通矿学虽略窥门径,然系非其专门。此所记载,悉钩稽群籍为之。其羌无左证者,虽不敢率录,第事既创作。而当纂辑,又在课余,误谬知不可免。行将添削,蕲于尔雅。阅者指摘匡正之,则幸甚。

丙午年三月　纂述者识

导 言

第一章 矿产与矿业

世所称支那，其面积凡五百三十八万方哩，广袤轶全欧，足与大西洋匹。试十二分全世界，支那占其一份焉中国面积常视算者而异，此据日本矢津昌永氏《清国地志》。即仅就本部言，亦越百十三万方哩上。汉族攸居。昔命之曰：中国者兹土。

中国面积，广漠既如是。蕴藏綦富，理当然尔。今试言其概：则北部（直隶、山东、山西、河南、陕西、甘肃）有金、银、铜、铅、锡、铁、煤油、硝石之属，且怀煤无量。即黄河流域一带地所蕴蓄，亦足支全世界之工业、航海者数百年。中部（浙江、江苏、江西、安徽、湖南、湖北、贵州、四川）则五金而外，有铅、锑、硫磺、煤油、石盐及煤矿。南部（福建、广东、广西、云南）则有银、铜、锌、锡、铅、铁、含银之铅硫及煤矿等。云南境内，并产宝石焉。

中国矿产，富有既如是。故帝轩辕氏，如采铜于首山。善用地也。唐虞之世，爰铸金银铅铁。逮周而矿制成。厥后则战国以降采丹青，南北朝以降采矾石，唐以降采煤炭，及宋及弥多，比明而益盛，业亦大矣。降及今兹，亦具矿制。顾所经营者，以官业为多，非人民所敢染指。其偶有民业者，辄干涉诛求。非疲弊不已，改良进步，又何冀焉？世目中国矿业为儿戏，夫岂溢恶之言哉？矧下愚之徒，复深信地气风水诸说，必夭阏其业。始就帖然，而所张皇曰某矿某矿者，则又仅拾暴露地表之数枚石而止。呜呼！中国之所谓矿业，如是而已，与世所谓矿业之义盖大异。故世人曰："支那多矿产，支那无矿业。"

虽然，矿业不将竞起耶？主人荏苒，暴客乃张。今日让与，明日特许。如孤儿之饴，任有恃者之褫夺；如嫠妇之产，任强梁者之剖分。益以赂鬻馈遗，若恐不尽。将裘马以换恶酒之达者，迭出久矣，又何患无矿业？行将见斧凿丁丁然，震惊吾民族；窟穴渊渊然，蜂房吾土地，又何患无矿业？虽然，及尔时，中国有矿业，中国无矿产矣。

今也，吾将于垂隳之家产，稍有所钩稽克核矣。顾昔之宗祖，既无所诏垂；今之同人，复无所告语。目注吾广大富丽之中国，徒茫然尔。无已，则询之客，以转语我同人。夫吾所自有之家产，乃必询之客而始能转语我同人也，悲夫！

第二章　地质及矿产之调查者

客者谁？异国人是已。《诗》有之曰："子有钟鼓，弗鼓弗考。宛其死矣，他人是保。"客其将保我者欤？则吾汉族，直后日之客耳。暂客吾国，及往来吾国者，不悉其几何人。今举最著者如次。半学者也，吾视以彗。

千八百七十一年，德人聂诃芬 Richthofen 氏者，由香港入广东、湖南（衡州、岳州）、湖北（襄阳）达四川（重庆、叙州、雅州、成都、昭化），入陕西（凤翔、西安、潼关）、山西（平阳、太原）而至直隶（正定、保定、北京）。复下湖北（汉口、襄阳），往来山西（泽州、平阳、南阳、太原）间。经河南之怀庆以至上海。入杭州，登宁波之舟山，遍勘全浙。复溯江至芜湖，检江西北部。折而之江苏（镇江、扬州、淮安），遂入山东（沂州、泰安、济南、莱州、芝罘），顾其意犹未溢也。三涉山西（太原、大同），再至直隶（宣化、北京、三河、丰润），复低徊于开平炭山。入盛京（奉天、锦州），始由凤凰城出营口，为时三载。其旅行线凡二万余里，著报告曰《支那》者三钜册。于是世界第一煤国之名，乃大噪于全球。〔聂诃芬〕氏尝曰："支那大陆，广蕴煤炭，而山西尤多。然矿业盛衰，首视输运。惟扼胶州，则足制山西矿业之死命。故分割支那，以先得胶州为第一着。"今也其言验。

聂诃芬氏刊《支那》第一册，在千八百七十七年至八十年之四年间。时有匈牙利伯爵曰揩显尼 Graf Szecheny 及克雷德纳 Kretiner 氏，发愿偕地质学者子爵洛奇 V. lo'Czy 氏，探检中国。揩及克留日本之横滨，洛奇先检江苏、江西两省之地质矿产。继而同由上海溯扬子江以达湖北（汉口、襄阳）。渡汉江，越秦岭山，济黄河，经陕西（西安），复西北行抵甘肃（兰州、静宁、安定、凉州、甘州）。履长城西端，再折入肃州，勾留者数月。遂南进过青海西宁，经秦州，达四川省（成都、雅州）。由是至西藏之打箭炉。历扬子江上流，抵金沙江巴塘。南转至云南（大理），过暹罗以去。为时三年，挥金十万。著记行三册行于世。盖于聂诃芬氏探检未详之地，尤加意焉。

千八百八十四年，俄人阿布尔窃夫 Obrucheff 氏，探检北部之直隶（北京、正定、保定）、山西（太原）、甘肃（宁夏、兰州、凉州、甘州）及满洲、蒙古等。越六年，其旅行记《北清中央亚细亚及南山》成。

千八百八十七年，法国里昂商会之探检队十人，查南部之广西、河南（河内）、云南、四川（雅州、松潘）等，勘察至密，而于广西、四川尤详。

前四年，日本理学博士神保铃木及农商务省地质调查所长巨智部之辽东，理学士西和田山崎之热河、长城，学士平林佐藤、井上斋藤之南部诸地，均以调查地质矿山为目的，成《概告》一册。越三年，和田、小川、细川、严浦、山田五专门家，复勘诸地，一订前误。今兹则东西学者，履迹弥繁，所得亦弥确。后此所言，则其所得之成果也。

第三章　中国地质之构造

第一节　地相(参照中国地相图)

亚欧两大陆间,有高台桀然。頫视群岳者曰帕米尔 Pamir,五山脉所从出也,人又称之曰"世界之梁"Roof of the world。五山脉中,其三东向。三山脉中,其一南行,向印度洋面,纡曲为喜马拉牙 Himalaya 山系;其二趋北,崛为天山 Thian Shan 系;而其三则居前两山系间,自葱岭 Mont Bolor 中部,东向其首,延为崑仑 Kuenluen 山系。此三山系,弥展弥遥,终而广野高原,毕归怀抱焉。如崑仑与喜马拉牙山间,有西藏之高原。葱岭在其西,东则群峰屹立如屏障,高原居其环中。虽峻逊葱岭,然横览世界,固已无足与伦俪者矣。试南越喜马拉牙,则降印度之低原。北逾崑仑,则践西蒙古地。更越东境,则临四川之野。惟西邻地独秀出,不越境则无以攀世界之梁。故西藏高原者,大陆中之大陆也。无长流大河,流注其地。岩石解泐,积累四邻,风力所飏,旋为平野。而其地南北东周缘之低地则反是,大河细川,交织如网,樊然四张,溉其流域。因而谿谷倍深,河脉倍众,地相倍复焉。视两者之地理、地文若生物界,无不大有径庭,为地质构造之反射者。盖甲受风威,乙蒙水力,故甲则童然赤地,卉木式微,天相寂寥，凄如死国；乙则雨露所泽，植物遂长，百昌活动，连属其乡。猗地相之伟力，于以见矣。此言中国者，指居西藏高原之东麓，怀山抱野，亚洲东方之周缘地，即世所谓支那本部 China Proper 者也。相度其地相，则蒙崑崙余脉之影响也实多。盖崑崙山系，不仅直走东西而已，其成复最古此据地质时代而言。当南邻喜马拉牙，犹潜海底，而此已屹然为山。故崑崙山系者，实中国大陆之骨骼也。迹其本系之构造，爰有始原界之片麻 Gneiss、晶片 Crystalline schist 诸岩石。则崑崙山系者，实又中国大陆地盘之干系也。古者地壳之波，皱不复坦。故山系南，有骈行之脉甚多。北麓形若阶级，成断层山，终抵北方而为隰。系尾则远涉东部，其长凡四十经度千二百里，以是世常区西、中、东三部言之。

西昆仑者，始于葱岭，迄罗布湖 Lob-nor。其初高度几同，绝少峻险。既而东向，比抵琪利亚府 Kiria，岐为二：一曰当拉山系 Tangla or Sangla，一曰俄罗斯山系 Russia Range。本系则至罗布湖裔，展为平原与中国地相，盖无甚深之关系。中崑崙状若楔，至中国，入河南，后受南北行断层所中断，陷为低地，更隆为淮山，蜿蜒之南京而毕。是即秦岭山系 Tsin-ling，界中国为南北二区者也。古山脉之有力于人事者，以斯为最。有是而动、植、气候若工商之业，南北因以毕殊。盖不徒天然之分域，亦中国地质构造之至要者已。

秦岭之北有黄河，南有长江。北之气候，夏乃酷暑，冬乃祁寒。地相殊简，多平原台野。著名之黄土 Loess 及尘埃泥泞，掩蔽地盘，不宜草木。地无立植，稼穑维艰，所获者仅棉麦属耳。

南则反是，有峻峰深谷，林木蓊翳。降至低地，冲积层在焉。厥土富沃，植物滋生，蔓延于甸野。寒暑不厉，霖雨以时。棉麦而外，则有禾、茶、桑、麻、薯蓣之属，竞向荣焉。秦岭山腹之南北，其天然之殊，有如是者。然试取北之渭水地，与南之汉江域较，则两者之为殊异，盖尤著也。

中崑崙在青海北，幅员广甚，且有骈行山脉十。其南脉纡回于南，为西藏之东境。南行缅甸及暹罗，余波犹及于马来群岛。中央干部曰巴颜喀喇 Baian Kara，东向走，与积石西倾岷山等相属。尚于渭水之南，桀为秦岭，又自故都西安之北，起为伏牛 Tuniu。凡秦岭以东总称秦岭山系，即东崑崙也。中东二山相接处，为西藏东境，即四川西北，甘肃之南。层冰峨峨，覆掩山体，或谓昔较喜马拉牙尤秀出云。四川西境之大雪岭，不过其一分耳。又一脉自甘肃之南山岭出，走山西太原府，比至辽东之野，遇断层，其迹乃绝。既而抵满洲朝鲜之界，再崛起为长白山，此亦崑崙之孙枝也。

有大断层，自汉江上流，襄阳府之边，北东走，东侧陷落，中断东崑崙。所谓中原者，即其东方地也。此断层过黄河北，由北京平地，东望其面，外表殆似山脉，实则台地之东坂耳，是名太行之山。台地则西联山、陕之高原，复与蒙古相属，中国之大煤田在焉。其断层山，走北京之西，崛起为凤山。既而北展，成大兴安岭，作满洲与东蒙古台地之界域。秦岭既断，至湖北，微隆为淮山。东泳东海，再兴为日本崑崙，以构成日本南部地。与此断层骈行者，再见于山东。顾此则西侧独陷，微隆而成泰岳，远及于辽东。所谓辽东半岛者，其东侧隆地也。

今更旋面目而顾南方，复得一山脉，自秦岭山系，分趋东南者也。在四川东北，则走汉江之上流，以大巴山及荆门山名。在宜昌重庆间，则斜行扬子江，江畔有三峡栈道之险者以此。山脉与西藏间，为四川洼地。构以砂岩，色带赤，地质学者遂字之曰："四川之赤洼"。山脉余波达云南而毕。与此骈行者，在中国东南岸闽、粤地，走广东、福建及浙江之西境，尽于宁波。凡此皆自西南而趋东北。大庾岭、仙霞岭，其分名也。总称之曰支那山系 Sinical system，与北方之秦岭相对。系之西里，有湖南、湖北之低地，鄱阳、洞庭，则低地中之尤低者也。

第二节　地质上之发育史

自中央亚细亚以至中国，地质上古多变动，与世俱进，迄于今兹。故究中国之发育史者，必先知亚细亚东部之转变。今先陈其概，而以序及吾国焉。

(一)第一周期……原始代

最初之地球，其表至薄，熔岩未凝，如芦苻之裹沸沈。时则片麻岩等，凝聚累积，挟火上飞，地壳为之龟坼，而熔岩乃复弥缝灌注之，如水就下，后凝为火成岩，今称花岗岩 Granite 者即是。以上盖第一变动也。地盘上升，成一山岳峻嶒之大陆，既乃静止。烈风怒吹，暴雨频集，浸润克削，海面日高，终而巨浸无际。怒浪拂天而外，更无所有。是时也，则为原始代 Archaean Era。

原始代岩石之见于亚细亚东部者，在朝鲜、满洲及中国之山东、福建诸省，名片麻岩。古者喷涌出地，凝为一大陆。厥后经风雨所剥蚀，波涛所激冲，零星尽矣。逮第一变动起，熔岩上涌，地盘亦偕以俱升，而东部亚细亚之大陆骤现。惟地层运动，不一其致。故秦岭以北，断层分走于诸方，是成台地；以南则地层恒作波形，屈曲为山脉焉。此第一周期终。而中国南北两部地质上之历史遂异。

（二）第二周期……太古代前半

原始代既去，康勃利亚纪 Cambrian Period、希庐利亚纪 Silurian Period、叠伏尼亚纪 Devonian Period 继之。其所经岁月，殆不能缕指数。尔时洪水襄陵，为力至伟，故土砂之属，多湔涤入海，累积为砂岩泥岩及白垩岩。后地盘再震，海底复昂然为陆，而中央亚细亚及中国之陆地山岳成，是为第二变动。递既静止，风雨竞集，翘然出水者日以卑，坦然滨海者日以削。洪涛所啮，地盘日低，大陆沉沦，海若再伟，此太古代 Palaeozoic Era 之前半也。

中国当静止时，风雨则陵其陆地，海波则蚀其东南，弥蚀弥进。而南满洲、山东、山西、陕西、直隶及河南诸地，终为水国。陆上之砂砾土泥，输运入海，悉沉集浅处。其距岸较遥之深海，则生灰石之累层。此海曰“康勃利亚纪海”。海之南岸，即秦岭也，其以南之中国，乃非海而陆，故康勃利亚属不可见。尔后北方之海，渐涸为干土。秦岭以南，地盘又陷，成“希庐利亚纪及叠伏尼亚纪海”，海底则陆上之土泥累积之。稽此海，盖尝入中崑仑，通天山，经西伯利亚，而与欧洲之俄罗斯相属云。

（三）第三周期……太古代后半至近古代

此一周期，以煤纪 Carboniferous Period 始。其先群植滋殖，长林郁翳。故当波浪蚀陆之际，其波足所及者，辄挟土沙以掩瘗之。水逼其上，火燔其下，爰相率僵死，造成广漠无量之煤田。此煤纪末叶。地盘之变动又起，海隆成陆，而今日中国及中央亚细亚之地相，乃粗定矣。秦岭以北，因遇数断层，遂生台地，形错落若阶级；以南则地表曲蟠，崛出为连岭。悬想当时，盖较喜马拉牙尤秀出焉。推地球他部之僵石若地层，知其历年盖甚长，其为变复甚复。惟东部亚细亚独不然。煤纪时隆为大陆，后历中古代及近古代之第三纪 Tertiary Period，为变甚微。仅雨雪凑集，山岳崩溃，销耗磨灭，高者渐卑，完者日泐而已。与今日亚细亚之现象，殆无以异也。其稍著者，则有小山脉之勃兴，断层之陷落。断层之大者，在秦岭东，自汉江上流，北北东走，延及北京。北方之兴安岭，亦乘时崛起。其一则与前者平行，自南京斜掠山东及辽东以去。两断层间，复大陷落，窅然以深。秦岭山系，遂因之中绝于湖北。渤海湾及辽东之平野，即其低地带之一部也。是为中原历代枭雄所角逐竞争，造成一部相斫书者皆在是。

进究中国北部之变动史，则当煤纪时，有大海自朝鲜西向。原始代及康勃利亚纪之大陆蟠其北，秦岭、昆仑二山当其南，而瀚海 Drysea（东蒙古沙漠之位置）则侵入天山南，与俄罗斯之“煤纪海”相联续。其近邻复有一煤纪之大海，开展于中昆仑及秦岭半岛南。时淮山山畔，尝为海峡，故得与北海合。复包日本，经云南及缅甸之海峡，以达印度之赤道洋。此南北两大海，矿藏异量，僵石殊致。本纪初，北海本极深邃，厥后经煤岩之沉埋累积，于以日浅。或竟出水成陆，植物群生。陆稍降则植物又受海中土沙所掩蔽。一降一升，地变迭起，终造成一冠绝世界之煤田。后遭转变，全土上升，成江西、陕西之煤层台地。东抵山东，西经甘肃，尚遥及于瀚海。南岸之桀然者，曰秦岭，曰中崑崙，迄今兹未尝再沦于水国。故除中古代之中原陷落外，谓今日中国之地相，已粗备于尔时，固无不可耳。

顾南部之变动史则异是。自煤纪以至二叠纪 Permian Period，惟天水相衔，更无陆影，故煤层遂未由成。迨北海成陆，地盘始稍变动，时则有横压力自西北来，秦岭以南之地层，遂崛起为峻岭，连绵闽粤间，所谓支那山系 Sinical system 者是矣。厥后时有转变，不至故常。内部生数断层，其一部分，终沦陷为海，则中古代 Mesozoic Era 之始也。其海曰"三叠纪之大洋"。此其为海，达西藏之东境，自缅甸喜马拉牙至大西洋，今日欧非间之地中海，其余沥耳。三叠纪 Triassic Period 后曰侏拉纪 Jurassic Period。中国南部之海日蹙，渐成"新地中海"。其位置，即今之四川洼地也。地盘构造，纯以赤砂，故亦称"赤盆砂地"。尔时植物瘗赤砂中，化而为煤，后成中国南部之煤田焉。其所历岁月，较北部者为稚，可推知已。迨入白垩纪 Cretaceous Period，海再隆为陆，故白垩纪之地层不可见。

前言两断层间，窅然以深之中原，即成于中古代，此中国南北两部共有之变动也。两断层中，一自汉江，贯黄河，至北京，复生山西之台地及北京之卑脉；一在其东，自辽河之野，经渤海湾，贯山东西缘，抵南京之郊外。中挟中原，实则地质学上之沟底而已。沟底微隆成淮山，踞河南及湖北之界。继乃受崑崙余脉，至镇江，再崛兴于日本。斯时也，中生代将终，地相底定。厥后变故虽多,顾微细无伟力,未足以移易中国之地相也。

自白垩纪以迄今日,中国之山地,既屹然成陆,中原亦然。独蒙古沙漠及甘肃方面地,当近古代 Cainozoic Era 之第三纪 Teriary Period 末叶,尝为内海耳。故中国本部,自白垩纪后,已为干地。其来凌藉蹂躏者,厥惟风霜雨雪之属。意者尔时之秦岭山系,高必胜于今兹,与淮山及山东之山相联络,以环绕中国北部。逮第四纪 Quaternary Period 之洪积世 Diluvial Epoch 时,欧洲为祁寒之冰河时代,中国内部,则当温湿风自南方来,辄为山壁所阻阏,雨泽悉竭。其北复有烈风,气候干涸,与大漠殆无以异。故土砂埃尘,均随暴风飞动,沉积其地,久而诸山日卑。气候渐变,乃始有雨,以润泽此土砂埃尘,渐就坚实,于以成中国之黄土 Loess。黄土所在,惟扬子江北,不见于南方。所谓黄河,则以灌溉兹地,遂含色获名者也。又其流水,朝宗于海,水色为变,是名黄海。其影响所及,有如此者,而不仅此也。试一悬想,假当时无是,则中国北部之平原,将未由成;有之,则地又因以硗确而不适于稼穑。此有名之黄土,殆无以异地质上之鸡肋欤。

洪积世去,现世 Recent 继之。其转变之行,亦无待重为言议。特为变徐徐,远逊往古之猛烈,故从约焉。

第四章　地层之播布

第一节　原始层

熔岩初凝，渐成地壳。是即当时之遗迹，始为地质学家所目睹者也。所见地层，此为最古，故以原始名。所历时日，此为最长，故屡受变动。其断层最多，襞积亦最甚。检视石层，略无生物。昔美国达逊 Dawson 氏，尝于加拿大石灰岩 Canada limestone 中，见有若有孔虫之遗迹者，遂取原生生物意，名之曰阿屯 Eozone，后经研核，其说竟破。意者尔时殆惟荒天赤地，绝无微生命之胚胎欤。顾岩石中，时含石灰石墨之属。夫石灰为动物之遗蜕，石墨为植物之槁株。设无生物，何能有是？又次之太古层中，得三叶虫 Trilobites 之僵石。三叶虫者，动物之高等者也。按进化说，则劣者必先，优者必后。故意者尔时亦非无至劣动物，生活其间，特遗蜕模糊，莫能辨识耳。以是，此层惟据岩石之性质，析为二：其一曰片麻岩层，次曰晶片岩层。

是层之岩石，见于辽东半岛，及山东、福建诸省，延及朝鲜，矿产甚富，以产银、铅、铜、铁、铂、玉著。此他则崑仑、秦岭、戈壁、瀚海等。盖戈壁者，实原始层之浸蚀相 Erodel facies。而瀚海，则合花岗岩所构造者也。

第二节 太古层

始见僵石，故亦以古生名。然所谓生物者，复非原生，吾曹所能目击之最古者耳。其尤古者，则沉埋转变，无得而稽考矣。其岩石皆自少而至多。以火成者，有花岗、闪绿、辉绿等；以水成者，有砂硅、粘板、石灰等。生物亦由简以趋复。厥初则有藻类、三叶虫、珊瑚之族，然皆水产而已。既而鱼而苇而鳞印诸木，渐由水产以超陆产。然高等者，未获睹也。再降则两栖动物及爬虫现，而古生层终。此依僵石，细别为五：

（一）康勃利亚层。此复细别为三：中国辽东之石灰岩，其上层也。据聂诃芬 Richthofen 氏说，则自辽东半岛，直亘朝鲜之咸镜道，厚数千呎。石灰岩所函僵石，以苛诺罗利飞 Conocoryphe、亚梧诺士都 Agnostus 等之三叶虫，及灵古累拉 Lingulella、亚尔气士 Orthis 等之腕足介，为特征云。惟此层所布，则土质常硗确不宜耕稼。所赖者，产金、银、铜、锡之属，远胜他层，为足弥其缺陷耳。

（二）希庐利亚层。此层岩石之在中国者，自陕西汉中府以至四川广元县之山间。含三叶虫 、腕足介、珊瑚之属，产五金焉。

（三）叠伏尼亚层。此层产地，在秦岭山之南，云南之北，四川之东北等。聂诃芬氏尝采僵石探究之，则嘉陵江之北，有五房介 Pemtamerus、美喀罗登 Megalodon sp. 、蜂房珊瑚 Fanosites 之属，而石燕 Spirifer Canolifer 尤多。云南之潞江，则有恺马罗复利亚 Chamarophoria、小口介 Rhyuchonella、亚气利士 Athyris、苛内梯士 Chonetes、蜂房珊瑚、石燕之属。凡此皆本属之上部与中部也。变质岩中,常含玉类。岩石脉络间,亦恒产银、铁、锌、锡等。

(四)煤层。产煤最富且良,故名。据所函僵石,析为二部:曰下部,曰上部。其下部在南山、抚顺、天山、四川、甘肃之肃州与甘州间、巴尔丹译音河畔、山东之博山县,皆海成层也。僵石以珊瑚 Coral、腕足类 Brachiodada 为主。上部之海成层在甘肃之山丹、西宁配灵山北侧、勾佺川下、泰甲山之赛门关以上四地皆译音,僵石以腕足类及纺锤虫 Fusulna 著。江苏、湖北,僵石以有孔虫著。江西,僵石以软三叶虫及鱼类著。夹层煤之播布,亦广大焉。陆成层在盛京、直隶、山东、陕西、山西、河南、四川、湖南、广东诸省,其僵石以大苇 Calamites、鳞木 Lepidodendron、印木 Sigillariods、羊齿 Ferus 等著,层中夹煤最多。聂诃芬氏尝谓山陕煤田,面积殊广大。如陕西东南部煤层,其总积凡四千八百方里,厚自十六尺至三十尺以上,并富铁矿云。此外则甘肃、陕西、云南及崑仑山附近,亦见煤层。惟僵石种类,艰于识别,故今兹犹未辨其部属焉。

(五)二叠层。此层始自西藏东北部,至江西,延及江苏之南京与镇江间。岩石以石灰岩为多,僵石以腕足介为著。有用矿物,则石盐、石膏、铜、铁、铅、煤之属也。

第三节 中古层

此层以粘板、角岩、硅岩、粘土等为多,时含石盐、煤、石膏之属，生物则前此者渐归灭绝。故鳞印诸木，初即衰落，而松、柏、苏铁、羊齿等，与之代兴。继而无花果、白杨、楮、柳之属出，其景象殆无异于现世矣。动物则前代爬虫，日臻发达。有袋类亦生，为哺乳类导。次则诡形之龙类，跛扈于陆地；有齿之大鸟，腾跃于太空。盖自有生物以来，未有若斯之瑰奇繁盛者也。菊石、箭石之属，亦大繁殖。遗蜕累积，成白垩层。再降则生物复大变革。旧生动植，或衰或灭，而真阔叶树及硬骨鱼兴。僵石既三变易，故此层亦从而析为三，如次：

（一）三叠层。此层之在德国者凡三叠，故名。最下叠见于西藏北部，岩石多石灰，僵石多菊石 Ceratites。中叠则云南有之，僵石及岩石之特征与前者相若。产辉铅、白铅、铜、硫、铁等矿及孔雀石焉。上叠尝见于贵州，所含矿物，与中叠等。

（二）僦拉层。凡三部：下部色黑，中部色褐，上部色白。在中国者，多褐色僦拉层。即其中部也，产植物僵石，如山西大同府，四川之广元县，湖北之黄州、大同两府，及直隶省皆然。煤、铁等矿，亦恒有之。

（三）白垩层。中国自僦拉纪后，渐隆为陆，故白垩层不可见。

第四节　近古层

此为最终之地层。细别成二：末叶之洪积层，见人类焉，岩石以粗面流纹及黏土柔垩之属为多。其层广布于中国，如北部之黄土 Loess 即洪积层也。厚越二千三百尺，函哺乳动物及陆生介类，且曼衍至西藏、蒙古、叶尔羌及波斯。此黄土成因，解者甚众。如斯克揭黎 Skerchey 氏谓此乃冰河所运之漂土，比冰河中绝时代 Interglacial Period 复为空气所运，积为累层；又荆格斯弥尔 Kingsmill 氏则谓山东附近之黄土，古必沉积于水中，非风力所致。然聂诃芬氏则归之风力焉。

本　言

第一章　直隶省矿产

第一节　金属矿

金　矿

顺天府房山县宝金山。　顺天府密云县

永平府迁安县宽河川。　顺天府大兴县

永平府卢龙县　热河滦平县朝河川职商吴景毓禀办商部〔批〕准探勘。

右诸矿产，惟在热河者，有都统寿荫之覆奏见光绪二十四年北京官报可得其概。虽诚妄不可知，今姑再录之。略谓金厂沟梁，以光绪十八年始。矿石坚致，日获金四五十两。双山子金矿，日获二三十两，利益殊丰。宽沟等处，虽兴业垂二三十年，然拮据甚。土槽子、遍山线、热水诸地，亦纳税悉不厚云。

银　矿

顺天府大兴县　顺天府密云县

永平府迁安县　顺天府昌平州河子涧村。商人李宏富禀办商部批准探勘。

永平府卢龙县距城西十五里，椒山。永平府抚宁县

承德府丰宁县　宣化府蔚州

热河

铜　矿

顺天府大兴县

保定府

永平府卢龙县孤竹山。

承德府平泉州每年约获五十余万斤。

铁　矿

顺天府遵化州

顺天府大兴县

保定府满城县

永平府迁安县

顺天府密云县大峪椎山。

顺天府宛平县

宣化府龙门县

永平府卢龙县城西十五里。

锡　矿

广平府磁州

永平府迁安县

承德府

第二节　非金属矿

煤　矿

顺天府房山县无烟煤。

永平府抚宁县无烟煤。

定州曲阳县白石沟及野北村。商部自办。

承德府朝阳县

正定府阜平县炭灰铺村。

宣化府保安州无烟煤。

顺天府宛平县同上。①

宣化府蔚州同上。

宣化府宣化县鸡鸣山。

正定府灵寿县

赵州临城县近铁路旁。现借款自办。

宣化府西宁县无烟煤。

① 原文为竖排一列两行，“同上”即“同前”，下同。——编者

顺天府保定县同上。　　宣化府万全县同上。

永平府临榆县同上。　　宣化府开平煤矿

磁州煤矿

开平煤矿，在永平府滦州之石城与唐山间，系明代所已发见者云。井凡十三，深约千五百呎至千七百呎，煤层之数与井等，其倾斜约四十五度。煤质最良者，为第五、第九、第十三诸层，余悉不善。顾其量则甲东洋一切煤矿，日所获凡二千三四百吨。矿区之宏，煤层之厚，皆仅见者也。

海　盐

顺天府宁河县　　遵化州丰润县

天津府章武县　　永平府滨海诸县

玛　瑙

宣化府

硝　石

大名府土硝。　　天津府天津县

石　棉一名不灰木。

承德府滦平县　　宣化府蔚州

绿　矾

天津府　　宣化府有青、白及土粉三种。

水　晶

顺天府昌平县　　宣化县

第二章　山西省矿产

第一节　金属矿

银　矿

解州安邑县　　解州平陆县银穴三十四区。

铜　矿

绛州垣曲县　　解州平陆县

平阳府曲沃县　　潞安府长安县

大同府　　忻州定襄县

沙　金

隰州大宁县　　泽州阳城县

绛州闻喜县　　平定州盂县

铅　矿

绛州垣曲县　　隰州

锡　矿

解州安邑县　　沁州沁源县

泽州阳城县　　解州平陆县

铁　矿

太原府太原县　　太原府榆次县

平阳府临汾县	平阳府曲沃县
平阳府翼城县	平阳府岳阳县
平阳府汾西县	平阳府洪洞县
平阳府吉州	平阳府乡宁县
解州安邑县	保德州
汾州府孝义县	泽州阳城县
大同府怀仁县	绛州绛县
沁州武乡县	代州
潞安府	汾州府
汾州府宁乡县	霍州灵石县
平定州盂县	沁州沁源县

本省铁矿，以平定州盂县，及自潞安府至泽州阳城县者为最著。其开采似始于二千五百余年前，逮唐乃弥盛。惜迄今日，而所操方术，与欧西数世纪前者，犹无甚异耳。特铁质则纯良甚，经土法制炼后，不逊瑞典产，盖因矿悉褐铁及镜铁故也。

第二节　非金属矿

煤　矿

平定州寿阳县无烟煤。	平定州盂县同上。
忻州静乐县无烟煤。	平阳府翼城县无烟煤。
平阳府岳阳县同上。	平阳府临汾县同上。
平阳府洪洞县同上。	平阳府浮山县同上。
平阳府太平县	霍州灵石县同上。

霍州赵城县	泽州阳城县同上。厚达七迈当半。
隰州大宁县	汾州府临县
大同府广宁县	宁武府神池县
代州五台县	太原府太原县
潞安府长安县	平定州杨泉村。

矿区广袤，凡一万三千五百平方哩，脉皆相蝉联，绝少崩裂者。煤层则厚自二十五呎至五十呎，其平均数，必不在四十呎下。凡此悉得诸亲就矿穴之实测，非仅据外象为言者也。质复佳绝，焚之无烟。假从前说以煤层率为厚四十呎，比重为一五，则量当达六千三百亿吨。又假定现全世界之用煤量为六亿吨，则山西一省所函煤量，已足支一千余载。矧矿脉仅微斜，故于煤层中，凿长数哩之导水坑，为事亦易。上乃沙岩，无俟支柱。地复富实，利于经营。又取煤质与他国产者较，盖不逊英国之优等煤。东洋诸国所产，恐莫与京云。此聂诃芬氏说也。

石　盐

太原府阳曲县	太原府徐沟县
太原府太原县	忻州定襄县
太原府文水县	大同府大同县
大同府浑源县	大同府应州
解州安邑县	霍州
隰州	保德州

硝　石

汾州府永宁县	解州有硝池。

明　矾

平定府寿阳县　　平阳府吉州
绛州垣曲县　　解州

钟　矿

泽州

绿　矾

大同府　　平定州
解州有胆矾窟。　　绛州垣曲县同上。

石　棉一名不灰木。

潞安府黎城县　　潞安府壶关县

石　膏

汾州府永宁州　　汾州府介休县

玛　瑙

大同府

水　晶

汾州府永宁州　　泽州

琥　珀

潞安府

硫　磺

太原府阳曲县王封山。山西商部议员刘笃敬禀办商部批准。
隰州

煤　油一名石脑油。

潞安府　　泽州陵川县
平定州　　平阳府
肃州　　霍州

第三章　陕西省矿产

第一节　金属矿

金　矿

西安府临龙县　　西安府南山

兴化府西城、汉水、汉阴、月川，水皆有金，明初封禁。　　商州雒南县

汉中府西乡县　　兴化府汉阴厅

银　矿

西安府　　商州山阳县

汉中府

汞　矿

商州雒南县　　汉中府略阳县

兴化府洵阳县

铜　矿

西安府终南山　　兴安府洵阳县

兴安府金州出自然铜。

鄜州产自然铜。　　商州

铁　矿

西安府临潼县　　邠州长武县

西安府南山　　凤翔府郿县
凤翔府陇州　　汉中府略阳县
汉中府城固县　　凤翔府汧阳县
商州　　汉中府沔县
鄜州中部县　　鄜州宜君县

锡　矿

商州

朱　砂

汉中府　　商州

第二节　非金属矿

煤　矿

榆林府榆林县无烟煤。　　同州府
汉中府凤县

煤　油即石油。

延安府延川县美商垂涎甚久，现已自行开采。　　延安府延长县
鄜州　　西安府石油矿脉亘二百余里。

石　盐

榆林府葭州　　榆林府榆林县
延安府定边县

明　矾

同州府澄城县　　西安府同官县

钟　矿

汉中府凤县

玉

西安府蓝田县　　西安府临潼县

商州雒南县　　汉中府略阳县

兴化府洵阳县　　西安府南山

笔　铅即石墨。

凤翔府汧阳县

玛　瑙

榆林府府谷县　　榆林府神木县

硫　磺

西安府同官县　　鄜州宜君县

琥　珀

汉中府

第四章　甘肃省矿产

第一节　金属矿

金　矿

巩昌府珉州　　肃州酒泉洞庭山。

西宁府西宁县　　阶州文县

西安府鄜州　　兰州府

凉州府镇番县

阶州文县有金窟，在麻仓，与绍化县接界。窟如井，取之甚难。

银　矿

平凉府平凉县　　平凉府华亭县

阶州文县　　巩昌府宁远县

秦州秦安县　　秦州清水县

秦州两当县

水　银

阶州文县将利。　　秦州徽县

铜　矿

平凉府平凉县　　巩昌府宁远县

秦州秦安县　　平凉府华亭县

铁　矿

平凉府平凉县　　巩昌府宁远县

平凉府华亭县　　秦州秦安县

秦州徽县　　庆阳府安化县

宁夏府麦采山。　　庆阳府城北横岭。

铅　矿

秦州徽县　　平凉府华亭县

宁夏府

第二节　非金属矿

煤　矿

兰州府狄道州　　兰州府金县

秦州秦安县　　巩昌府通渭县

凉州府永昌县　　凉州府古浪县

西宁府大通县　　甘州府山丹县

巩昌府伏羌县　　宁夏府平罗县

煤　油

甘州府山丹县有井十二。

石　盐

平凉府华亭县　　巩昌府西和县

宁夏府中卫县回乐。　　凉州府镇番县

肃州福禄。　　秦州

西宁府　　阶州

钟　矿

巩昌府岷州　　阶州

硝　石

巩昌府宁远县　　庆阳府安化县朴硝。

巩昌府会宁县　　阶州

庆阳府各县俱出。《元和志》:有窟一所,在会州北一百里,朱家办课。

玛　瑙

巩昌府岷州　　阶州

硇　砂

兰州府各县俱有。

石　膏

安西州沙州。

矾　石

宁夏府俱贺兰山。　　阶州

安西州瓜州、沙州。

第五章　山东省矿产

第一节　金属矿

金　矿

沂州府兰山县　　登州府招远县

青州府临朐县　　沂州府莒州古石港有银洞，系明代开采者。

登州府栖霞县　　登州府蓬莱县

上举诸地，所产多沙金。凡自结晶质岩石山中，流出之河流间，有之。惟丰饶产地，则迄今未获。故开采者，不久辄废置云。

银　矿

沂州府兰山县　　沂州府莒州

沂州府蒙阴县　　青州府临朐县略水洞、古石港。

济南府般阳、济南二处。　　登州府岠嵎县东二十里，金山黄银洞。

去莒州北一百里，有七宝山，产金、银、铜、铁、锡之属。又南十五里曰古石港，其地有银穴，明万历间尝采之。

汞　矿即朱砂，又名丹砂。

沂州府蒙阴县　　青州府临朐县丹砂。

朱　砂丹砂。

武定府茅焦台东。

铜　矿

泰安府莱芜县

兖州府峄县

济南府新城县

沂州府莒州七宝山。

青州府临朐县

铁　矿

济南府淄川县

济南府新城县

登州府栖霞县

兖州府峄县在县东马山。

泰安府莱芜县

青州府益都县

沂州府莒州赤铁与褐铁。

青州府乐安县

青州府临淄县有魏时铜官迹。

青州府临朐县

登州府蓬莱县

青州府博山县

青州府高苑县

锡　矿

兖州府峄县

沂州府莒州

青州府临朐县

铝　矿

沂州府沂水县

沂州府莒州

青州府临朐县

第二节　非金属矿

煤　矿

青州府益都县	青州府博山县 }现德人办。
登州府黄县	登州府招远县 }现德人办。
青州府临淄县	莱州府潍县 }现德人办。
济南府章丘县	济南府淄川县 }现德人办。
沂州府郯城县	兖州府峄县
泰安府新泰县井深自五十尺至百尺。	泰安府莱芜县为青沥质，德人欲揽办。
沂州府莒州	青州府昌乐县距青岛汽车约四小时之房子山，煤矿甚旺。

山东煤矿，德人聂诃芬氏检核最详。据所言，则上揭诸地，以沂州、博山、章丘、潍县为冠，莱芜次之，新泰尤亚。前四地中，面积首推博山，质量需用，亦居第一云。今为概说如次：

博山煤田，山东北部最大之煤田也。博山县城，以工业著，制玻璃、磁器殊有名。市居洼地中，其东北有博山庙，左近产石灰岩，函腕足类及他种僵石，盖煤层下部之石灰岩也。南产沙岩，次为驳色黏土，次为白云岩，色作褐，面殊嵯峨，取以陶、磁器者即此。更次为石灰岩，灰色，有白色石脉，纵横旁午其间。诸层倾斜，皆南向。市傍悉沙岩，其西者夹煤层厚自一尺五寸至四尺，然煤质杂土胶，劣品也。市南曰黑山，其层，沙岩与粘板岩相错，上覆粘沙岩，夹数煤层。且产石灰岩，函腕足介，与博山庙左近者等。此二地间，石灰岩岭横贯之。南有断层，以同层累同斜度。出地者再，有竖穴两所，一深百六十尺，一深二百尺。共采一煤层，厚自六尺至八尺，积约二亿坪强。煤质良好，恒煅之作枯煤，计所获，日约六十至八十吨，吨值九马克半，一岁所产，凡十九万吨许，亦中国煤矿之尤也。然聂氏则谓将来之望，恐逊沂州云。

临淄煤田，地未勘检，莫知其详。惟据全体地层推之，则倾斜颇微。虽下凿不深，似亦能与煤层会。矧交通甚便，适于贸迁。其为事简而所获巨，亦将来之良煤田也。

潍县煤田，市南有地，悉黄土。一岩层自此隆出，南向微斜，中夹煤层，面积广袤凡二六〇方里。厚自三尺至五尺，煤质较博山为劣。性既不黏，复函硫铁，故不能用以作枯煤，意者此殆因仅取接近地表者而然。设开采弥深，当获佳品，顾值则昂甚，吨售二十二马克半，他处所未有也。又更南有第二竖井，属前者之下层，厚约四尺，惟所得常零星细碎，其巨大者，仅见而已。

章丘煤田，面积凡博山煤田之三分一，层厚约四尺，煤质复佳。惟在平地，排水殊难，故不能与博山竞耳。独其位置远胜博山，且苟穿凿至深，则所采煤层下，或能更与数煤层会。故假能修缮规模，改善方术，则进为良煤田，固瞬间事尔。

新泰煤田，田在县治北，煤层厚约二尺，凿五十尺至百尺之竖坑取之。煤作片状，有光泽，撮之污指，质复粗疏易碎。当聂氏旅行斯土时，其值每吨十四·〇四马克云。

莱芜煤田，地偏僻不适贸迁，煤质复劣，观泰安、新泰所用枯煤，必购自博山，则斯土之艰于开采，可挈然已。

沂州煤田，沂州近傍颇平坦，其西南稍隆起，渐及百尺至百五十尺。距市五里许，有高丘，约五百尺左右。而北、北东，则高山嵯峨，岩石奇古，此即蒙北方断层所轩举者也。沂州之南，地表覆黏土，含赤铁矿，色赤而坚。西十五里地，名红土店者因此。煤层出地，即始于红土店，层约东倾二十度，厚三尺至五尺。更西复微隆，有地层夹煤，采取颇盛，煤质良好，可制枯煤，计面积凡十二亿二千万坪。今假定能采取者,不过十分之一,而所余犹一亿坪,亦山东之大煤田也。

山东诸煤矿,虽多星散不群,莫能与山西煤田角,然煤质绝佳。地复滨海,其交通输运,易于山西。故据地理决之,则中国北部诸煤矿中,出地最先者,舍山东盖无可指也。

水　晶

泰安府莱芜县　　兖州府

沂州府

明　矾

青州府益都县

硝　石

青州府

石　盐

武定府霑化县　　青州府诸城县

青州府寿光县　　东昌府聊城县

东昌府茌平县　　登州府各县俱出。

青州府乐安县　　武定府滨州

沂州府莒县　　武定府利津县

石　膏

登州府蓬莱县

石　棉一名不灰木。

登州府

玻璃原料白沙。

青州府博山县

第六章　江苏省矿产

第一节　金属矿

银　矿

江宁府句容县铜冶山及手巾山、方山等。　江宁府六合县冶山。

铜　矿

江宁府江宁县金牛山及牛首山。江宁府溧水县

江宁府句容县铜冶山、手巾山、赤山等。　徐州府铜山县

镇江府丹徒县巢凤山。自采，禁私卖。　扬州府

镇江府溧阳县不准私卖。　江宁府上元县有铜夹山、栖霞山、龙潭铜、煤各矿。

铁　矿

江宁府句容县　江宁府六合县冶山。

镇江府溧阳县据《唐·志》。　淮安府盐城县

徐州府铜山县彭城利国驿、盘马山、贾家、汪家等处。

镇江府丹徒县曹王山西德古山，产磁铁矿，又铁冈头、响水凹、马鞍山，禁卖。

汞　矿

江宁府

第二节　非金属矿

铅　矿

镇江府丹徒县西乡蔡磘湾、螺丝营山。

煤　矿

江宁府上元县青龙山、幕府山、栖霞山等处。江宁府江宁县牛首山。

江宁府句容县龙潭等处，现自采。徐州府铜山县无烟煤。利国驿贾家、汪家等处。

镇江府丹徒县曹王山中德古山、老虎洞，禁卖。扬州府

江苏东部，平野茫然，绝少山岳，故煤层从而难获。比西进，近安徽省界，矿始渐多。其开采者，为龙潭、栖霞、元山、祠山、湖山、林山、马扒井、直陵山、幕府山、幕府寺、石澜山、关桥、老虎洞、王家窈、石兰山、太平山、等子山、华山、小茅山、冈山、朱家坳等，凡二十余处。而青龙山煤矿有井二，产煤较多。今废。

笔　铅

镇江府丹徒县泷王山中。

玻璃原料白沙。

江宁府句容县　　海州

徐州府宿迁县

盐

通州　　海州

淮安府　　松江府南汇县

淮安府盐城县　　丹徒县绿塘千层纸矿，禁私卖。

第七章　安徽省矿产

第一节　金属矿

金　矿

徽州府绩溪县

银矿及铅矿

徽州府
池州府
泗州天长县
徽州府绩溪县大鄣山。
凤阳府怀远县涂山。

铜　矿

宁国府南陵县
宁国府宁国县
池州府青阳县
池州府铜陵县铜官山。
徽州府
广德州
宁国府
滁州
安庆府
太平府繁昌县铜山。
泗州
太平府当涂县

铁　矿

安庆府潜山县西北乡各山，产铁砂矿。
宁国府南陵县
池州府铜陵县
太平府当涂县

泗州天长县冶山。商人何象云等禀办商部批准探勘。

水　银

安庆府

第二节　非金属矿

煤　矿

安庆府宿松县传家垅、汪家湾。　安庆府潜山县

宁国府宁国县　太平府芜湖县

太平府繁昌县五华山、强家山。　和州含山县

宁国府泾县猺头山。　池州府东流县喜山、养山等处。

池州府贵池县荷岭、猪形洞。职商孙绪发禀办商部批准。

广德州牛头山、翎猪洞、梁家山。职商杨锡琛等禀办皖咨部批准。

凤阳府宿州烈山。　庐州府巢县净土庵山。

泗州天长县冶山。　安庆府太湖县夹坳山。

宁国府宣城县狗毛山、犬形山、簸箕山。　贵池县罐窑山。

安徽地相，江南多山，地自芜湖左近，隆为丘陵，终递高至千五百呎，连属其乡，故矿藏自富。上列诸地，产煤悉丰，尤多者为繁昌县南乡之九华山。煤井三，深者三十余丈，浅者亦二十丈。每井一昼夜所得煤，约四百石至一千石一石重约六十磅。煤质无烟，不让开平产。其西北一带地方，有煤矿殊多，采取亦盛。

宣城煤矿，日本大日方氏尝勘检之。煤层露县治内，倾斜约二十度至三十度。据其时凿验，共得三层，至薄者如芦苻，至厚

者二十五尺。厚薄相间,忽窄忽张,面积约数百方里。质亦佳良,可鼓汽舰。三十余年前,洪氏之党尝采之云。

明　矾

庐州庐江县　　　　凤阳府

第八章　河南省矿产

第一节　金属矿

金　矿

河南府嵩县杨树林。金八四分二，铁底一五分八。　　光州光山县黄陂涝。

银　矿

陕州卢氏县　　南阳府桐柏县陈家山、五台河。

河南府嵩县大青沟。　　汝宁府罗山县马蹄铅含银约五十分之一。

南阳府邓州　　光州光山县叶家湾、黄陂涝。

彰德府武安县长亭山。　　河南府境内

卫辉府汲县

铜　矿

南汤府镇平县　　彰德府涉县自然铜。

光州光山县戴家冲。　　河南府登封县水磨湾。

开封府禹州　　怀庆府济源县

汝宁府信阳州　　汝州鲁山县

开封府自然铜。　　彰德府安阳县自然铜。

铁　矿

河南府巩县　　河南府新安县
河南府宜阳县盘龙寺。　　河南府登封县
河南府西安县　　河南府嵩县
南阳府南阳县　　光州光山县万家坡磁铁。
南阳府裕州夹山沟、四家村。　　南阳府泌阳县
开封府禹州　　开封府大骢之山。
南阳府镇平县骑立山。　　汝宁府信阳州铁砂。
汝宁府罗山县银硐冲。　　彰德府涉县
南阳府内乡县　　怀庆府一带
彰德府安阳县　　汝州
彰德府林县林虑山。　　彰德府武安县
卫辉府汲县　　彰德府各县俱出。

铅　矿

河南府嵩县大清沟、小青沟。　　彰德府武安县长亭山。
光州光山县华家湾、黄陂涝。　　南阳府裕州维摩寺、桃花豁。
南阳府桐柏县五台河、陈家山。　　光州高城县
汝宁府罗山县银硐冲、面铺山底线、陈家楼、山夹店。
卫辉府汲县　　河南府嵩县
南阳府邓州

锡　矿

河南府嵩县　　陕州灵宝县
彰德府武安县　　南阳府裕州
河南府永宁县　　陕州卢氏县
汝州境内　　卫辉府境内

卫辉府淇县

第二节 非金属矿

煤 矿

开封府禹州三峰山近已设有煤矿公司，闻获利甚厚云。 河南府巩县

河南府洛阳县 河南府新安县

南阳府南召县 汝州鲁山县

彰德府安阳县 彰德府汤阴县

硝 石

全省俱有

硫 磺

怀庆府

明 矾

彰德府红色。 彰德府武安县

南阳府舞阳县

第九章　湖北省矿产

第一节　金属矿

金　矿

黄州府黄冈县　　黄州府黄安县

施南府建始县　　荆州府江陵县

银　矿

武昌府江夏县　　武昌府鄂县

施南府建始县　　武昌府兴国县西黄姑山旧有银场。今废。

锡　矿

武昌通城县　　郧阳府竹山县

铜　矿

武昌府江夏县　　武昌府武昌县

武昌府鄂州　　郧阳府房县城南盘水河及荡水河。

郧阳府竹山县　　施南府建始县

武昌府大冶县白雉山旧有银场。

铁　矿

武昌府鄂州　　施南府建始县

武昌府大冶县

大冶县内，丘陵起伏，北有二山脉，一为石灰质岩，一为火成岩，此二山间，铁矿在焉，总称曰大冶铁山。采铁应用，似肪于数千载前，后竟废。逮千八百八十九年，拟再兴业。越三年工成，德人所计划也。矿凡二种，一为磁铁及赤铁，一为褐铁。

磁铁及赤铁矿之出地者，自铁山左近始，东迄下陆，约十二启罗迈当，倾斜平均二十七度，宽平均约七十五启罗。外露者七地，曰铁山，开采最先，后以所得矿含磷过多，遂中止。曰沙帽子山，曰新北乡译音，曰师子山第一雄，曰师子山第二雄，曰康山，曰下陆，合计矿量，凡九九六六九六八八法吨，所制铁，当得五九六二九〇〇二法吨云。此技师赖曼氏所调查也。

褐铁矿始于铁山馆西北之一小山，东贯勃希乡译音及白杨林间二山，作成弧状。面东南走者一启罗迈当半，至铁道线路石淮杆再现而终，约计矿量，凡四〇三二〇〇法吨，设制铁后，当得一八一四四〇法吨。

大冶铁矿，大别为二种。(一)磁铁矿与赤铁矿床。其含铁量五十(%)乃至六十%。(二)褐铁矿床，其含铁量约四十五%。近年开采，为汉阳铁政局之原料，品质优美，价格低廉。现与日本订定契约，每年准其购买矿石十二万吨，其价格自光绪三十一年八月后，依新定契约。上等矿石每吨日金三圆；二等矿石，每吨日金二元二角。十年后，更相协定订。现今日本制铁所，每年约由大冶铁山购入之矿石，制得纯铁四千九百六十万三千一百五十余斤，以济伊国不时之用，我国民当留意焉。

第二节　非金属矿

煤　矿

武昌府大冶县
黄州府
宜昌府归州
宜昌府巴东县
宜昌府长乐县
郧阳府房县
荆州府监利县
荆州府技江县
荆州府宜都县
宜昌府长阳县

硝　石

宜昌府
宜昌府东湖县

明　矾

汉阳府
郧阳府房县苍矾。

硫　磺

施南府建始县

水　晶

武昌府兴国州潘家山。

玛　瑙

宜昌府府境洪溪山。

第十章　四川省矿产

第一节　金属矿

金　矿

成都府简州	成都府温江县
成都府崇庆州	成都府彭县
绵州安县	宁远府盐源县
保宁府巴州	保宁府剑州
重庆府合州	重庆府大足县
重庆府荣昌县	重庆府涪州
重庆府渝州	龙安府平武县
夔州府万县	龙安府江油县
宁远府	绥定府大竹县
忠州	资州仁寿县
绥定府达县	眉州
雅州浮图水出。	酉阳州黔江县
雅州府打箭炉附近万石坪地方金矿。	泸州中江水出。
绵州	嘉峨府定边厅
茂州	嘉定府嘉州

四川多沙金，几于随地而有，其尤著者，为雅州府下打箭炉，年产二万余两。成都府附近川北管下中霸场，年产万余两。建昌及嘉定府年产五千余两，合计有三万七千余两。其他则扬子江上流，当江水涸时，可从事采取，其地以重庆城下为适。顾地方官，则禁遏之。至下流所产，则江水上流之余泽而已。

银　矿

成都府
宁远府会理州明时尝置银场。
潼川府梓州
龙安府江油县
保宁府晋寿
嘉定府银沟厂在夷地。
潼川府中江县梓州。
宁远府盐源县
绵州巴西县

水　银

重庆府綦江县
酉阳州彭水县
酉阳州黔江县
茂州
龙安府

铜　矿

成都府简州
成都府金堂县
宁远府冕宁县
宁远府会理州
宁远府西昌县
宁远府越隽厅邛部南山天乌河中有铜胎。
资州仁寿县有红铜矿六七处，现立公司开办。
雅州府卢山县
重庆府綦江
潼川府中江县飞乌铜山。
嘉定府洪雅县
雅州府荥经县
雅州府天全州前阳村。
邛州

泸州

铁　矿

潼川府射洪县	忠州酆都县
成都府	重庆府合州
邛州	绵州巴西县
资州	茂州
顺庆府	雅州府荥经县
宁远府盐源县	夔州府云阳县
夔州府巫山县	龙安府
嘉定府荣县	绥定府东乡县
邛州蒲江县	泸州

朱　砂即丹砂。

重庆府涪陵、丹兴、溱州。	茂州
雅州府天全州	酉阳州

锡　矿

夔州府	龙安府
绵州	资州

铅　矿

保宁府剑州	龙安府
雅州府	夔州府石硅厅
绥定府逵县	

第二节　非金属矿

煤　矿

嘉定府犍为县	重庆府
嘉定府威达县	雅州府
叙州府	江北厅龙王岗煤矿有英商干涉，认股本五十万。

石　盐

成都府灌州	资州资阳县
宁远府会理州	资州内江县
资州仁寿县	资州井研县
忠州	眉州彭山县
宁远府盐源县	保宁府阆中县
保宁府南部县	叙州府富顺县
叙州府长宁县	潼川府射洪县
潼川府乐至县	重庆府巴县
重庆州璧山县	夔州府万县
夔州府巫山县	夔州府云阳县
夔州府奉节县	夔州府开县
绥定府大竹县	绥定府达县
眉州彭山县	嘉定府达盛县
嘉定府荣县	嘉定府犍为县
嘉定府乐山县	邛州蒲江县
泸州江安县	顺庆府

硝　石

眉州东馆乡鹞儿井出。	嘉定府威达县

玛　瑙

嘉定府产夷地。

煤　油

叙州府富顺县　重庆府
嘉定府　成都府
保宁府　邛州

琥　珀

忠州梁县　夔州府巫山县
夔州府大宁县　绥定府大竹县

石　棉一名不灰木。

龙安府　宁远府会理州
雅州府　茂州
宁远府越雋厅

第十一章　江西省矿产

第一节　金属矿

金　矿

南昌府奉新县

抚州府临川县宋置场，在城西四十里。

抚州府临川县

饶州府鄱阳县

赣州府雩都县

宁都府瑞金县

瑞州府高安县

袁州府萍乡县大安岭金沙沟。

广信府上饶县

萍乡县产地，为叶线坑、七宝山、大安里、棚家坊四处，本省人尝言之，第诚伪不可辨。

银　矿

赣州府雩都县

赣州府会昌县

九江府浔阳

抚州府临川县金溪场。

宁都府瑞金县

广信府弋阳县

广信府玉山县

抚州府金豀县

饶州府德兴县

临江府

建昌府南城县《宋史·地理志》："南城，有太平等四银场。"今无。

瑞州府上高县

铜　矿

南昌府洪州有铜坑。

广信府上饶县

饶州府德兴县

抚州府临川县

袁州府按：《唐·地理志》“袁州有铜”。今久闭。

南安府上犹县

临江府新喻县

赣州府长宁县

九江府浔阳

九江府彭泽县

吉安府

赣州府赣县垅下铜矿现由江、皖、赣纠集股本四十万金开采。

宁都府瑞金县

铁　矿

南昌府丰城县

南昌府进贤县

广信府弋阳县

广信府贵溪县

赣州府会昌县

袁州府分宜县

抚州府临川县《宋·志》：“乾道间置东山铁场。”今废。

广信府玉山县

广信府上饶县

南安府大庾县

赣州府安远县

吉安府永兴县

袁州府宜春县

袁州府萍乡县刘公庙上涞岭。

临江府清江县

九江府德化城门铁矿，较鄂省大冶优。

锡　矿

南安府南康县

南安府崇义县

南安府大庾县

赣州府安远县、赣州府雩都县、赣州府会昌县皆有锡场。今废。

铅　矿

广信府铅山县铅山、多善乡、杨梅山等。　　南安府崇义县
广信府上饶县　　南安府大庾县
吉安府吉水县　　袁州府宜春县
袁州府萍乡县　　南安府南康县

宜春矿区，曰石园，曰登休里，韩婆坳，以多量称。萍乡则陈塘冲、谢坪及青山下也。

锰　矿

袁州府

第二节　非金属矿

煤　矿

袁州府宜春县　　袁州府萍乡县
九江府德化县马祖山。　　广信府铅山县佛母岭。
南昌府丰城县　　南昌府武宁县
广信府兴安县　　临江府新喻县
饶州府乐平县上码头牛头山。　　饶州府余干县埕山。
九江府彭泽县　　抚州府金谿县
抚州府东乡县　　瑞州府高安县
吉安府吉水县　　吉安府永兴县

江西亦中国产煤地之一。盖其地势上，实蒙湖南西部矿产之泽者。故全省煤矿，以袁州为尤。如溯渝水以上三百里，煤层出地，历历可辨。又鹅沟则兴业经年，所获殊巨。其他采煤，仅就出水五十尺至三百尺之山腹若山麓，作阶级状。直自地表取

之，绝少用机械者，渝州上流诸矿亦然。其能纵横开凿，可副隧道之名者，仅见而已。袁州煤矿中，最著者曰宜春、曰萍乡。

宜春煤矿，在城东八十里，日获四五十石。煤分三种：曰无烟煤、曰块煤、曰粉煤。其无烟煤量最少，且含硫，色黝黑，与开平煤相伯仲。

萍乡煤矿以袁州之西，距芦溪四十里之云居铺左近者为最。煤脉綦大，故采取之术，亦较宜春为良，一年所获约十万吨左右。质与宜春产无大异，惟含硫较少耳，所得半制焦煤。汉阳铁政局所用者，即萍乡产也。

其他则若丰城县之南神岭、下汶，武宁县之天尊山，兴安县之北乡，新喻县之燕窝口、花鼓山，乐平县之鸣山、缸罐山、汪家山、众家山、赶龙山及牛皮坞左近，余干县之大小石里、三宫山、坞石山、张家埂、马鞍山，彭泽县之毕家湾、榆树坞、桃子山、老虎洞、盏坞、鸽子棚、茶坞，金谿县之车坊村、狮子岭、和尚山、李公坳，东乡县之小璜墟、愉怡街、七宝岭、湖冈等，均以产煤闻。

水　晶

广信府上饶县

石　墨即笔铅。

吉安府安福县

明　矾

广信府铅山县

第十二章　湖南省矿产

第一节　金属矿

金　矿

长沙府长沙县	长沙府安化县
长沙府攸县	衡州府沅水上流辰州、沅州地方之砂金。
常德府	长沙府
长沙府湘潭县	岳州府平江县
青州	岳州府巴陵县

按:《明史》"成化中开湖广金场,得金仅五十三两"。于是复闭。

银　矿

长沙府暨阳及沅水之上流虹口。	衡州府
永州府	桂阳州
岳州府	宝庆府武冈县

汞　矿

长沙府	沅州府
衡州府	辰州府永绥厅
辰州府凤凰厅	宝庆府武冈县
醴陵县	

朱　砂

长沙府　　辰州府丹砂,又名辰砂。

辰州府沅陵县

铜矿及铅矿

长沙府　　辰州府

桂阳府　　郴州

郴州宜章县

锡　矿

长沙府　　衡州府

永州府

铁　矿

长沙府浏阳县　　长沙府安化县

辰州府泸溪县　　辰州府溆浦县

辰州府辰溪县　　长沙府茶陵县

长沙府宁乡县　　长沙府醴陵县

长沙府攸县　　衡州府

永州府零陵县　　永州府祁阳县

永州府江华县　　永顺府

岳州府临湘县庐家坂、丁家坂。　　永州府永明县

永州府宁远县　　宝庆府新宁县

常德府　　沅州府芷江县

靖州绥宁县　　郴州桂阳县

郴州永兴县　　郴州宜章县

桂阳州　　郴州

铅　矿

岳州府常宁县

锑　矿

宝庆府新化县　　岳州府

永州府　　长沙府益阳县

湖南饶锑，几遍全省，且亘湖北，近时始发见之。上所举诸地，其尤著者也，所得量月约四五百吨。设改善方术，加以经营，则月得千吨不难云。

第二节　非金属矿

煤　矿

衡州府衡山县　　衡州府来阳县

衡州府清泉县　　宝庆府新宁县

宝庆府邵阳县

硝　石

永顺府　　保靖县

盐

永顺府保靖县西落地方有水田数亩，水味甚咸，民间取以调食，约杯水可食五六人，较之川盐甚佳，近拟仿四川掘井办法云。

明　矾

长沙府浏阳县　　衡县府来阳县

桂阳州山矾，本州及各县俱出。　　衡州府各县俱出山矾。

水　晶

沅州府

第十三章　贵州省矿产

第一节　金属矿

金　矿

遵义府西高州　遵义府桐梓县

铜仁府省溪、提溪二司出金。

银　矿

贵阳府　遵义府

威宁州　铜仁府

思南府印江县狮毛山银矿送于法国亨利公司，限四十年，可惜！

朱　砂

贵阳府开州　遵义府夷州

思南府　大定府黔西州

思州府　安顺府普安县

铜仁府

水　银

贵阳府开州　思南府婺川县产本攸板场、崖头等处。

遵义府夷州　铜仁府大万山。

南笼府废安。　思州府

石阡府

按：开州水银即以朱砂升炼而成，又有生于沙中，不待升炼者，谓之自然汞，但不易得。今开州有朱砂及水银厂。

铜　矿

大定府威宁州产额甚富。　铜仁府省溪、提溪二司出铜。

锡　矿

大定府威宁州

锑　矿

大定府威宁州

铅　矿

都匀府出府城东，久禁未开。　都匀府清平县香炉山。

思州府府城东有龙塘山。　大定府威宁州

铁　矿

思州府府城东龙塘山。　铜仁府铜仁县

黎平府　石阡府

思南府印江县　大定府威宁州

思南府安化县

第二节　非金属矿

煤　矿

大定府威宁州掘地三尺，即见煤层。　遵义府仁怀县

威宁煤矿产额甚富，将来如能筑路运煤，则获利必厚。前曾聘二日人到该处开采，因法未善，今已作废。

玉

思南府印江县

钟　矿

遵义府桐梓县　　　　兴义府

水　晶

安顺府

紫石英

安顺县紫石英大小不一，皆六方两角。

第十四章　浙江省矿产

第一节　金属矿

金　矿

宁波府　　严州府

处州府松泉县　　处州府松阳县

银　矿

处州府龙阳县　　处州府龙泉县

宁波府奉化县银山冈。　　台州府天台县

衢州府常山县　　衢州府西安县

处州府各县俱出。按:《旧唐·志》“土产银铅,各县并有坑”。今久经封禁。

严州府遂安县　　严州府建德县

温州府平阳县焦溪山、天井洋、赤岩山等,永乐中采,今皆封禁。据《浙江通志》。

绍兴府诸暨县东乡楼家坞、捣臼湾、大成坞、夜叉坞、北乡西洋坞等处。

水　银

绍兴府余姚县龙泉山。

朱　砂

杭州府

铜　矿

杭州府余杭县
金华府金华县
嘉兴府海盐县章山。
湖州府安吉县
湖州府武康县
湖州府长兴县
严州府遂安县
绍兴府余姚县
宁波府奉化县
台州府宁海县
衢州府西安县
严州府建德县
处州府龙泉县

铅　矿

台州府天台县
处州府松阳县
台州府黄岩县郭婆坑。
处州府各县俱出。

锡　矿

湖州府安吉县
绍兴府余姚县
湖州府长兴县
处州府松阳县
湖州府武康县

铁　矿

温州府瑞安县
嘉兴府海盐县
温州府平阳县
台州府宁海县
温州府泰顺县
处州府青田县
处州府宣平县
处州府龙泉县

第二节　非金属矿

煤　矿

湖州府长兴县
金华府

衢州府西安县西山、南山。　　衢州府常山县

严州府桐庐县皇甫村，现自办。衢州府江山县

杭州府余杭县车口坂，现自办。杭州府富阳县境之宋庙村等处颇多。

金华产煤，光泽少烟。井深三百尺至八百尺，每四十尺至五十尺，辄作一磴，转折而下，其所得煤，迭以滑车运之。江山左近之青湖，亦有煤井，径三尺半，深约三百尺，其方术至拙，故每日所获，不越千斤。又凤林地方，亦产煤，多采取者云。

明　矾

温州府平阳县宋洋山。

石　英

绍兴府诸暨县紫石英。　　严州府遂安县白石英。

石　膏

杭州府钱塘县有石膏山。

玛　瑙

杭州府玛瑙坡在孤山东。

水　晶

严州府遂安县　　湖州府乌程县垄山。

金刚砂

台州府樱旗山。

海　盐

杭州府钱塘县　　杭州府海宁县

宁波府　　嘉兴府海盐县

杭州府仁和县　　台州府宁海县有盐场，曰杜渎。

台州府临海县　　台州府黄岩县

第十五章　福建省矿产

第一节　金属矿

金　矿

建宁府　　邵武府

福州府　　汀州府上杭县钟密金场。

银　矿

建宁府建安县　　建宁府建阳县

建宁府浦城县　　建宁府福和县以上四府俱有银场。今废。

汀州府宁化县　　福宁府福安县

福州府闽清县　　福州府福清县

福州府连江县　　福宁府宁德县十一都之新兴坑，又二十都之黄相银坑。

福州府罗源县　　延平府附近

汀州府长汀县《寰宇记》："汀州出银，长汀县有黄焙场，并宁化县有龙门场，俱出银。"

铜　矿

建宁府建阳县　　延平府尤溪县

汀州府长汀县　　延平府南平县

延平府沙县以上三府，俱有铜场。　　福宁府宁德县按：岭车、盂地龙、李家等处铜坑。

延平府顺昌县　　邵武府邵武县

铅　矿

永春州大田县　　龙岩州

福州府闽清县　　漳州府平和县

福宁府宁德县　　延平府附近

福州府连江县　　泉州府安溪县珍地乡。

锡　矿

汀州府长汀县《宋史·地理志》："有上宝锡场。"　　福州府罗源县

福州府福清县　　福州府长乐县

铁　矿

福州府侯官县　　福州府罗源县

福州府福清县　　福州府闽县

福州府闽清县　　福州府古田县

泉州府同安县　　泉州府安溪县职商陈纲等集股本四十万元开采。

福州府永福县　　建宁府建安县

建宁府福和县　　邵武府邵武县

漳州府南靖县　　建宁府瓯宁县

建宁府松溪县　　漳州府漳浦县

延平府尤溪县

延平府南平县《明一统志》："有铁冶，在南平者四，尤溪者十七。"

汀州府宁化县　　汀州府上杭县

汀州府长汀县　　漳州府尤溪县

福宁府宁德县　永春州德化县
龙岩州附近　泉州府附近

第二节　非金属矿

煤　矿

兴化府无烟煤。　福州府古田县
邵武府建宁县　建宁府建安县无烟煤。
龙岩州漳平县　漳州府海澄县
建宁县　邵武府邵武县
永春州大田县　厦门南大武山。

水　晶

漳州府漳浦县大帽山及梁山。　泉州府

盐

福州府长乐县　福州府侯官县
漳州府龙溪县　漳州府漳浦县
福宁府霞浦县　福州府宁德县
福州府连江县　泉州府晋江县
泉州府惠安县　泉州府同安县
福宁府福安县　福宁府福鼎县

明　矾

建宁府福知县

第十六章　广东省矿产

第一节　金属矿

金　矿

肇庆府四会县金冈山。

肇庆府开建县涌流地方。

廉州府钦州

肇庆府

琼州府本州及新崖州。

琼州府儋州

琼州府崖州

德庆州

琼州府万州

肇庆府康州、新州、恩州、勤州。

银　矿

广州府

惠州府归善县有银场。

广州府东莞县

韶州府曲江县

韶州府乐昌县

嘉应州

肇庆府高要县

高州府石城县

嘉应州兴宁县

广州府南海县

广州府清远县

连州

广州府番禺县

潮州府海阳县

韶州府翁源县

肇庆府

韶州府英德县

琼州府

肇庆府封川县　　　　肇庆府阳江县
肇庆府新兴县　　　　肇庆府四会县
高州府化州　　　　肇庆府阳春县
高州府信宜县　　　　琼州府万州
琼州府崖州　　　　高州府窦州、辨州、罗州、电州、潘州。

按:《府志·阳江县》"南津银坑山,矿脉甚微,明万历中皆尝开采,今罢"。

铜　矿

广州府　　　　连州连山有铜官。《宋史·地理志》:"阳山有铜坑。"
韶州府　　　　肇庆府

水　银

连州府　　　　广州府

连州所产,年约万罐,每罐容五十余斤。广州则年约六百二十余万斤,银朱也。

丹　砂

连州

锡　矿

广州府新会县　　　　惠州府海丰县
韶州府　　　　惠州府归善县
嘉应州程乡　　　　潮州府
嘉应州长乐县　　　　罗定府
肇庆州　　　　惠州府河源县

铁　矿

肇庆府新兴县　　　　广州府番禺县

韶州府仁化县有铁场。 广州府香山县

广州府清远县 肇庆府高要县

嘉应州程乡 肇庆府阳江县梅峒山。

连州连山县连山及桂阳山。 肇庆府阳春县铁坑山及东南芙蓉都诸山。

罗定州东安县

按:《通志》“广铁出阳春及新兴二县”。今新兴产铁诸山,割入东安,商贩从罗宗江运集佛山,以罗定为最良云。

锑 矿

广州府清远县

铅 矿

肇庆府府境。 惠州府

肇庆府阳春县东南芙蓉山。

惠州产者为铅粉,有青白两色,适于涂舰,年约产五十八万五千余斤。

第二节 非金属矿

煤 矿

嘉应州兴宁县 韶州府曲江县

广州府番禺县慕德里司属夏芳乡一带。

煤 油

南雄州始兴县

玻璃原料及金刚砂

广州府 琼州府

廉州府各县俱出。

水　晶

广州府

盐

广州府新会县
广州府东莞县
潮州府海阳县
潮州府潮阳县
高州府吴川县
高州府化州
惠州府归善县
惠州府海丰县
肇庆府高要县
罗定府
肇庆府阳江县
高州府废廉江、干水、零绿三处俱煎盐，输廉州。

硫　磺

潮州府丰顺县

石　墨即笔铅。

南雄府始兴县

《明一统志》："始兴县南五里，小溪中长短巨细似黑。"杨慎《丹铅录》："始兴县小溪中，产石墨，妇女取以画眉，故又名画眉石。"

第十七章　广西省矿产

第一节　金属矿

金　矿

桂林府

思恩府宾州

思恩府上林县

思恩府迁江县

平乐府

太平府

南宁府横州

柳州府融州

浔州府贵县天平山。

柳州府来宾州

梧州府苍梧县涌北、卡水、黎老、金鸡山等。

银　矿

桂林府

浔州府

庆远府河池州

柳州府

庆远府宜州

浔州府贵县

庆远府南丹州孟英山。

平乐府照潭

浔州府贵县天平山。

平乐府贺县

南宁府

南宁府横州

铜　矿

桂林府

思恩府

平乐府临贺有铜冶，在橘山。　　庆远府

浔州府

铁　矿

柳州府融县　　平乐府贺县桂岭。

思恩府　　桂林府

浔州府　　太平府

锡　矿

庆远府河池州　　平乐府贺县冯乘、临贺。

庆远府南丹州　　平乐府昭平县富州。

铅　矿

平乐府照潭　　浔州府贵县

南宁府上思厅思州、马尾岭，归法商元亨公司办，限三十年。

思恩府上林县　　平乐府昭平县富州。

朱　砂

桂林府　　庆远府宜州、抚水州。

第二节　非金属矿

未详

第十八章　云南省矿产

第一节　金属矿

金　矿

云南府　　永昌府永北厅
楚雄府姚州　　东川府
开化府　　大理府
丽江府金沙江出。
永昌府永平县博南南界。又西山高三十里,越得澜沧水,有金沙,洗取熔为金。

银　矿

楚雄府楚雄州　　楚雄府南安州
云南府　　曲靖府
武定州　　永昌府

铜　矿

永昌府腾越县　　大理府太和县自然铜。
永昌府永北厅　　大理府宾州县
丽江府自然铜。　　曲靖府
武定州　　澄江府
普洱府蒙化厅　　昭通府

铁　矿

云南府昆明县滇池。　　云南府易门县
曲靖府陆凉县　　武定州
曲靖府宣威州雷益。　　普洱府
东川府　　丽江府

铅　矿

云南府

锡　矿

永昌府永北厅　　曲靖府
武定州

银　矿

云南府

第二节　非金属矿

盐

云南府安宁州山盐。　　大理府浪穹县
楚雄府定远县产黑盐。　　楚雄府白盐井
永昌府永北厅　　楚雄府黑盐井俱产黑盐。
东川府镇沅厅　　丽江府云盘山
楚雄府广通县产黑盐。

琥　珀

丽江府　　永昌府

玛　瑙

永昌府保山县分红玛瑙、白玛瑙、紫玛瑙三种。

明　矾

武定州元谋县

玉

澄江府

石　膏

楚雄府

附录：

中国地相图

山系与水系

（略去）

中国各省矿产一览表

（金属矿产）（非金属矿产）

矿产 省名	金矿	银矿	铜矿	铁矿	锡矿	铅矿	水银	朱砂	锑矿	锰矿	煤矿	煤油	玛瑙	琥珀	玉类	水晶	硝石	硫磺	石膏	石盐	海盐	明矾	绿矾	钾矿	硇砂	笔铅	金刚砂	石棉	玻璃原料	紫石英	总计
直隶	6	9	4	10	1						14		1			2	2				4		1					2			56
山西	4	2	6	24	4	2					19	5	1	1		2	2	2	2	12		4	4	1				2			99
陕西	6	3	5	13	1		3	2			3	3	2	1	5			3		3		1	1	1		1		1			58
甘肃	8	7	4	8		3	2				10	1	2				5		1	8			3	2	1						65
山东	5	5	5	13	3	3	2	1			14					3	1			1	10	1						1	1		69
江苏		2	5	6			1				6										5					1			3		29
安徽	1	5	12	6		3	1				15											2									45
河南	1	5	6	22	10	2					8						22					1									77
湖北	4	4	6	3	2						10		1			1	2	1				1	1								36
四川	29	9	6	18	4	5	5	4			4	6	1	4			1			32								5			133
江西	9	13	13	15	5	9				1	16					1						1				1					84
湖南	10	6	5	25	3		8	3	4		5					1	2					4									76
贵州	3	5	2	7	1	4	7	7	1		2				1	1								2						1	44
浙江	4	10	14	7	5	4	1	1			7					1			1		8	1								2	66
福建	2	13	9	26	4	7					10					2					12	1									86
广东	9	28	4	12	10	3	2	1	1		2	1				1		1			14					1	1		1		92
广西	11	12	5	6	4	5		2																							45
云南	8	6	9	8	3	1		1						2	1				1	3											43
总计	120	144	120	229	60	51	32	22	6	1	145	16	8	8	7	15	37	7	5	59	53	17	10	6	1	4	1	11	5	3	1203

地质时代一览表

（Ⅰ）大古代（Archaean Era） 界（Group）

（1）片麻岩纪（Gneiss Period） 系（System）

（2）云母片岩纪（Mica Schist Period） 系（System）

（3）千枚岩纪（Phyllite Period） 系（System）

（Ⅱ）古生代（Palaeozoic Era） 界（Group）

（1）康勃利亚纪（Cambrian Period） 系（System）

（2）希庐利亚纪（Silurian Period） 系（System）

（a）下希庐利亚世（Lower Silurian Epoch）

（b）中希庐利亚世（Middle Silurian Epoch）

（c）上希庐利亚世（Upper Silurian Epoch）

（3）叠伏尼亚纪（Devonian Period） 系（System）

（4）煤炭纪（Carboniferous Period） 系（System）

（a）山灰世（Carboniferous Limestone Epoch）

（b）硬砂世（Millstone Grit Epoch）

（c）夹炭世（Coal-Measures Epoch）

（5）二叠纪（Dyas or Permian Period） 系（System）

（a）赤底世（Rothliegendes Epoch）

（b）苦灰世（Zechstein Epoch）

（Ⅲ）中生代（Mesozoic Era） 界（Group）

（1）三叠纪（Triassic Period） 系（System）

（a）斑砂世（Bunter Epoch）

（b）壳灰世（Muschelkalk Epoch）

（c）上叠世（Keuper Epoch）

（2）僦拉纪（Jurassic Period） 系（System）

（a）黑僦拉世（Liassic Epoch）

（b）褐僦拉世（Dogger Epoch）

（c）白僦拉世（Malm Epoch）

（3）白垩纪（Cretaceous Period） 系（System）

（a）前绿世（Neocomian Epoch）

（b）中绿世（Gault Epoch）

（c）后绿世（Cenomanion Epoch）

（d）底垩世（Turonion Epoch）

（e）上垩世（Senonian Epoch）

（Ⅳ）新生代（Cainozoic Era） 界（Group）

（1）第三纪（Tertiary Period） 系（System）

（a）始新世（Eocene Epoch）

（b）渐新世（Oligocene Epoch）

（c）中新世（Miocene Epoch）

（d）鲜新世（Pilocene Epoch）

（2）第四纪（Quaternary Period） 系（System）

（a）洪积世（Diluvial Epoch）

（b）冲积世（Alluvial Epoch）

农工商部批文[①]

来禀并《志》《图》阅悉。查《志》中陈列导言四章于中国地质原流主之綦详，足备参考。其胪列各直省矿产各节，虽皆译取东西人著录而成，与中国现办情形互有详略，要亦足资调查，矿图绘画亦颇精审，具见该生留心矿学，殊堪嘉尚。除已据禀通饬各省矿务议员、商务议员暨各商会酌量购阅外，相应批饬遵照可也。此批。

右批学和顾琅准此

光绪三十二年十月初一日

① 据《中国矿产志》(第三版)录入。

学部批文[①]

据禀及书图均悉。查《中国矿产全图》调查中国矿产尚属明晰,《中国矿产志》导言、本言亦多扼要,均堪作为中学堂参考书。此批。

光绪三十二年十一月二三日

① 据《中国矿产志》(第三版)录入。

上海普及书局新书出版广告[①]

上海复旦公学校长　马相伯先生序文

江宁顾琅　会稽周树人　合著

国民必读	中国矿产志	全一册 定价大洋四角半

吾国自办矿路之议，自湖南自立矿务公司，浙人争刘铁云条约，皖人收回铜官山矿地，晋人争废福公司条约，商各奏设矿政总局诸事件踵生以来，已有日臻发达之势。顾欲自办矿路，而不知自有矿产之所在，则犹盲人瞎马，夜半之临深池。纵欲多方摸索，必无一得。留学日本东京帝国大学顾君琅及仙台医学专门学校周君树人，向皆留心矿学有年，因见言路者，虽有《铁路指南》一书刊行，而言矿者，则迄今无一善本，用特搜集东西秘本数十余种，又旁参以各省通志所载，撮精删芜，汇为是编。搜辑宏富，记载精确，与附刊之《中国矿产全图》，有互相说明，而不可偏废，实我国矿学界空前之作。有志富国者，不可不急置一编也。

今将全书内容要目开列于左：

第一篇　第一章矿产与矿业　第二章地质及矿产之调查者　第三章中国地质之构造（附中国地相图）　第四章中国地层之播布

---

① 据《中国矿产志》（第一版）录入。

第二篇凡十八章　一、直隶省矿产　二、山西省矿产　三、山东省矿产　四、陕西省矿产　五、甘肃省矿产　六、四川省矿产　七、江苏省矿产　八、江西省矿产　九、浙江省矿产　十、安徽省矿产　十一、湖南省矿产　十二、湖北省矿产　十三、河南省矿产　十四、贵州省矿产　十五、云南省矿产　十六、广东省矿产　十七、广西省矿产　十八、福建省矿产。

凡一省之下又详分金属矿产及非金属矿产两大类，并揭其产地所在。

江宁顾琅　会稽周树人合著[1]

国民 必携	中国矿产全图	写真五彩铜版 定价大洋乙元

是图为日本农商务省地质矿山调查局秘本。日人选制此图，除自派人踏勘调查外，又采自德人地质学大家聂诃芬氏之记载，及美人潘匹联氏之《清国主要矿产颁布图》者不少。故彼邦视此图若枕中鸿宝，藏之内府，不许出版。留学日本东京帝国大学顾君琅及仙台医学专门学校周君树人，向皆留心矿学有年，因忽于教师理学博士神保氏处得见此本，特急转借摹绘放大十二倍，付之写真铜版，以贡祖国。图中并附世界各国地质构造图两张，尤便于学者之参考。我国现世之矿学家、实业家、政治家渴望此本固不待言，即研究地理学、舆图学家之教员学生诸君，亦不可不急置一部也。

① 据《中国矿产志》(第一版)录入。

农工商部　学部鉴定[1]

留学日本东京帝国大学　顾琅编纂

订正 再版	中国矿产全图	写真五彩铜版 定价大洋乙元二角

是图为日本农商务省地质矿山调查局秘本。日人选制此图，除自派人精密调查外，又采自德人地质学大家聂诃芬氏之记载，及美人潘匹联氏之《清国主要矿产颁布图》者不少。故彼邦视此图若枕中鸿宝，藏之内府，不许出版。留学日本东京帝国大学顾琅君留心矿学有年，而于测绘地图尤所擅长。因忽于教师处得见此本，特急转借摹绘，放大十二倍，付之电气铜版，精美绝伦，较原本尤加详博，洵我国地图界中之冠。不特现今之矿学家、实业家、政治家渴望此本，即研究地理学、舆图学之教员、学生诸君，亦不可不急置一部也。

（录自三版）

① 据《中国矿产志》(第三版)录入。

本书征求资料广告[①]

中国不患无矿产，而患无研究矿产之人。不患无研究矿产之人，而患不确知矿产之地。近者我国于矿务一事，虽有争条约、废合同、集资本、立公司等法，以求保存此命脉，然命脉岂幽立杳渺，得诸臆说者乎？其关系于地层地质者，必有其实据确证之所在。得其实据确记，而后施以保存方法，乃得有所措手，以济于事。仆等有感于斯，爰搜辑东西秘本数十种，采取名师讲义若干帙，撮精删芜，以成是书。岂有他哉，亦欲使我国国民，知其省其地之矿产而已，知其省其地之命脉而已，知其省其地之命脉所在而已。然仆等求学他邦，羁留异国，足迹不能遍履内地，广为调查，其遗漏而不详赡者，盖所不免。惟望披阅是书者，念吾国宝，藏之将亡，怜仆等才力之不逮，一为接手而佽助焉。凡有知某省某地之矿产所在者，或以报告，或以函牍，惠示仆等，赞成斯举，则不第仆等之私幸，亦吾国之大幸也。其已经开采者，务详记其现用资本若干，现容矿夫若干，每日平均产额若干，销路之旺否，出路之便否，一以供吾国民前鉴之资，一以为吾国民后日开拓之助；其未经开采者，现有外人垂涎与否，产状若何，各就乡土所知，详实记录。如蒙赐书，请寄至上海三马路昼锦里本书发行所普及书局，不胜企盼之至。

丙午年十二月 编纂者谨白

---

① 据《中国矿产志》(第三版)封底录入。

人生象敩

本书为鲁迅1909年任浙江两级师范学堂初级化学和优级生理学教员期间编写的生理学讲义，原为油印本，后收入唐弢编《鲁迅全集补遗续编》（上海出版公司1952年版）。书后附录的《生理实验术要略》经鲁迅修订后，曾发表于1914年10月14日杭州《教育周报》，后收入1981年版《鲁迅全集》第8卷《集外集拾遗补编》，2005年版《鲁迅全集》删除此篇。此次编集，一并收入。

绪　论

生理学(Physiologia L.)者,所以考核官品之生活,生学(Biologia L.)分科之一也。凡物函生于中,必有象著于外,其所著者,曰生活见象,总此诸象,则名生活。故研治见象,明其常经,为斯学所有事。

官品(Organismus)者,或称有机体,即动植物。故生理学亦因是别为二:曰植物生理学,曰动物生理学。若后此所言,乃限于人体之官能,又为动物生理学之一部,故具称曰人体生理学。

研究生理,首在观察,虑其未密,则试验以实之,复有剖析学(解剖学 Anatomia L.)以察官品之构造,有化学以考官品之集成,诸相凑会,斯学以立。于是从其所教,得官品生存时弗失其健康之术,而摄卫学(Hygieina L.)起焉。

然往之学者,思惟言议,胥以为官品与非官品,其固有之力,别而为二。官品所具,微眇幽玄,因是有生,因是能动,为之名曰生力。逮于近今,乃知凡有见象,无间官品非官品。其所显见,皆缘同一之力,初无有二,特一繁一简,有差别耳。是故论非官品固有之力者曰力学(Physik 物理学),则此亦可曰官品力学(Organische Physik)。

人体作用之大端,为运动、消化、循环、呼吸、输泻、感觉等,为之主者,即名曰官(Organ),诸官相联,共营一事,则谓之系(System)。如齿、舌、胃、肠,各为人体一官,而此诸官,皆涉消化,则总称之曰消化系。

今假平分人体，则得二半，左右相肖。视其断面，可见二管：在前有消化、循环、呼吸、输泻、繁殖诸系，植物所同具也，故曰植物性管，亦曰藏管；偏后所函，为脑脊髓，则动物所独有，故曰动物性管，亦曰神经管。

又假任取一官，切为薄片，检以显镜，则所见必非棞然若一，实有小物多数，凑合以成材。小物曰幺（Cellula L. 日译细胞），其所结构以成者曰膢（组织 Textŭra L.），所以治之之学曰膢学（Histologia L.）。

幺之为质，为半流体，名曰形素（原形质）。其外有膜，形素之微凝者也。中有极小物，名之曰核。凡为幺，必具形素与核二，阙其一，非幺也。

若其为状，虽以圆为正则，而变形亦恒有之：或为扁平，或为多觚，或如纺锤，或如圆柱，亦有延长若丝缕者，则特名之曰糸（纤维 Fibra L.）。

幺为单简生体，故具有生活之见象，如运动、摄取、生长、繁殖、分泌皆是。以能分泌故，则泌质外输，互联成膢，名其所泌者曰幺间质，或曰原质。惟幺多质少，则与前名；质多幺少，则与后名。

由是观之，有核与形素者为幺，幺相联而成膢，膢相联而成官，官相联而成系，系相联而成体，故核人体构造，实亦以幺为本柢，与植物无二致也。

总　论

人体之构造第一

自外状以区分人体，可作四部：

（一）头　上后半为头盖，其中函脑；下前半有诸腔，所以容视、听、齅、味四官者也。

（二）躯　其基为脊柱，脊髓之所藏也。躯自上而计之为颈，中有声官（喉）、气管、食道、神经及脉；为匈，有呼吸、循环、二官（肺及心）；为腹，为骨盘，有消化、输泻、生殖诸官。

（三）支　其基本为骨与肌，分二部，曰上支，曰下支。

人体外面幂以肤革，其色虽视人种为异，而质乃莫不滑而柔。至内面腔壁，则覆以赤色软膜，泌分黏液，使壁常泽，在口鼻诸腔中，可以见之。

去人体肤革，见赤色物，是谓之肌。肌著于骨，与夫软骨以行运动。诸骨相联则曰骨骼，人体之基本也。骨之能联，又赖于系，其联处为节。肌骨相附得虚中处曰腔，脑、脊髓、心、肺、肝、胃、肠、脾、肾等在焉。

凡肤革、黏膜、肌骨以及诸藏，咸有无色流质以浸润之，有如海绵函水方湿，是名养液，诸官所赖。养液之来，则自毫管，即脉杪耑。其壁极薄，故血行至此，能外渗也。他复有管与之错综，集合余液，以及膝之分解物曰淋巴者，至淋巴腺处，更过总干以注于心，与血和会。此管曰淋巴管。其属于消化系，以吸收食物之已化者则曰糜管。

若感觉运动，则有神经以主之。其色近白，状如丝缕，分布全体，如网如枝。然诸种官能，各不相同。故神经之耑，亦复殊异，至其根本，乃在中枢。中枢神经者，脑脊髓及延髓也。故其歧分曼衍者，曰杪末神经。

人体之成分第二

取腠及液，以化学分析术理之，至于任用何术，莫能解离者，曰原质。其在人体，为数至少，仅养、炭、淡、轻、硫、磷、绿、弗、钾、钠、镁、钙、锰及铁而已。

若言杂质，所存至多，今别之为二类：

壹　无机性杂质

一 水　为人体主成分之一，其量约居六四％。

二 酸类

（一）炭酸　为气体，多在肺及肠中。

（二）盐酸　在胃液中。

三 盐类

（一）钠绿（食盐）　在液及腠。无机盐类中，此为最多。

（二）钾绿　多在赤血轮及肌。

（三）钙弗二　骨及齿。

（四）钙、钠、钾、锰之炭酸盐及磷酸盐　在骨最多。

（五）钠及钾之硫酸盐　乳及胆汁、胃液而外，皆微函之。

贰　有机性杂质

一 函淡杂质

（一）卵白质　炭、养、淡、轻、硫所合成，多在养液或为腠之成分。

甲　亚尔勃明　在血、乳及肌。

乙　亚尔勃米那忒　胃中。

丙　纟素

丁　格罗勃林　在血、淋巴及肌。

(二)似卵白质　其反应甚类卵白质，亦膝之成分也。

甲　黏液素

乙　胶素(骨胶)

丙　角素　在肤及爪。

丁　弹力素

戊　酵素　在消化液中。

二 不函淡杂质

(一)函水炭素

甲　蒲陶糖　血及淋巴中皆存少许。

乙　乳糖　乳之主成分也。

丙　格里科堪(动物性淀粉)　肝及肌之主成分也。

(二)脂　多在肌及皮下之膝，液体则除尿而外，无不有之。

本　论

运动系第一

第一分　骨 Os，Knochen

一之一　骨之构造及生理

人体之骨，数可二百，大都互相联合，或可动，或不可动，以为全体基本。故骨骼为状，应于人身，又成空洞以护要官，如匈廓、颅骨皆是。

色与形　骨之质，坚而有弹力。当其新时，作黄白色。假其多血，则作黄赤。形略有三：一曰长骨，概为管状，如上下支骨是；一曰广骨，亦曰扁平骨，其所围抱，大都要官，如颅顶骨及前后头骨是；三曰短骨，如脊椎骨、腕骨、跗骨是。若其形制陵杂，难施统属，如颞颥骨、蝶骨者，则曰不正骨。

成分　骨之成分，为有机物（或曰软骨质）及无机物（亦名垩质）。其量之比，如一与二。甲所以与之韧性及弹力，乙所以使之坚贞。一有盈绌，即不宜于人体。如老人之骨，多无机物，故遇力易折；孺子之骨，多有机物，故偶或不慎，辄至屈曲，至于长大，更无痊时。检二成分之存在，法取长骨著水中，少加盐酸，越数小时，则无机物渐以消化，所余之质，多为有机。执而曲之，虽如环不折,此即有机物赋之韧性及弹力故。又取一骨纳釜中,加水密封,煮之良久,则有机物化为胶质,溶解于水,独无机物尚作骨形,顾甚脆弱,折之即碎,此即无机物仅赋之坚贞故。或取一骨,以火灼而试之,亦然。

软骨 软骨(Cartilago, Knorpel)者,即几无垩质之骨,故多弹力,有韧性,两骨相著处,常被以此。或在时时缩张之处,如气管,如喉。

此种软骨,久而不坚,故曰永久软骨(Permanente Knorpel)。若在孺子骨骼,其后渐成坚骨者,则曰变迁软骨(Transitorische Knorpel)。

骨之细微构造 试横断长骨,观其断面,则周围之质,较为缜密,是曰坚质(Sŭbstantia compecta)。质中有小管联络以通脉,曰赫弗氏管(Haver's Kanäle)。自坚质出小片,略向中心,勾联交互,作海绵状,故名曰海绵质(Sŭbstantia spongiosa)。此质及骨之空处,则实以柔软物曰骨髓(Medullaossis, Knochenmark)。

骨髓 骨髓凡二类:一曰黄色髓,多在广骨;一曰赤色髓,多在长骨。至其成分则有髓幺,有脂肪幺,有赤血轮,又有一种曰造血幺,状与赤血轮之稚者肖。故或谓血之发生,自骨髓也。

骨之生长及荣养 骨膜(Periosteum, Knochenhaut)者,在骨之外,其质强韧。中多脉,多神经,主荣养,故受损则骨髓死。膜与骨间,有幺一层,能生新骨。小儿时之生长,折裂后之复续,皆因是也。又骨髓中亦有神经及脉,自赫弗氏管来,用以养骨。

骨之区分 全体骨骼凡分三群：

第一群　头骨

壹　颅骨　在动物性管上耑，合成之骨为（一）后头骨，在颅后下，作贝壳状，其下与（二）蝶骨相接。当成人时，二者往往密合不可分，故昔人常以为一也。蝶骨之前，有如蜂房者，曰（三）筛骨，其体离娄多孔，所以通神经也。颅之前部则有（四）前头骨，下部有小窈二，以容泪囊，曰泪囊窠。（五）颞颥骨，在其左右，状至陵杂，中藏听管。是骨之上，有扁方形者则曰（六）颅顶骨。凡六名八骨，合为大空，其形椭圆，以容脑焉。

贰　面骨　是骨在植物性管上耑，数凡十四。有（一）上颚骨，其形近方，下有槽以容齿。在其后者为（二）口盖骨，口腔之上壁也。又在眼窠内方者有（三）泪骨，合为鼻梁者有（四）鼻骨，在鼻腔外方者有（五）下甲介骨，在正中者有（六）锄骨，在上颚骨外方者有（七）颧骨。以上诸骨，咸结合綦固。其离而不属者，独（八）下颚骨而已。若在舌根，亦有一小骨作弓状，曰（九）舌骨，可附于此焉。

第一群之骨，其状大都扁平。宛转凑合，而头骨前面遂具数腔：一曰眼窠，一曰鼻腔，一曰口腔。

凑会者，为颅骨相衔之处，皆交错如犬牙。幼时多为软骨，逮长而坚，使其过速，则足以阻脑之发育，疾也。

第二群　躯骨

壹　脊柱　在躯之后，所以支之也。集而成柱之骨曰椎骨，别之为二：曰真椎，曰假椎。

真椎凡二十四枚，分三部：上七枚曰（一）颈椎；中十二枚曰

(二)匈椎,旁接肋骨;下五枚曰(三)腰椎。

又从其运动之状,名上二颈椎曰回旋椎,三以下曰屈伸椎。

凡椎骨必具椎体、椎弓二,而第一颈椎无体,仅前后二弓,凑合如环,上具二小窈,以容后头骨底之隆起,故名曰载域。第二颈椎则体上有枝,翘而向上,贯于上椎之环中,故名曰枢轴。

假椎凡九枚,逮人成年,乃胶合为二:曰(四)荐骨,厥初凡五;曰(五)尾骶,厥初凡四。

椎体位置,在椎弓前。两椎之间,夹软骨曰椎间软骨。弓与体接,造成巨孔,曰椎孔。诸孔相叠,复成长管,曰脊髓管。

脊柱之状,不为直线,颈腹二部略向前,腰部骨盘略向后,所以成曲线之美也。

贰　肋骨　左右各十二枚,后联匈椎,前接匈骨。上节七枚,各以软骨与匈骨相著,曰真肋,其软骨曰肋软骨。其下五枚,则以次著于在上之助骨,故曰假肋。假肋末二,则一耑孤立,故别谓之浮肋。二肋空处,则曰肋间腔。

叁　匈骨　形略长方,隆前平后。广其上,曰柄;锐其下,曰剑尖。

匈椎、匈骨、肋骨、肋突骨四者相合,是成匈廓。中之腔曰匈腔,心、肺诸要管在焉。

匈廓之状,当如圆锥,上隘而下广。反是者为非天然。欧土女子,多以束腰得之。

女子匈廓,大都小于男子。孺子则广且短,其肋骨位置,亦平而不斜。

第三群　支骨

壹　上支骨　别为二类：曰肩胛带，曰固有上支骨。

肩胛带成于二骨：曰（一）锁骨，在前；曰（二）肩胛骨，在后。

固有上支骨凡三部：曰（一）上膊骨；曰（二）下膊骨，细别为二，一为尺骨，一为桡骨；曰（三）手骨，细别为三，曰腕骨、掌骨、指骨。

腕骨凡八枚，横作二列，上列之骨四：曰舟状骨，曰半月状骨，曰三棱骨，曰豌豆骨。下列之骨四：曰大多棱骨，曰小多棱骨，曰头状骨，曰钩状骨。

掌骨之数五，以序名之曰第一至第五掌骨。第一最初而广，第二最长，第五最小。五骨骈列，共成四骨间腔。

指骨之数五，亦以序名之曰第一至第五指骨。第一骨止二枚，以下皆三枚，故全数十四。其状第一最大，第三最长，第五最小。

贰　下支骨　别为二类：曰骨盘带，曰固有下支骨。

骨盘带左右各一骨曰髋骨（亦称无名骨），后接荐骨，前以软骨互联，是成盘状，外方略下，各有巨窈，曰髀臼，所以容上腿骨之耑者也。人当幼时，离为三骨：曰肠骨、坐骨、耻骨，或以软骨相接。比十六七岁，软骨渐坚，乃合为一焉。

固有下支骨凡三部：曰（一）上腿骨；曰（二）下腿骨，细别为三，曰膝骨、胫骨、腓骨；次曰（三）足骨，亦细别为三，曰跗骨、蹠骨、趾骨。

跗骨共七枚：后列凡二，曰距骨，曰跟骨，上下相叠；前列凡五，曰舟状骨，其前骈列三骨，曰第一至第三楔状骨，外侧一骨，曰骰子骨。

蹠骨之数五，以序名之曰第一至第五蹠骨。其第一最短而厚，第二最长，第五最小，五骨骈列，共成四骨间腔。

趾骨之数五，亦以序名之曰第一至第五趾骨。第一骨止二枚，以下皆三枚，故全数十四。其状第一最大，次四皆小，而第二为最短。

骨盘为植物性管下耑，成于髋骨、荐骨、尾骶及第五腰椎等，广上隘下，故画为二部：曰大骨盘，曰小骨盘。男女骨格之差，此其最著。女子骨盘，大都广于男子，而高则逊之。

骨 略 图

头骨侧视

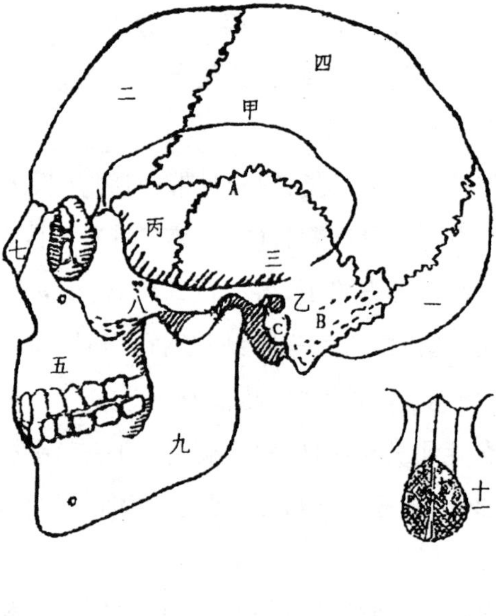

一　后头骨

二　前头骨

三　颞颥骨

A 鳞状部

B 乳状部

C 鼓室部

甲 颞颥腺

乙 外听道孔

丙 蝶骨之一分

四　颅骨

五　上颚骨

六　泪骨

七　鼻骨

八　颧骨

九　下颚骨

十　锄骨

十一　下甲介骨

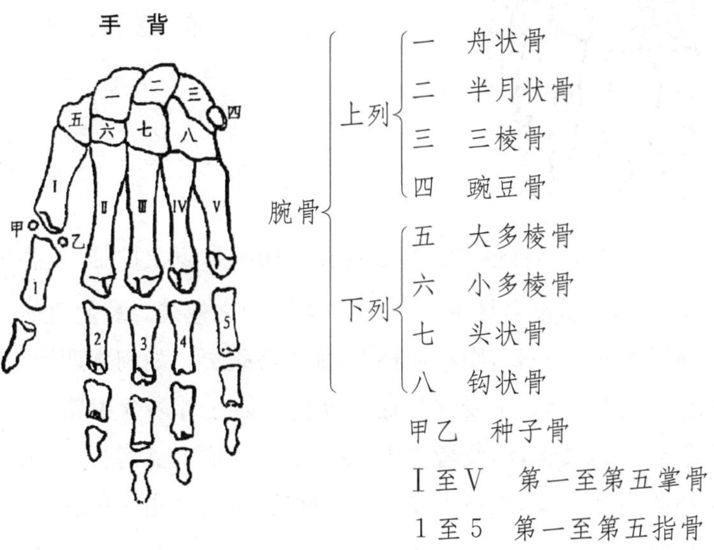

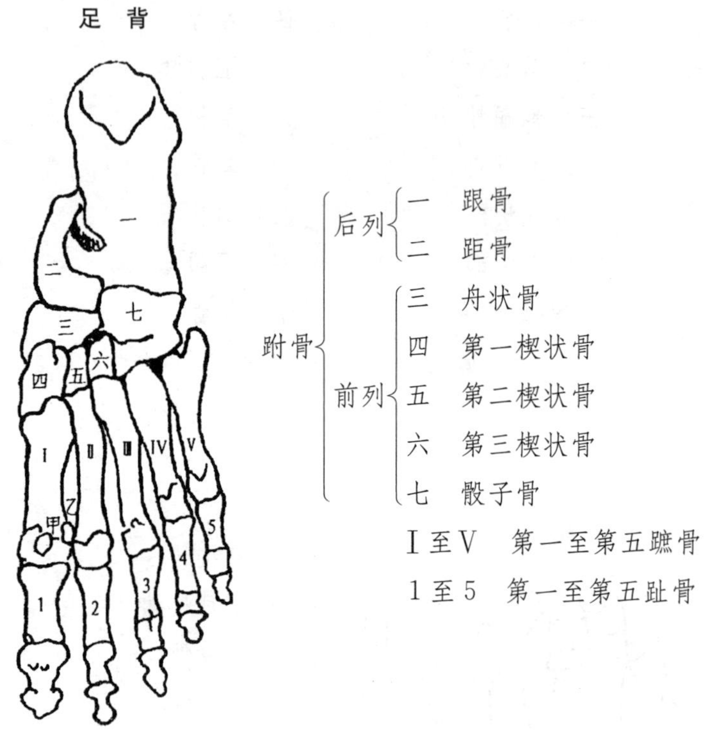

骨之作用 骨既殊形，用亦遂异。如颅骨职在护脑，故悉扁平，其夹海绵质及多具凑会，盖亦以杀外力之侵袭。载使骨质皆坚，或头颅成于一骨，则小加朴击，辄以溃裂矣。如匈廓四周，骨多轻细，复作圆状，可受逼拶而无损伤。如支骨多存甲错之处，俾腱著之，以便运动，复皆空中，令益胜重。而上支诸骨，大抵轻细灵敏，胜于下支，则以上支之用主握持，下支之用主负载也。

软骨之作用 椎间软骨与椎骨相间而成脊柱，故跃而不传震动于脑，蹶而不遗害于脊髓，前后左右，可以屈伸。匈肋二骨相接之处，亦有肋软骨，故呼吸顷，匈可翕张。若受击撞，亦能退避。他若鼻隔耳轮皆为软骨，察其作用，亦以远害也。

一之二　骨之联接

（节 Articulatio，Gelenk 及系 Ligamentum，Bandfuge）

骨之联接凡二种：曰不动联接，曰可动联接。

不动联接 者，不能运动，或借弹力，仅微有之。其一曰凑会，如在颅骨是；其一曰软骨接合，如在耻骨接合及脊柱是。

可动联接 者，以二骨或数骨联合而成，其相接处曰节面，节面多被软骨曰节间软骨，四围有膜作囊状者曰节囊，中空处曰节腔，腔中函流体曰滑液。

节以作用之异，区别如次：

一 蝶铰节　一作圆形，一有窈以受之，其运动限于一轴，如指节、肘节是。

二 螺旋节　为蝶铰节之一种，节面有沟作螺旋状，如下腰骨、距骨之节是。

三 回旋节　此以甲为轴，乙循之而动，如第一、第二颈椎及尺骨、桡骨是。

四 踝状节　一作球面，一有窈以受之，其运动有二轴，如下膊骨、腕骨及载域后头骨之节是。

五 鞍状节　下骨如鞍，上骨如乘，如大多梭骨、第一掌骨是。

六 球状节　二骨隆陷相应，人体诸节，此最自由，如肩节、股节是。

七 丛合节　以数骨相合，其运动最微，如腕骨之互相联接是。

系者为纟状结缔织，色白，强韧有弹力，所以维持骨节者也。区别如次：

一 囊状系　亦称节系，在骨节周围，作囊状，分泌滑液，使无滞涩。若无是，则骨面不泽，或以相磨而生炎。

二 辅系　在囊状系之内或外，所以更巩固之。

三 固有系　联系骨节者皆是。

一之三　骨之摄卫

僮子之骨多软，骨质易于屈挠，故过加压抑，则成畸形。或年龄未至，强使行立，于是下支骨不胜躯体之重，亦往往屈曲至不能痊。老人之骨多垩质，易于折裂，故运动当勿失中，劳作毋宜过剧。

骨之发育善，则作用全，且不易损，故当谨择食品，为之补益。如僮子少于垩质，则授乳以益之。而酒类、烟草，大能害骨，尤当禁绝。酒人病骨，治之綦难，其证也。

骨得锻炼，乃益发达，故运动甚有益于骨，特勿过度而已。

疾病 凡节囊皆易缩难伸，两骨位置，赖其制范。设越范而动，则节面相离，不返旧处，是曰脱臼。当加力令之复故，靖止弗动，数日自愈。

凡骨折者，令折处相合，以物夹之，勿动，亦自愈。惟两耑凑合，宜勿参差，否则多成畸形，至不可治，在脱臼时亦然。倘骨折后锐耑伤肌，则曰复骨折，非医者莫理。

凡骨节多易受病，使过冷或湿，每生节炎，其甚者或成痛风（关节偻麻谛斯）。

椎间软骨虽具弹力，顾前俯日久，则此力渐失，终作楔状，不复其常，为脊柱屈曲病。故坐而读书，所宜耑直。假其已病，乃惟户外运动及矫正术治之。

第二分　肌 Musculus，Muskel

二之一　肌之构造

体重之半，殆为肌肉，或附丽于骨，或构造之官，且禀伸缩之性，至为自由，数可四百。形则有短、长、厚、薄之异，其长者中部往往弸大，命曰肌腹，两耑渐细，终为结缔织，强韧而细，以止于骨，曰腱。

种类　肌凡二类：曰人主肌，或作或止，皆从人意，附于骨者是；曰自主肌，人意所向，伸缩不能与同，多为内藏之壁，如在肠胃者是。

成分　肌之成分，为卵白质、格里科堪、蒲陶糖、水炭、酸，及淡气少许。

按：人体死后，肌之成分，变化极速。故考定其质，为事至难。近有德人区纳(Kühne)[①]，乃以去血之肌，加冷研而为糜，谓之肌雪。复滤之，则得肌液，呈碱性反应，内函卵白质数种，其一曰密阿旬(Myosin)，肌中所特有者也。

肌之细微构造　人主肌赤色，中见横纹，故一名横纹肌。徒目视之，亦睹缕状。察以显镜，则见细长之幺，是名肌丬，外被薄膜曰肌衣，内容物质，有形横走，曰收缩质。近膜之处，又具数

① 今译为屈内(1837—1900)，酶的发现者。——编者

核。此乡集合成一肌束，曰第一束，或曰原束。复相集合曰第二束，复相集合曰第三束，此第三束更相集合，乃成一肌。其外有被，谓之肌鞘，如四支肌，莫不如是。

按：肌乡之长，随处而异，至长者约十三生的密达。亦有仅以一乡，横亘二骨间者，如喉肌是。若其大小，则大抵肌大者乡亦大，而在运动较甚之肌尤然。

自主肌色淡赤，稛然无纹，故亦称无纹肌，其乡皆作纺锥状，锐末而彍中。观其中央，见一二核，以幺间质互联为层。排列之状，多为平行，如心及肠，莫不如是。

肌之区分 肌亦区分如骨，作三大群：

第一群　头肌

壹　颅肌　在颅之肌，仅一薄层，如裹巾帻，顶为腱膜，曰颅腱膜。其肌则在前者曰（一）前头肌，在后者曰（二）后头肌。

贰　面肌　更分五群：一曰耳肌，属之三，曰（一）前耳肌，曰（二）上耳肌，曰（三）后耳肌，皆所以动耳轮软骨。二曰目肌，属之二，曰（一）眼睑轮状肌，司目启闭；曰（二）皱眉肌，所以蹙眉。三曰鼻肌，属之者二，曰（一）鼻翼下掣肌，曰（二）鼻压缩肌，此其作用，皆如所命。四曰口肌，属之者八，别为三层。第一层，为（一）颧骨肌，缩则吻向后上；为（二）方形上层肌，缩则鼻翼上唇皆向上；为（三）笑肌，掣吻使后；为（四）三角颐肌，掣吻使下。第二层，为（五）门齿肌，掣吻使上；为（六）方形颐肌，推下唇使前。第三层，为（七）举颐肌，缩则外皮上向；为（八）颊肌，形成颊部，肌乡曼衍，乃沼唇而成口围轮状肌。五曰下颚肌，皆司咀嚼，属之者四，为（一）咬肌，缩则掣引下颚，使向前上；为（二）颞颥肌，缩则掣引下颚,使向后上;为(三)外翼状肌,使骨节前;为(四)内翼状肌,使下颚进。

第二群　躯肌

壹　颈肌　(一)皮下颈肌,在皮直下,横被颈侧;(二)匈锁乳头肌,亘匈锁二骨间,缩则首旋或左右欹,倘二肌皆缩,则首定而匈举;(三)舌骨诸肌,其一耑皆著于舌骨上下,所以动舌者也。

贰　背肌　其涉于上膊者,有(一)僧冠肌,为状三角,缩则肩胛后向;有(二)广背肌,殆被躯之下半,缩则使上膊内后下向;有(三)菱形肌,分为二束,缩则使胛骨下,偶内向;有(四)举胛肌,缩则使胛骨上举。

其涉于肋者,有(五)后上锯肌,自椎骨下行至肋,缩则肋升,所以助吸,故属于吸气肌;有(六)后下锯肌,自椎骨上行至肋,缩则肋降,所以助呼,故属于呼气肌。

其纯为背肌,则多长形,至于极深,乃为短肌。长者有(七)副水肌,自颈匈椎上行至头,缩则使头旋转;有(八)直躬诸肌,缩则椎骨为之旋转屈伸。更至深部,在屈伸椎者,多亘二椎之间,或止于本椎之肋;在回旋椎者,多上行而止于后头骨。

叁　匈肌　其涉于上支者,为(九)大匈肌,作三角形,缩则使上膊向前内;为(十)小匈肌,在前肌之下,缩则肩胛骨降;为(十一)锁骨下肌,居锁骨之下;为(十二)前大锯肌,缩则使肩胛骨前。其纯为匈肌者,为(十三)肋间肌,更分内外,外者助吸,内者助呼;为(十四)横匈机,复分前后,前者助呼,后者助吸。

他则匈腔下耑,有肌界之,是谓横膈,中央白色,如苜蓿叶,名曰腱心。膈有数孔,则食管及脉之孔道也。

肆　腹肌　其形长者，为（十五）直腹肌，是成腹之前壁，腱膜横走，画为四区，名曰腱画，外被劲膜，曰直腹肌膜；其形广者，为（十六）斜腹肌，在前者之侧，为腹左右壁；有（十七）横腹肌，在前二者之后，肌㐃横走，辅成侧壁。凡此三肌，缩则令腹腔顿小，减其空量。

腹之后壁，仅有一肌，自末肋至于髋骨上缘，曰（十八）方形腰肌。

第三群　支肌

壹　上支诸肌　此复分为四类：

一肩胛肌　其要者为（一）三角肌，被肩胛而止于上膊骨，缩则手（广谊）举；为（二）（三）上下棘肌，起自胛骨，止于上膊骨，缩则手旋；为（四）小圆肌，缩则旋外，同于棘肌；为（五）大圆肌，在其下，缩则旋内；为（六）胛下肌，缩则上膊旋内，同于大圆。

上棘、下棘、小圆三肌，缩则均使上膊外转，其作用相合，凡如是者，曰协和肌。大圆、胛下二肌，缩则使上膊内转，其作用正反于前，故任取彼此各一，称之曰拮抗肌，如大圆肌与小圆肌，或胛下肌与三角肌是。

二上膊肌　属于此者，皆为长肌，附着于膊之前后，前者所以使屈，后者所以使伸。

前侧凡三：曰（七）二头膊肌，上耑歧而为二，起自胛骨，止于下膊；曰（八）内膊肌，在上膊下部；曰（九）鸟喙膊肌，在上膊上部。

后侧止一，惟其耑离而为三，故曰（十）三头膊肌，中耑最长，起自胛骨，内外二耑较短，起自上膊，逮降乃合为一，而止于尺骨。

三下膊肌 属于此者，亦皆长肌，大抵起于上膊，下至下膊或指骨而止，在前侧者所以使屈，在后侧者所以使伸。

前侧凡八，析为四层。第一层之肌四，其上耑相附为一，起自上膊骨上耑，降至中部，乃离为（十一）回前圆肌，上于桡骨；为（十二）桡腕屈肌，循桡骨而下，止于掌骨；为（十三）长掌肌，状极长细，至于掌，散为腱膜；为（十四）尺腕屈肌，循尺骨而下，止于腕骨。第二层仅一肌，曰（十五）浅总屈指肌，起自下膊骨上耑，降而析为四束，止于第二至第五指骨。第三层凡二肌，曰（十六）深总屈指肌，起止略同于前；曰（十七）长屈拇肌，起自桡骨，止于拇指骨之末节。第四层亦仅一肌，曰（十八）回前方肌，居下膊下部，亘尺桡二骨之间，故缩则下膊及手旋而向内。

后侧凡九，析为二层。上层之肌六，循桡骨而下者三，曰（十九）回后长肌，起自上膊，至桡骨而止，故亦称膊桡骨肌；曰（二十）长桡腕伸肌及（二十一）短桡腕伸肌，皆起于上膊骨之末耑，并行而降，止于掌骨。循尺骨而下者三，曰（二十二）总伸指肌及（二十三）固有季指伸肌，皆起自上膊骨之末，前者离为四束，止于第二至第五掌骨，后者则止于第五指骨；曰（二十四）尺腕伸肌，起自上膊骨之末及尺骨上耑，降而止于第五掌骨。下层之肌五，曰（二十五）长回后肌，起自肘节，绕出桡骨而止；曰（二十六）长外转拇肌，起自尺桡二骨之间，降至第一掌骨而止；曰（二十七）短伸拇肌，与前者偕起，降至第一指骨而止；曰（二十八）长伸拇肌，起止皆同于前；曰（二十九）固有示指伸肌，起自尺骨下耑而至于第二指骨，下层诸肌之最内最低者也。

凡展伸肌，其耑皆经腕之后侧，其处有系，绕之若束带然，使腱不能逾越，是系曰后腕系。

四手肌 复分三群：曰（三十）拇指诸肌，属之者四；曰（三十一）季指诸肌，属之者三；曰（三十二）中手诸肌，属之者二。

贰　下支肌　此复分为四类：

一髋肌 此皆集于骨盘内外。其内侧者，为（一）大腰肌，为（二）肠骨肌，以其相附，故合称之曰肠腰肌。其外侧者，凡三层。第一层之肌二：曰（三）股鞘张肌，起自骨盘，终于肌膜；曰（四）大臀肌，缩则使股旋内。第二层之肌一，曰（五）中臀肌。第三层之肌五，曰（六）小臀肌，缩则皆使股远距督线：曰（七）黎状肌；曰（八）内锁肌；曰（九）外锁肌；曰（十）方形股肌，缩则皆使股旋而向外。

二上腰肌 凡属此者，大抵长肌，皆集于前、内、后三侧。在前侧者，为（十一）缝人肌；为（十二）四头股肌，倘其收缩，皆令足（广谊）伸。在内侧者，为（十三）（十四）长短内转股肌；为（十五）大内转肌肌；为（十六）薄股肌，假其收缩，皆令足进向督线。在后侧者，为（十七）半腱状肌；为（十八）半膜状肌；为（十九）二头股肌，假其收缩，皆令足屈。

三下腿肌 凡属此者，亦皆长肌，可别为前、外、后三群。在前侧者，为（二十）前胫骨肌；为（二十一）总伸趾肌；为（二十二）长伸蹈肌，假其收缩，皆令足神。在外侧者，为（二十三）长短腓骨肌，假其收缩，则使蹠反向后上。在后侧者，复析为二层。上层之肌三：曰（二十四）腓肠肌；曰（二十五）长足蹠肌；曰（二十六）鲽肌。三肌下行，合为巨腱，而著于跟骨，名腱曰阿契黎斯氏腱(Tendo Achillis)。下层之肌四：曰(二十七)膝膕肌，曰(二十八)长总屈趾肌，曰(二十九)后胫骨肌，曰(三十)长屈蹞肌，假其收缩，皆令足屈。

四足肌 在足背者一，曰(三十一)短总伸趾肌。在蹠者凡三群：曰(三十二)蹞趾诸肌，属之者三；曰(三十三)季趾诸肌，属之者三；曰(三十四)中足诸肌，属之者四。

肌略图

头肌一

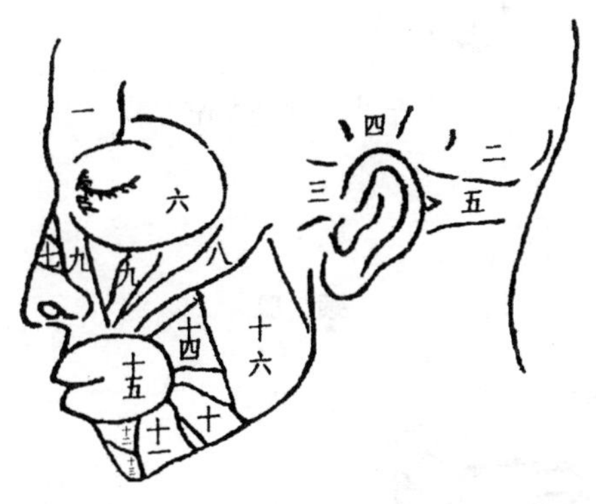

一　前头 m
二　后头 m
三　前耳 m
四　上耳 m
五　后耳 m
六　眼睑轮状 m
七　鼻压缩 m
八　颧骨 m
九　方形上唇 m
十　笑 m
十一　三角颐 m
十二　才形颐 m
十三　举颐 m
十四　颊 m
十五　口围轮状 m
十六　咬 m

头肌二

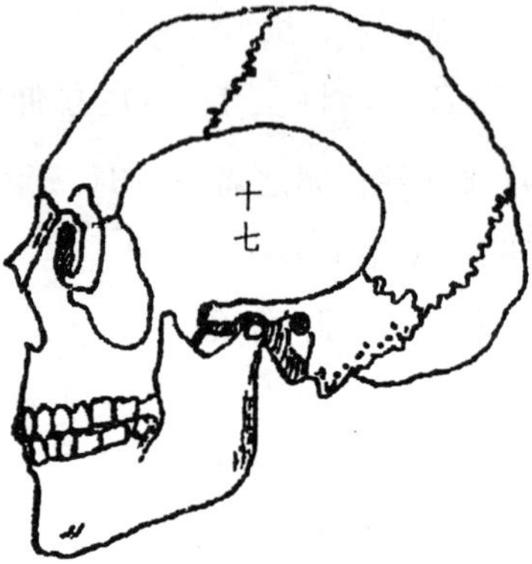

十七　颞颥 m

颈　肌

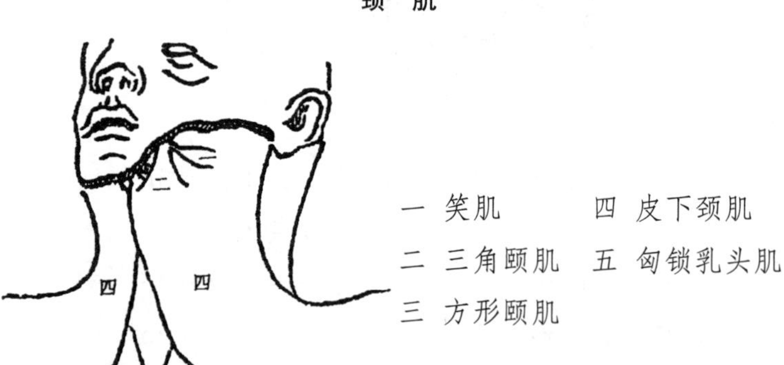

一　笑肌　　　四　皮下颈肌
二　三角颐肌　五　匈锁乳头肌
三　方形颐肌

背肌一

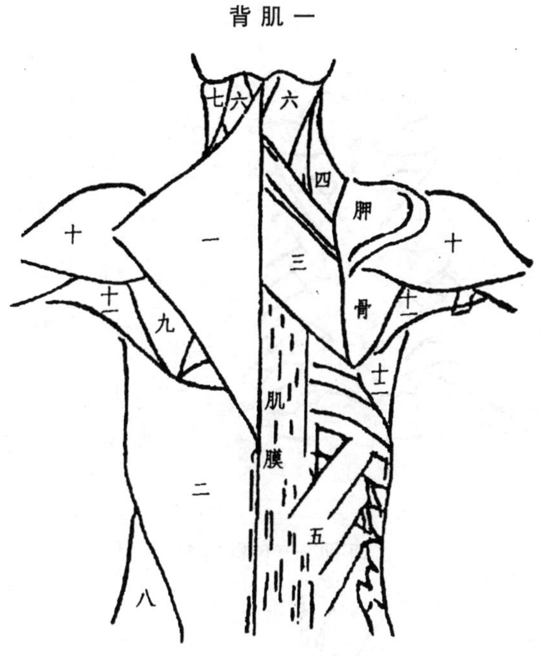

一　僧冠 m

二　广背 m

三　菱形 m

四　举胛 m

五　后下锯 m

六　副水 m

七　匈锁乳头 m

八　斜腹 m

九　下棘 m

十　三角 m

十一　大圆 m

十二　前大锯 m

背肌二

一　后上锯肌

二　副水肌

三　直躬肌

匈肌一(匈廓后面)

一　横匈肌

二　横腹肌

三　横膈断面

匈肌二

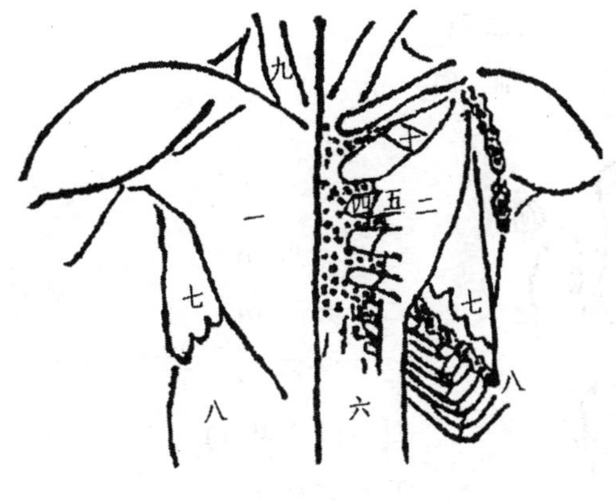

一　大匈 m
二　小匈 m
三　锁骨下 m
四　内肋间 m
五　外肋间 m
六　直腹 m
七　前大锯 m
八　斜腹 m及其断面
九　匈锁乳头肌
十　脉神经束

腹　肌

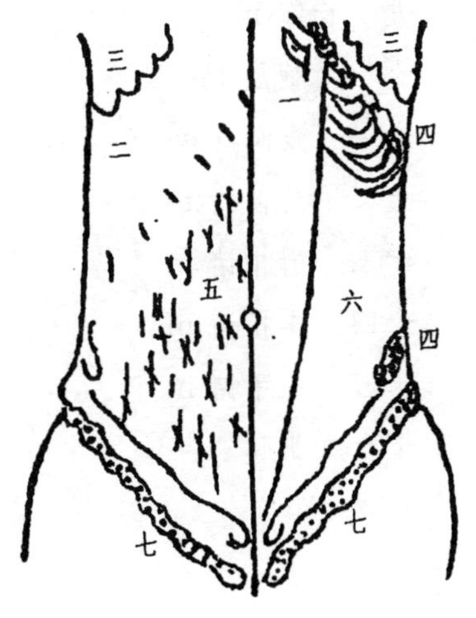

一　直腹 m
二　斜腹 m(外)
三　前大锯 m
四　斜腹 m(外)断面
五　直腹肌膜
六　斜腹肌(内)
七　皮断面

上支肢一

前　面

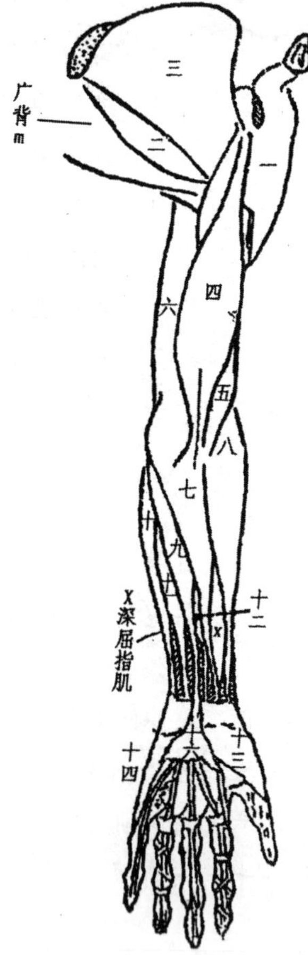

一　三角 m

二　大圆 m

三　胛下 m

四　二头膊 m

五　内膊 m

六　三头膊 m 之中央头

七　回前圆 m

八　桡腕屈 m

九　长掌 m

十　尺腕屈 m

十一　浅总屈指 m

十二　总伸指 m

十三　拇指诸 m

十四　季指诸 m

十五　中手诸 m

十六　肌膜

上支肢二

后　侧

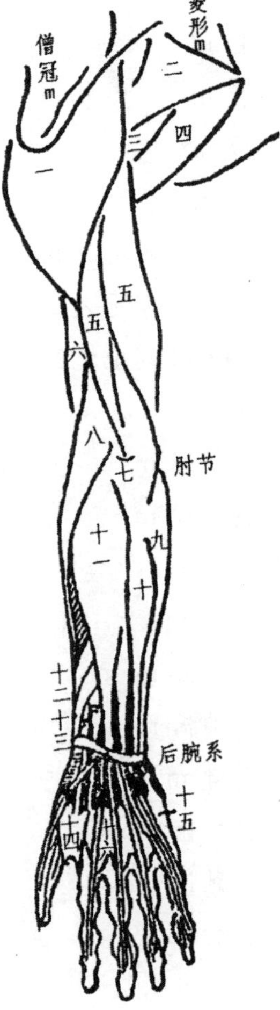

一　三角 m

二　下棘 m

三　小圆 m

四　大圆 m

五　三头膊 m

六　二头膊 m

七　四头膊 m 之一头

八　膊桡骨 m

九　尺腕伸 m

十　固有季指伸 m

十一　总伸指 m

十二　长外转拇 m

十三　短伸拇 m

X　长短桡腕伸 mm

十四　拇指诸 mm

十五　季指诸 mm

十六　中手诸 mm

下支肌一

前　面

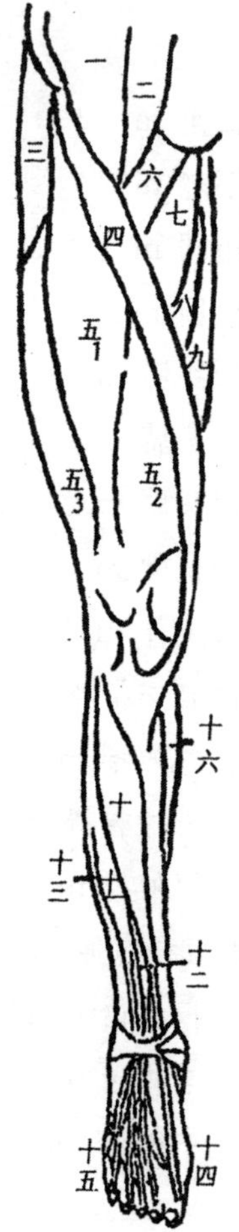

一　肠骨 m

二　大腰 m

三　薄股 m

四　缝人 m

五 1　直股 m 四头股 m 之一

五 2　中股 m 同上之二

五 3　外股 m 同上之三

六　栉 m

七　长内转股 m

八　大内转股 m

九　外大股 m

十　前胫骨 m

十一　总伸趾 m

十二　长伸拇 m

十三　腓骨 m

十四　拇趾诸 mm

十五　季趾诸 mm

十六　腓肠 m

下支肌二

后　面

一　大臀 m

二　薄股 m

三　外大股 m

四　半腱状 m

五　半膜状 m

六　二头股 m

七　缝人 m

八　腓肠 m

九　鲽 m

十　中足诸 mm

十一　拇趾诸 mm

十二　季趾诸 mm

十三　Achillis 比系（跟骨系）

X　跟骨

二之二 肌之生理

代谢 凡在竫肌，常自毫管之血，取酸素而出炭酸，惟所出炭酸中之酸素量，少于所取之酸素量，以抑留之于体中也。断肌去血，置空气或酸素中，如是见象，虽甚就微，而尚不息。因知代谢官能，实其常态，动力之发，此其本耳。

肌当动时，则血脉偾张，代谢顿盛，所出炭酸中之酸素量，有加于所取之酸素量，盖以时不特行同化作用，且并起分解作用故也。是以劳作而后，则体中之格里科堪（动物性淀粉）及卵白质皆减其量。

偾兴 加撄于肌，则肌应之而缩，是曰偾兴。即生偾兴，遂有动作，动作既始，偕之生温，惟固有体温，在偾兴为最适，过高过低，皆能弱之。

动力 以所举重乘举得高，即为肌之动力。今以动力为A，重为P，高为H，则A=PH。设不加重于肌，即P=0，则肌无动力，故A=0。设其重为肌所不胜，则不能动，而H=0，故A=0。故重必在前二者之间，乃见动力。

疲劳 劳作过久，减其动力曰疲劳。盖肌当劳作时，质中生游离磷酸，或酸性磷酸加里及炭酸等，是名劳质，屯积不去，遂生此象。待更得血之流通，洗涤至尽，而动力遂复。

强直 肌若失缩张之性，变质成坚，则曰强直。所以致之者二：曰热，曰死。肌临是时，其密阿旬（Myosin）凝而坚，遂至强直。若在死亡，则强直之作，视外缘异其时间，大抵自一至七小时为率，更越一至七日而此象复退，则腐之始也。

第三分　运动 Motus，Bewegung

三之一　运动之理

肌骨相互之作用 肌著于骨，多非直接，或以腱，或以肌鞘。以腱附者，力注于一点；以肌鞘附者，力及于一部。逮受攖而缩，则使所附二点，益益相迩，待其复弛，乃返于初。

此引力大小，视所引方向为肌伞方向而异。肌伞与所引方向合则力大，易言之，即肌与骨成直角是。肌伞与所引方向违则力小，易言之，即肌与骨成锐角是。咬肌及阿契黎斯氏腱属于甲，此他多属于乙。凡属于乙者，骨常作突起，俾肌耑附著之，以减其锐角之度。

附骨之肌，由缩生动，其性与杠干同，可分三种：

一　支点居中，力点重点在其两耑，如举头时，则颈为重点，颈椎为支点，颈肌背肌为力点。

二　重点居中，支点、力点在其两耑，如企足时，则踵为重点，趾为支点，下腿后侧之肌为力点。

三　力点居中，支点重点在其两耑，如曲肱时，则臂为重点，肘节为支点，上膊前侧之肌为力点。

立 肌之为用，不特使骨节动，亦复使骨节定。如人之立，即以自首至足，诸肌皆缩，约束骨节，使毋动摇，而托全体重于足之支面故也。故在是时，首、脊柱、股膝、踝诸节，皆定不动。二踵相接，趾略向外，成五十度角，全体重点，适落此支面之中。若重点转徙，则足必亦变其支面以应之。

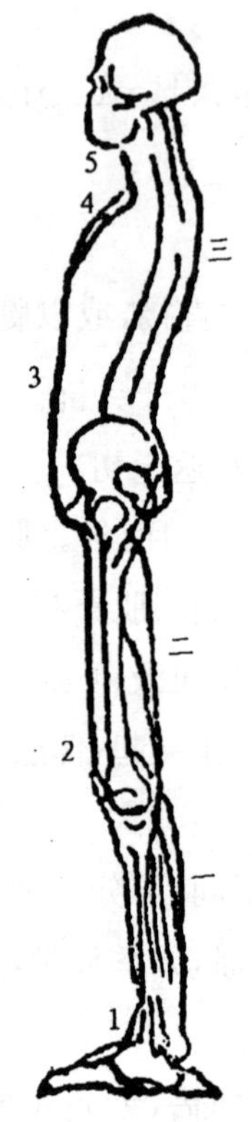

一　腓肌

二　股后面肌

三　背肌

右以支躯之前屈

1　足前面肌

2　股前面肌

3　腹前面肌

4、5　颈前面肌

右以支躯之后屈

坐 人坐于椅，其重点在坐骨及上腿后部，设为耑坐，则躯肌必缩，以固定首脊柱诸节。

步 步为二足互易，使体渐前之运动。初托体重于甲足(广谊)，而乙足屈其股节，更举上腿，且屈膝节，使趾离地，出于甲前，以受甲足所支之重，甲足遂缩其腓肠肌及鲽肌，曳踵令起，趾复离地，前如钟摆，更出乙前，代支体重，乙足复屈，同于前时，如是互动，体乃渐进。

趋 步之急者为趋。体之向前，速度益大，其差别于步，则为有一瞬间，全体在空，左右两足，皆不践地。

跃 因足急伸，投体空中甚于趋者为跃。惟一跃而后，全体向上，则尔时失其前进之运动。

三之二　运动与摄卫

骨与系随肌而动，为受动运动官，惟肌自动，故总全运动官，当以是为宗主。摄卫之术，乃在足其养品，正其锻炼。所以者何？盖作之与休，所当迭代，作久则肌劳，休久则官能弱也。

人在运动时，肌及脑中，血行皆旺，代谢亦速，故必多生废品。使无养品以补之，肌亦将惫，倘达极度，或至莫痊，故服剧劳而缺养品者，其体辄羸而不壮。

运动之影响于诸官者，为酸化作用盛，呼吸遂急而浅，血中之炭酸量多，心跃遂强而速。倘其过剧，则急发之疾为心痹，缓发之疾为郁血及心之肥大扩张等。此他则皮之官能，亦复亢进，故流汗发温，悉增其度，肌肉充血，消化大行。

运动之时间及速率，宜以渐进，徐徐益其度，则肌肉渐壮，动力遂强，骨与系偕之而固。如运动支肌，则骨节益益自由；运动呼吸肌，则匈廓益益发达，肺之张力，自益强大，复因血行旺盛，故常坐者事此，则下腹郁血之疾，可以无患。

运动法中，以体操为最善，能锻炼全体之肌，而均齐其发达，不存偏颇，非若蹴鞠、击剑，其运动偏于一支，或主旨仅在克敌者比也。举要略如左[①]：

一 束体之衣，所不当服，颈部匈部，尤宜去之；

① 原文为竖排，“如左”即“如下”，下同。——编者

二 全体之肌，动作宜等；

三 匈腹之肌，并司呼吸，故发达宜求其全；

四 运动不可至于甚惫，倘生此感，宜即休止；

五 运动既始及已毕时，均宜在新空气中作强呼吸；

六 运动方中，而呼吸忽迫，血行顿弱，或一分时中，脉搏数逾百二十者止之；

七 方饱、方饥及酒后，于运动有禁；

八 运动当自易为者始事，后渐及其难为，时间则以上下午各一小时为适；

九 体羸及病疝者，运动宜择其易。

皮第二

第一分　皮之构造 Gutis，Haut

皮者被于全身，逮至口鼻诸腔，乃成黏膜，其构造可分三部：曰肤（表皮），曰革（真皮），曰皮下结缔织。

肤 肤者，在体最外，析为二层：至上者曰角层，其下者曰摩尔辟丌（Malpighi）氏层。角层成自干燥之幺，为状扁平，老死角变，故自剥落。摩尔辟丌氏层，又析为四：一曰圆柱层，有幺一列，状如所名；二曰棘层，幺有棘起，互相钩带；三曰粒层，幺中函粒，黏然有辉；四曰明层，其形素可以澈光，而幺核已死，与上之角层相迩。二层厚薄之比，视部分而殊，大抵角层之厚，逊于摩氏层，而掌跖则反之。

圆柱幺间或形素中，常函色素，是有多寡，而人种肤色遂异。黑种最多，黄人其次，白人几无。顾乳耑等处，则亦函之。更言此色素由来，乃迄于今兹，未得决论，或谓肤幺所本有，或谓革幺所发生。

肤幐之中，不藏神经血脉，故偶或伤皮，若其创不深，则不见血而无痛。

革 革之构成，本于二者：曰结缔织，曰弹力仐。其与肤相接之处，多见隆陷，有如波涛，是名乳头，神经及血脉杪耑皆藏于此。至于深部，则有纹、无纹肌乑交互若网，毛根汗腺等在焉。

皮下结缔织 此之构成，无异于革，惟结缔织疏而不密，且函脂幺，皮之联肌，赖此腠也。

第二分 皮之属品及其构造

属于皮者二类：曰角变之官，如爪，如毛发；曰腺。

爪 爪为肤幺所角变，互相密合，平如版障，以护指趾之耑。爪根极末，入于肤中，有幺一种曰爪母，判分新幺，使爪外长，自外视之，其处白色，是名弦月。

毛发 毛发亦肤幺所角变，状如丝缕，或刚或柔，掌、跖、唇吻而外，无不被之。半植于皮为根，半露于外为干。根之杪耑，弸为圆形，曰毛丸。虽在革者居多，而巨者则或深入于结缔织。根之周围，有革环拥，是名毛囊，其底内陷，中函幺群。司毛生长曰毛母，且富神经血脉，为之荣养，故此部一毁，即不更生。囊旁各有小肌，缩则毛竖，名曰动毛肌。

干之构造，凡分三层：曰上皮，成自角质之幺，薄如鱼鳞，数片相叠；次曰皮质，实为主部，幺如纺锤，沿长轴而上，至耑益细，色素函内，或在其间，若在根部，则有色素幺，惟以造作色素为务；三曰髓质，其幺方形，止一二列，独毛之大者有之，或涉半涂而止。

色素多寡，亦足以别毛发之色，至老而颁白，则缘色素不生。而皮质、髓质，均含气泡耳。他若卷直之殊，则由外状，黄人正圆，故直；白人椭圆，故如波澜；非洲黑人扁圆，故如羊毳；巴布安人曲圆，故如棼丝。

腺 在皮之腺凡二种：一曰皮脂腺，与毛发俱，满布全体，简者状如瓶叠罍，复者类于蒲陶，长可半分，顾在鼻部者较大，其口启于毛囊，或在肤表，输泻脂液，以润泽之；二曰汗腺，毛发所生，此辄与共，而掌、跖、腋下为独多，根在革内，盘旋如丸，输泻液体曰汗，口则启于肤表，是名汗孔。

第三分　皮之生理

呼吸 人体之皮，亦兼呼吸，略与肺同。第其强度，则甚逊于肺。计二十四小时中，所出炭酸，不过肺之二百二十分一。而吸入酸素，量乃尤少，惟放散水气，其量极多，若在健体，则一昼夜，所失重量，几居体重之六十七分一。

输泻 皮之所输泻者二：曰汗，曰皮脂。

水在平时，多作气状，逮其骤增，则迸出汗孔之口为汗。此之为用，主以节温，如外温滕上，则血脉偾张，皮赤且润，汗随之发，放其体温，使肤生冷；外温低降，则血脉顿缩，皮白而干，抑制体温，使毋放失。

汗无色澄明，反应酸性，百分中水居九十七，定质居三，中函蚁酸 CHO(OH)、酪酸 $C_4H_7O(OH)$、普罗庇翁酸(Propionsäure)$C_3H_6O_2$ 等，故齅之有特殊之臭。

劳作、沐浴，及阻皮蒸发，皆可致汗。又直加撄于发汗中枢，亦能致之，如过温之血(四十五度)，及服 Pilokarpin $C_{11}H_{16}O_2N_2$、Nikotin $C_{10}H_{14}N_2$ 是。

皮脂输泻后，即与肤屑共见剥落，不更吸收(?)。至其由来，则自于腺，盖以幺之脂变及其分解，遂成液体，主输泻管，凝而如脂，以出肤表，管口或塞，在面则生面疱。

吸收 皮之呼吸，为生理常经，顾酸素而外，亦吸他物，如以脱 Ether $\begin{matrix} CnH_{2n+1} \\ CmH_{2m+1} \end{matrix}>0$、珂罗仿 Chlorform $CHCl_3$ 等，注诸皮上，则蒸为气状后，即能吸收。又以毒药入水，用浴动物，亦致中毒。然取少许滴肤上乃往往无害，则以肤之角层，阻不令入，即有微量，亦随入尿中，输泻体外，不能屯积于血，达中毒之量也。

效用 皮下结缔织及其脂幺之用，联结肌肤而外，在实陷中，使之圆满。在掌、跖、臀部，则使所受压力，为之减杀，在腋下股节膝胭诸部，则使神经脉管，不见毁伤。革有弹性，可以缩张；肤作之辅，以御外力；表为角层，则不见血，不感痛，既以防毒，亦以护革也。皮脂于泽肤发外，且能防气水之侵蚀，肤又逼拶毫管，使其流质少所消耗，故偶或遭毁，其处辄渐润湿，且作赤色焉。

第四分　皮之摄卫

摄卫主旨，在使其官能具足无阙而已，为术如次：

一清洁 皮之表面，常附垢腻（汗、皮脂、上皮、盐类、尘、脂酸等），能沮阏官能，且为微生物寄生之薮。倘有疵伤，则每以是溃败发炎，故宜时时洁之，令无停垢。其法一为易衣，衣与肤密接，吸收输泻物，故当屡涤；一为温浴，使垢见水而软，去之净尽，复上升体温，亢进脉搏，令血行增速，全体为之爽然，且治疲劳。

如服劳终日者，得浴后，则血中之郁积物悉去，肌力辄随之复。

以肥皂涤体，虽能溶解垢秽，而肤面为之不泽，其得失有所难言。

水之温度，以摄氏三十三度为最适，其时宜在劳作而后。未食，已食时，均有禁，盖腹虚则养分阙，腹实则消化止也。

二锻炼　固全体肤革，使能胜寒温之变，而不罹感冒、痛风诸疾，则首在锻炼。体操而外，为术凡二：一为冷浴，一为游泳。冷浴宜在清晨，尔时体温略高，可耐寒水，已而反应起，则加暖矣；游泳当在海水，以运动故，肌力遂增，又促代谢，而肤亦加固。惟此皆不当急行，必以渐进，有不能堪者罢之。

疾病　皮之色素，屯积一点则生痣；革之乳头，长大越度则生疣，以冰醋酸或硝酸反覆涂抹去之。

皮脂输泻，不能出腺外则成疱；输泻不足，或多加洗涤则生龟裂。

皮遇剧寒，则神经痹，官能遂失，脉管大弛，血集于此，是生冻疮，其色黯赤，初特痛痒，糜烂继之，治之以加温及温浴。

皮遇剧热，则成火伤，宜以冰或水冷之，次涂新牛酪、卵黄、石灰水及阿列布油之混合液，使勿触气，惟伤过全体三分之一，则皮之官能大弱，死者有之。

湿疹多本于先天，皮之炎症也，而摩擦抓搔，及衣服药品，亦能致此。

癣疥缘微虫之寄生，为传染之疾，其卵及输泻物，可于肤中见之。与病人同卧起，或被其衣冠，皆能传染，故当急治，头虱亦然，第能洁理全身，则为患自鲜耳。

消化系第三

第一分　消化系之构造

Apparatus digestivus，Verdauungs Apparat

人得食品，先入于口，一分质变，而至血中，所余废品，自肛外泻。质变之事，即名消化 Digestia Verdauung。司此诸管，曰消化系。此系所属，一消化管，二开口于管之腺。

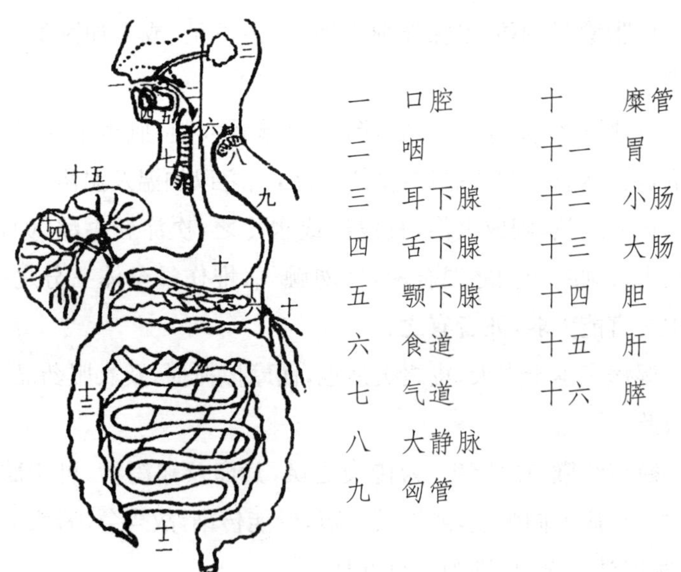

消化管始于口腔，顿细而成食道，经匈直下，又过横膈，复扩为胃，又隘为大、小肠，而尽于肛。故其所在，上始头部，下讫尾骶。当发生时，形简而直，逮夫成人，乃迂曲萦回，长逾二丈，内被黏膜，泌分液体，以润泽之。

一之一　口腔 Cavum oris，Muudhöhle

黏膜　黏膜为皮之续，其色薄赤，成自三层：一曰上皮，次曰固有层，三曰膜下腠，富有脉管，而固有层中尤多。膜当上下唇内面中央，隆为襞积，是曰唇系。比近齿槽，则弥益加厚，直与骨膜联接，而为齿龈，又当舌下，亦作襞积曰舌系。根部左右，隆如两黍，谓之舌阜。舌下腺、颚下腺之输泻管，共启口于此焉。

腺　口腔之腺，可分二种：一曰小腺，二曰大腺。

小腺遍布口腔黏膜前部，启口于表，输泻管在固有层，腺体则在膜下腠，泌分液体，聚口腔中，是曰唾 Saliva，Speichel。

唾无色澄明，反应弱亚尔加里性，大分为水，且函唾素 Ptyalin、黏素 Mucus 及卵白质并盐类少许。其固形物，则有卢可企丁 Leukozyten，名之曰唾小体 Speichel kör Perchen，并剥落之肤幺，及食品之余屑。

大腺凡三：曰舌下腺，在舌之下；曰颚下腺，在下颚骨下缘内面，二腺之管，启于舌阜；最大者曰耳下腺，上起颧骨弓，下及下颚隅角，输管前进（高低略与鼻等），贯咬肌、颊肌，至上颚第二或第三臼齿近处而启，是腺时或分生小腺，则谓之副耳下腺。

按：大小诸腺，可据其所生之液，别为二类。生浆液者，曰浆腺 Serösudrüsen（耳下腺）；生黏液者，曰黏腺 Schleimdrüsen（口盖小腺、舌根小腺）。兼生二液者曰杂腺 Gemischte Düsen（舌下腺、颚下腺）。

腺之输泻管，成自方形式圆柱形之幺一二层，结缔织被其外，至于下部，则有分泌幺一种，大都圆形。当靖止时，浆幺之核居中，黏幺之核偏下。若乎杂腺，乃溷有二者，末耑中央，多为浆幺，其他多为黏幺。故浆幺受压，成半月状，是名瞿阿努契氏之半月 Gianuzzisepe Halbmonde，而哈覃哈谟 Heidenhain 则定为黏幺之稚者，谓之补阙幺 Ersatzzeleen，其说曰补阙说 Drsatztheareie。

口盖 此凡二部，硬口盖以上颚骨及口盖骨为依据，故其质坚。后之软口盖则为肌质，末耑下垂向咽，是名悬壅垂。前后各成穹窿，曰前后口盖弓。两弓之间，各有一腺，曰扁桃腺。

舌 其质为横纹肌，上覆黏膜，前部甲错而向口腔，后部坚滑而向软口盖及咽，肌中多函脉管神经，故其运动，至为自由，言语咀嚼，赖其成就。

齿 齿所以研食，成人所有，为三十二，骈列上下，各得十六，其著于骨，正如楔之入木也。任取一列，名其前四曰门齿 Dentes incisivi，次左右各一曰犬齿 D. canini，次左右各二曰小臼齿 D. molares minores，次左右各三曰大臼齿 D. M. majares。中之第三大臼齿，发达最迟，故亦谓之智齿 Dens seratinǔs。齿之外露者曰冠，在骨中者曰根，在龈中者曰颈。齿冠与根，状各殊异，其冠或锐或平，根或歧或直。根之中央，各有细管曰齿管，上通于腔，腔则实以物质曰齿髓。

齿之构造，主为象质 Sǔbstantia eburnea。齿腔、齿管，皆自此成。视以显镜可见小管，起自腔中，平行向外，管中则齿乄居之，向外尽处，又有空洞，象质遂突出作丸状，谓之象质丸。齿冠一部，则被磁质 S. adamantina，成自六棱柱状之小，为质极坚。齿根一部，则被骨质 S. ossea，相其构造，无异于骨，惟无赫弗氏管，然人之暮年者，亦往往有之。

齿髓为结缔织小，又有幺甚多，状为纺锥，或如星芒，互相联络。芒之长者为齿小，入于管中，其循象质而列者则曰造齿幺 Odontoblasten。

齿髓之中，甚多脉管，与夫神经脉管杪耑，不入质内，神经终点，则未之知，惟磁质、象质，磋之无痛，因知其无有耳。

赤子既生，历月凡七，则齿见于外。及二周岁，共得二十，门齿二，犬齿一，臼齿二，是名乳齿 Dentes lactei。期之迟速，人不相同。大抵最初生下颚之内侧门齿，次生上颚之内侧门齿。迨一岁，则生第一臼齿，次生犬齿，末乃生第二臼齿而告终。

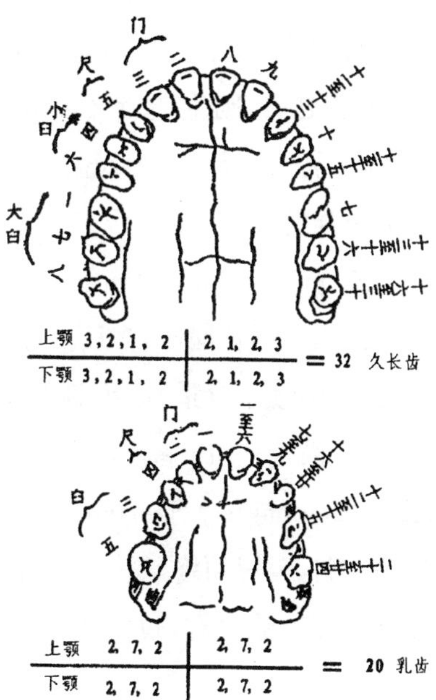

达一定年，乳齿复脱，新齿代之，是为久长齿 Dentes permanentes，其期约始于七龄，终于十二，外见次序，与乳齿同。然至五岁，未脱齿前，第一大臼齿必先见，故久长齿中，此其最古者也。次届十四至十五六岁而第二大臼齿生，十六至三十岁而第三大臼齿生。

按：齿之发生，始于孕后二月，初循上下颚齿槽之缘，黏膜陷为齿沟 Zahnfurche，已而上皮速生，填陷中至于隆起，又出突起，向固有层，其状如瓶，名之曰磁质胚 Schmelzkeim。此胚既见，固有层亦生隆起如乳头，名之曰齿乳头 Zahnpapillen。胚与乳头，终相接触，而胚耑应之内陷，上皮幺之近乳头者日益长，远乳头者日益短，名长者曰内磁质幺 Innere Schmelzzellen，短者曰外磁质幺 Aussere Schmelzzellen，二者之间曰磁质髓 Schmelzpulpe。越百五十日，而外磁质幺之外，皆环以结缔织层，是曰齿囊 Zahnsackchen。齿髓之表，则生造齿幺以造象质，逮将外见，其齿囊下部，终成骨质，乳头全部，则为齿髓。此他结缔织，则与颚骨齿槽之骨膜，相密合焉。

一之二　咽　Pharynx, Schlundkopf

咽在口鼻二腔之后下，形若漏斗，多所交通，上联鼻腔，侧通鼓室，前启于口及喉，下则续于食道，质为肌肉，外被黏膜。肌之类凡二：一曰缩肌，幷皆横走；一曰举肌，幷皆直行。

一之三　食道　Esophagus, Speiseröhre

此为膜管，上始于咽，至胃而终。初在气管后方，逮少下降，乃略偏左，至匈部则居大动脉之右，过横膈之食道裂孔，入腹以迻于胃。

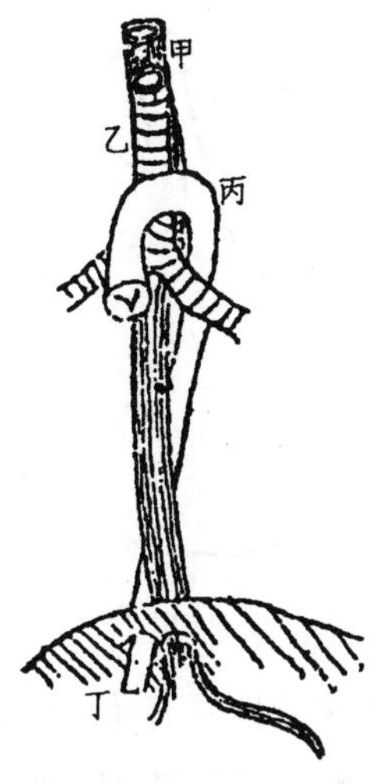

甲　食道
乙　气管
丙　大动脉
丁　横膈

食道内面黏膜，与咽及胃者相续，次为肌层，内者横走，外者直行，上部四分之一为横纹肌，下部四分之二为无纹肌，余则二者溷合，更次为仐层，即结缔织及弹力仐也。

一之四　胃　Ventriculus, Magen

消化管中，胃为最大，上联食道曰贲门 Cardia，下接小肠曰幽门 Pylorus，其处微隘曰幽门瓣 Valvula Pylori。胃之上缘作弓形而小曰小弯 Curvatura Minor，下缘较大曰大弯 Curvatura major。贲门近处曰胃底 Fundus，幽门近处曰幽门部 Pars Pyloriea，其间曰胃体 Corpus。胃之大小，因人而异，惟最大者不当过脐，其位置则六分之五在督线左。贲门居左，近于督线，幽门在右，下行而续于肠。食饮以后，位置微变，大弯向前，小弯则向后下，胃体之大，遂益其度。

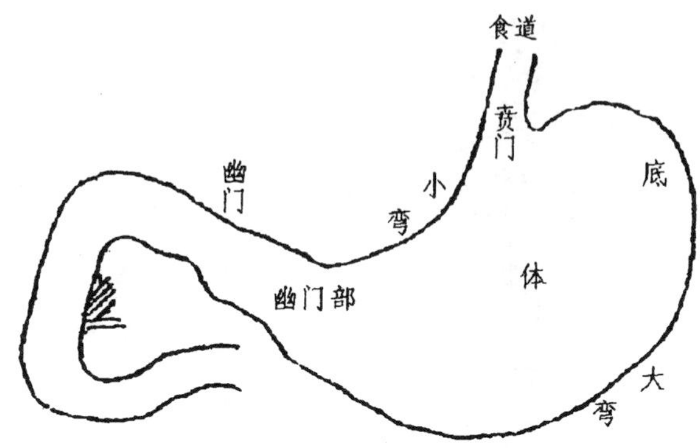

胃之黏膜，其色浅赤，幼者较深，老则灰白。当果腹时，面皆坦平；若未饮食，则生襞积。二襞积间，复有小窈曰胃窝 Foveolae gastricae，胃腺之口，皆启于此。更言其细，则黏膜构造，一为上皮，次固有层，其中函腺，为数至多，是名胃腺 Glandulae gastricae。又有卢可企丁，聚而为团，名淋巴节 Lymphkoten，其逍遥者，则常入于脉中。次为肌层，次膜下膆，其外复环肌夅层，或横或纵，最外则浆膜裹之。

胃腺凡二种，在胃底者曰胃底腺 Fundusdrüsen，形作长管，函二种幺，其一核藏不见，所泌分者为沛普旬 Pepsin 及企摩旬 Chymosin，是名主幺 Hauptzellen；其一核偏近膜，泌分盐酸，是名盖幺 Belegzellen。在幽门部者曰幽门腺 Pylorusdrüsen，形稍迂曲，幺内之核，亦不居中，所分泌者，则黏液也。

一之五　肠 Iutestinum, Darm

肠别为二部：一曰小肠，二曰大肠，其长约得人身之六倍。

小肠　小肠殆占全肠之五分四，横径初大而终小，亦区别为三：

十二指肠 Duodenŭm，为胃之续，长容十二指横径，曲如匚字，膵之首实其中。

空肠 Jajunum，为十二指肠之续，长居全小肠之五分二。

回肠 Ileum，为空肠之续，而界域甚不明晰。迂回屈曲，至督线右方而为智肠，其处有瓣，以防大肠内物之逆流，曰庖新氏瓣 Bauhin'sche Klappe。

空肠、回肠，皆受腹膜覆裹，遂以相联，名是膜曰肠间膜。

小肠构造，凡分三层：第一层为黏膜，隆陷起伏，交互作轮形，其表满生突起，蒙茸如毛毳，谓之肠茸。茸之底部为腺，一曰肠腺 Darmdrüsen，曼衍全部；二曰勃仑那氏腺 Brunnersche Drüsen，则仅十二指肠有之。第二层为肌膜。第三层为浆膜，皆同于胃。

大肠 殆占全肠之五分一，自骨盆内右侧续小肠而起，分为三部，终于肛。

智肠 Coecum 为大肠之始，状较弸大，下附小管曰虫状垂 Processŭs Vermiformis。在他动物，如牛如兔，皆司消化；而在人类，则已失其官能。

结肠 Colon 为智肠之续，起骨盘内右侧，向上之肝曰上行结肠，次曲而左，曰横行结肠，又曲而下曰下行结肠，比达左侧骨盘内，则屈作 S 字形，曰 S 状部。

直肠 Rectum 起始，为 S 状部末耑，达肛而止，其处有肌，为状如环，曰约肛肌。

大肠构造，亦分三层，与小肠同，惟黏膜不作襞积，肌膜则直肠而外，皆内乔横走，外乔直行，遂作三带，逼肠略如三角形，是曰结肠系。

一之六　膵 Pancreas(肠管大腺一)

膵在胃后下，首广末隘，有如牛舌，首接十二指肠，尾接脾肾，其间则谓之体。

膵之构造，与唾腺同，为蒲陶状腺，故亦称腹唾腺 Bauch Speicheldrüsen。其输泻管曰膵管，与胆管合(亦或不合)，而启其口于十二指肠。

腺幺之异于唾腺幺者一事，即内函微粒，屈光极强，食已辄隐，少顷复增，若不饮食，则居其半，偏于腺腔，下乃澄明，是名发酵小粒 Zymogen Kernchen。

一之七　肝 Hepar (肠管大腺二)

肝在横膈直下，大部偏右，色作紫赤，质坚而易碎，形略长方，上隆下陷，下面有沟如 H 字，因分四叶，前后叶间沟曰横沟，亦名肝门，肝动脉、门脉、肝管等，出入于是焉。

肝之构造，始于肝幺。幺形如骰子，中函微粒，司泌胆汁，多数相聚，而成一群，曰小叶。其幺间有空处，曰微丝胆道；叶间有空处，曰叶间胆道，众道集合，出于肝门为胆管。

胆 者，储积胆汁处，其形顶广下税，顶露肝缘之外，末向肝门，是为胆管，与肝管合，而启其口于十二指肠。

胆之构造，表为黏膜，次为肌层，最外为浆膜，共得三层。

第二分　消化系之生理

消化成于二事：一曰机动，二曰质变。机动云者，糜烂食品，和消化液，借诸官之运动，使以适宜速率，次第下行，泻诸体外之谓；质变云者，因消化液，转变食品，俾其定质，渐成液体之谓也。

二之一　机动

口及咽　食品入口，若为定质，则先以切齿决之，次由唇、舌、颊三者之助，在上下臼齿间，磨之令碎，是曰咀嚼。咀嚼者，为下颚之动，所向凡六，曰上、下、前、后、左、右。食品渐碎，唾液和之，又赖舌之调剂，遂成食团，转运向后，过咽及食道而入于胃。其入咽运动之次第如下：

（一）唇因口围轮状肌之收缩而合；

（二）下颚为咀嚼肌（下颚肌）微迫向下；

（三）舌举向上，密接硬口盖，推食团使向咽；

（四）食团既越前口盖亏，则软口盖略向下，与舌背接，阻其逆行；

（五）咽之缩肌递缩，逼食令下，软口盖之悬壅垂遂举向上，以阻鼻腔之通路；

（六）喉亦被掣，前向舌根，会厌软骨适蔽之，以阻气道之通路；

（七）食团过咽，入于食道。

食道　食团入于食道时，其下降一由于蠕动，二由于重量。蠕动者，环状肌牟以次缩张之谓，即甲缩乙张，乙缩丙张，其动循序，如蛇之行地是也。

胃　食团入胃，胃受其撄，幽门遂闭，胃肌俱缩，迫压食团，且起机动，其类凡二：曰回旋动，曰蠕动。

回旋动，如置物于掌，左右逆搓之，初沿大弯以至幽门部，又自幽门部而至小弯，如是反复回旋者屡，故食团外表，渐合胃液，次第剥落而成食糜，蠕动亦起，自贲门进向幽门部，惟食团既软，攖力渐退，幽门亦渐开，遂输内容物于十二指肠。

食品为流质，自胃至肠，需数分时；为定质，则需二至六小时。

蠕动逆行，爰成呕吐，而腹肌及横膈之挛缩助之，内外迫搒，食品遂过贲门、食道，以出于口，惟胃底发育愈进，则呕吐必愈难，故僮子之呕吐多，而成人则鲜。

呕吐之发，原于数事：（一）饮食过度，或攖胃之黏膜；（二）加攖于咽及舌根；（三）肠中之寄生虫；（四）方妊；（五）脑疾；（六）吐药。

小肠　此之运动，颇为著大：一为蠕动，自十二指肠渐及于次，输送食糜，使之下行，惟十二指肠之肠间膜，其度较短，故不如空肠及结肠之自由，而动之速率，则不甚大，故荣养品，能以吸收，倘其反是，爰生痢疾；一为摆动，仅见于肠之一部，忽降忽升，有如钟摆。凡此二种，空腹及入睡则止，即攖以物，亦不之应，惟食品入肠，始能作之。

小肠内物，历一至三小时，则过庖新氏瓣而入大肠。

大肠　其机动如小肠，惟甚弱而缓，在腹壁菲薄者，可自外目睹之。

大肠内物，历十二小时，则转为固体，输泻于外。

二之二　质变

口　食品既受咀嚼，得唾浸润，能溶成分，大抵液化，又因润泽，易成食团，而入于咽。

按：束缚大腺之管，则食品入咽极难。马之食刍，平日需十分时而入咽者，束缚以后，则需二十四分时（摩侃提氏实验）。

口中质变之要事，在化淀粉而为糖，其有力者，实为唾素，即淀粉遇此，生授水分解，经数阶级，乃转成糖。

按：昔之学者，咸以为唾素作用于淀粉，使成兑克希忒林 Dextrin 及糖，顾实非是。淀粉之为糖，所经阶级，乃至繁复，不成径成也（林德纳尔及杜勒氏说）。

蔗糖、卵白、脂肪，其在口中无变。

唾素合食品，入胃遇盐酸则力减，入肠遇膵液则力消。

食道 食品过此，仅为黏液所泽，其质无变。

胃 食品入胃，养素撄其黏膜，令起分泌，是生胃液，顾在人类及哺乳动物，则唾之分泌方始，胃液辄随之生，此他不消化物及液体，亦能诱之分泌，惟冷水及冰则抑止之。胃液之中，系于消化之要者三：曰盐酸，曰沛普旬，曰企摩旬。

按：盐酸生成，盖在胃底腺之盖幺，而其成因，则缘炭酸与食盐相作用，故若不以盐与动物，则盐酸亦止其泌分（复易忒氏说）。

胃中盐酸，其类凡二：若时有卵白或卵白之分解产物，则与相结合，曰结合盐酸；倘其无有，如当空腹时，则盐酸游离，曰游离盐酸，其量约居胃液之万分三。

胃中既存盐酸，则制止发酵，当无气体，然亦时时有之。寻其由来，一与食团同时咽下，一自十二指肠上升。气体成分，为 N_2 六六%～六八%，CO_2 二五%～三三%，O_2 〇・八%～六・一%。沛普旬及企摩旬之生成，自胃底腺之主幺。其在幺中，甲为普罗沛普旬 Propepsin，乙为企摩堪 Zymogen，皆无消化力，逮泌分后，得盐酸之作用，始成沛普旬及企摩旬。

淀粉入胃，盐酸之量不多，则唾素仍使之糖化。递盐酸增其量，而唾素之力，始渐就微。卵白入胃，受胃液之作用，成沛普敦 Pepton。若为肉类，则中所函之卵白先化，结缔织亦渐消，软骨坚骨，则胶质既化，骨面渐粗，终而垩质亦碎。

按：卵白至沛普敦，凡数阶级。

又按：钆验尸体，其胃往往自化，盖见蚀于胃液也。惟必具二种因，一曰胃中不虚，一曰体非骤冷，而在生人，则无此象。论者谓当生活时，胃幺之形素，富抵抗力，故虽盐酸，不能蚀之。更有一说，则谓胃动脉中血，具阿尔加里性，故环流时，能中和酸类，使不自化。此其为说，可以实验，即取一犬，束缚胃之小动脉管，使血绝流，则其胃辄自化。

脂肪入胃，固者溶于体温，若为脂幺，则幺膜受胃液转化，脂滴外注，集为一丸。

盐类入胃，能溶者即溶解入胃液中。

乳汁入胃，先凝集成定质，次转化为沛普敦。

胃液之力，一为转化，一为杀菌，故若胃不得疾，酸量弗减，则病菌与遇，往往灭亡。

按：马铃薯、豆等植物，颇不易化，其绿色部尤然，惟烹饪极熟，或蔬菜之嫩者，则消化较易(华氏凯氏)。酒类入胃，使卵白之消化较迟，若加非、茶、炭酸水及寻常水，则于胃之消化，无大影响云(绪方正规氏)。

小肠 食糜自胃入于小肠，则以膵液、胆汁、肠液之力，仍变其质如次。

胆汁之色,人及肉食动物为黄,草食动物为绿,味极苦微甘,具特异之臭,其成分之主者,曰胆汁酸(甘胆酸及牛胆酸),曰胆质色素(赤色素及绿色素)。作用之要,为乳化脂肪,俾肠壁易于吸收,又攖黏膜,增其蠕动,且止朽腐,与盐酸同。

按:人在平时,其胆汁泌分,亦不止歇,储于胆囊,临消化顷,乃泻入十二指肠,至其生成,则胆汁酸来自肝幺,胆汁色素成自血液云。

膵液无色澄明,味咸无臭,成分之主者三:曰膵提阿斯泰什 Pancreasdiastase,所以变淀糖之质,使转成糖,其力强于唾素;曰脱里普旬 Trypsin,所以转蛋白质为沛普敦;曰斯台普旬 Steapsin,则所以分解脂肪,使成脂酸及格里舍林 Glycerin,是又乳化之。

格膵提阿斯泰什在幺中时,亦为企摩堪 Zymogen,当唾中之企摩旬相类。

肠液作黄色,质不澄明,其中略含酵素,能作用于淀粉及麦牙糖,令转成蒲陶糖,其与卵白脂肪之关系,今兹未详。

大肠 不呈质变,仅有吸收。

二之三　吸收

凡荣养品,水及盐类而外,所含之主要者不过三,曰卵白、脂肪及含水炭素。是等入消化管,唾素、肠液及膵提阿斯泰什变淀粉使为糖,胃液及斯台普旬变卵白使为沛普敦,脱里普旬及胆汁酸则使脂肪乳化,所变诸质,爰受吸收,入于体内。

吸收者,摄物入血之谓。直摄于脉,谓之径接吸收;由淋巴管而入脉，谓之间接吸收。古之所知，惟有径接。逮十七世纪，则专归之间接(一六二二年阿舍黎 C. Aselli 氏主张如是)。摩佩提出，始知甲乙二者，两皆有之。至其主因，又原于二：曰幺之自动官能，曰力学上之交流机。

口腔 食品在口腔中，为时极暂，故殆无吸收。

胃 食团既入于胃，质变已多，其时亦久，故糖之溶液，吸收最多，沛普敦较逊之。水则惟含酒精炭酸者，多量受摄，其纯者依然。他若盐类溶液及毒物等，亦吸收于胃。

小肠 食品吸收，以小肠为最著，盖所泌消化液，此为最多，加以襞积肠茸(约四百万)，广其黏膜之面，中复饶有脉管及淋巴管(即縻管)，故养分经此，大抵见摄焉。

含水炭素至此，由毫管入于血。

沛普敦至此，径由毫管或自淋巴管入于血。

按：人体摄受沛普敦，有一定量，倘逾此量，即见输泻。当吸收时，在胃壁或肠壁间，已受类化，返为卵白，故若注沛普敦入脉，必随尿而出，倘其过多，状若中毒焉。

脂肪之乳化者至此，由毫管入于血。

按：人体摄受脂肪，亦有定量，其时有逍遥幺，至黏膜外，抱脂肪滴，以返淋巴管内，或谓沛普敦之入血中，亦复如是。

水及盐类溶液至此，皆甚见吸收，水之见摄，几无定量，盐类溶液则不然。

大肠 此中吸收，以水为主，而沛普敦或卵白亦微摄之(罗培氏实验)。食縻至是，度遂益浓，渐出直肠而泻于外。

按:养素既入体内,施行类化,用之诸官,爰生不足,则复补以养品,其已用者,输泻于外,是谓之代谢 Elabaratio Stoffwechsel。代谢之事,起于幺中,至要为卵白质,形素(其中之Nuklein)之成,实基于此,而含水炭素、脂肪其次也,故纵无后二,幺可以生,惟失卵白则死。

人需养品,又不特缘代谢而已,倘方生长,则一分储藏,以成腠理,故所用量亦较多,如养品足以应之,出入均等,则其生不匮。惟一日所需养品几何,乃因人为异,即一、生长与否;二、劳作与否;三、其体量之重轻是。今设有成人,亦事劳作,则平均代谢,二十四小时内,当需养品如左表。

品目(一日夜所需量以格阑为单位)	Pettenkofer	Voit	Moleschott	Forster	Valentin
	靖　　时	动　　时	中等劳作	同　　上①	同　　上②
卵　　白	一三七・〇	一三七・〇	一三〇・〇	一三一・二	一一六・九二八
脂　　肪	七二・〇	一七三・〇	八四・〇	八八・五	一二九・七二八
含水炭素	三五二・〇	三五二・〇	四〇四〇・〇	三九二・三	二六三・〇八八
淡　　素	一九・五	一九・五			……
炭　　素	二八三・〇	三五六・〇		……	……
无机盐类			三〇・〇	……	一九七・二七〇
水			二八〇〇・〇	二九四五・九	二六二六・八四〇

第三分　消化系之摄卫

食品宜于消化及吸收,则量虽不多,已足荣养,故其品质,先

①② 原表为竖排,"同上"即"同左"。——编者

应简择，使其难于转化，乃纵多含养分，亦无宜于人身。

食品温冷，不得越度。过温则伤消化管之黏膜，过冷则阻胃肠之官能，而齿之磁质，亦蒙其损。又任食野蔬及自生之菌，中毒者往往有之。

储食之器，以平面不粗，涤之易洁者为佳，如磁、波黎、银、锡、铝等皆是。若杂铜、铅，则不可用。含铜者易生铜绿，含铅者遇醋酸则生醋酸铅，皆有毒。近时输入壶釜，金属为质，上敷白色物如磁，窃疑含铅，然未分析，不敢决也。

凡有食品，不当生食，若不饪熟，寄生动物每以是入于体中。

按：人体寄生动物，今兹所知，已得一百数十种，问其由来，大都导于食品，如不熟之肉，不沸之水是，病菌亦然。今就此二品略述之。

水中病菌之至有害者，为霍乱菌及谛普斯菌。然此二皆不能长生水中，往往见杀于他微生物。特在夏季，温度既高，水复不洁，则不但能生，且繁殖焉。

寄生物中要者有几，即绦虫类 Taenia Solium，Trichocephalus dispar，蛲虫 Oxyuris vermicularis，蛔虫 Ascaris lumbricoides，血二口虫 Distoma haematobium 等多寓于人；肝二口虫 Distoma hepaticum 多寓于兽。又线状虫 Filaria me dinensis，十二指肠虫 Ankylostoma duodenale 二者，亦其至有害于人体者也。肉中病菌，最有害者为结核菌，而在豕肉最多，必以华氏七十度热，煮三十分时始死。此他脾胱疽、马鼻疽菌及恐水病菌，亦能自未熟之肉，转迻于人。

寄生动物之在肉者，亦为绦虫类：一曰裂头绦虫 Bothriocephalus latus，其囊虫多在于鱼；二曰有钩绦虫 Taenia Solium，其囊虫多在于豕；三曰无钩绦虫 Taenia medioeanellata，其囊虫多在于牛。而豕肉中又时有特别动物曰旋毛虫者居之，倘入人体，为害亦大。

绦虫之类，常多数相衔，其长者至数丈，上耑较细为颈，顶具吸盘，常附着于十二指肠部，下乃循肠以降，成而产卵，或老而脱离，则输泻于外。其卵(一)或入水内，或附植物，或混气中，偶入动物之胃，卵包溶于胃液；(二)遂去胃入肌，择处而止，变为囊虫；(三)任历何年无变，故其动物曰中间寓主，人既食肉，而不饪熟，则囊复消化，独留其头；(四)吸着肠间，日益长大，其人曰终末寓主。

人受寄居，久必衰弱，而驱除令去，事复綦难，遇无钩绦虫尤甚。言其要略，则一使肠空虚，二令虫麻醉，翌日绝食，服驱虫剂，次又以缓下剂促之，必见其头为度。

各种绦虫之囊虫，遇热约五十度则死，又食盐渍肉至透，亦能杀之。

蛔虫所在，全世界无不有之，而湿地及多雨之年尤甚。其形细长，可五六寸，寄居人体，常在小肠，少必二三，多或至数百，时或上行入胃，以至食道，又或下至大肠，其小形者，亦偶入肝管，以达于肝，或穿胃而入体腔，遂溃腹壁外出，转迻于人。未详其故，或谓有虫类为其中间寓主，或谓可无待于此而发生，驱除之术与绦虫等。

蛲虫分布之广，亦如蛔虫。夏月气候及不洁或生食，皆其转迻之因。寄居之地，则在大肠，入夜寝息，每自肛而出，以入他处。诱引诸病，且又难于驱除，其发生人体中，不待中间寓主，洛凯德尝生咽其卵，即生蛲虫云。

血二口虫居大静脉中，以血为食，惟埃及为独多。

肝二口虫形如矛尖，长约四分，色微透明，或作薄赤，常寄生于兽，而以软体动物（蜗牛）为中间寓主，然以人为终末寓主者，亦每有之。

线状虫黄色，长一二尺，横径则仅半分，以水中小虫为中间寓主，迻入人体，多居下支之结缔织中，热带有之。

十二指肠虫雄长二三分，雌长三至六分，头作圆锥形，口具强齿如蛭，附著于小肠（十二指肠及空肠）黏膜，吸取人血，体则密比肠壁，尾亦内向，至不易驱。若其转迻，则为卵达外界，在湿处或水中，蜕为幼虫，俟机以入人体。

旋毛虫形体极微，非显镜莫见，其囊虫寄寓于豕肉，多者一立方寸中，数至二三十万，人食其肉，消化于胃，虫囊为垩质，故亦被化，虫得自由，乃在肠中，胎生幼虫，穴腠理分布于肌，变为囊虫而蛰，遇热至摄氏五十五度则死，又加盐渍，亦能杀之。

临食不可用思，食之前后，不宜沐浴。

有钩絛虫之发生

蛔　虫

绦虫之头

十二指肠虫

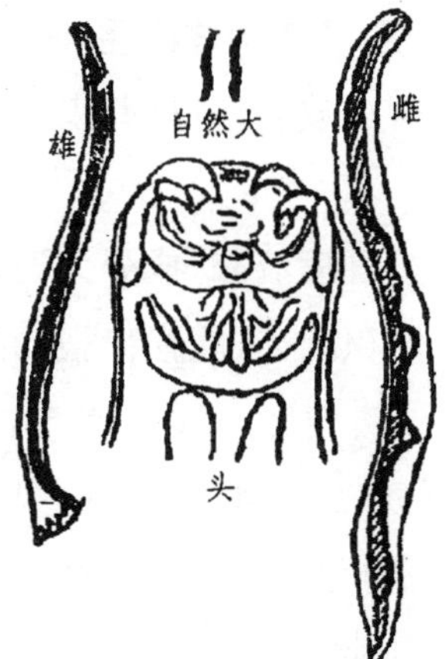

蛲　　虫

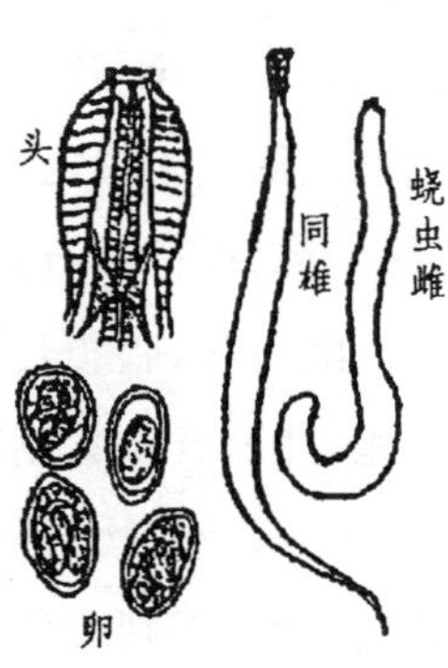

旋毛虫之囊虫

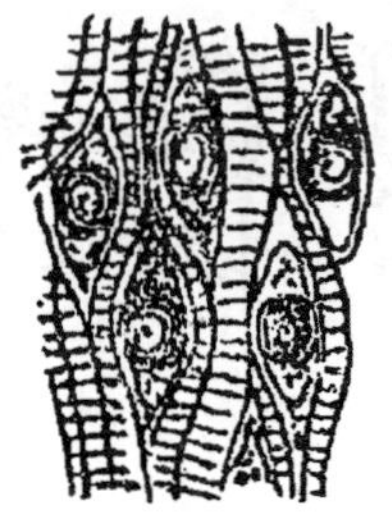

肝二口虫

齿 首宜洁净，食物留遗，久而腐败，能招龋齿，故必以牙粉及牙刷洁之。牙刷之毫，过软则无功，过坚则伤齿，当择厥中，其面择窈者善。

牙粉所重，在质细而柔，能溶于唾，止食屑之酸化，阻微生物之发生，倘无善者，不若用醇，加薄荷油数滴，时拭其齿，而龈缘沉淀，则以极细炭末去之。

龈缘沉淀，亦称齿石，实为矿质，自唾液来，成分大要，为磷酸石灰、炭酸石灰、脂肪及食屑等，堆积既久，能损齿根，并伤龈肉，宜就医剔除，且防其复职。

温度急变，及食物过坚，皆害磁质，故饮冰及啮坚壳果，齿截丝麻，皆所当慎，否则磁质一损，象质亦蚀，遂病齿痛，或至脱落。齿既有疾，咀嚼必因之不全，而胃病随起。

胃 食物入胃，胃必扩张旋动，故勿紧束腹部，或前屈其身以迫压之。

酒醇勿饮，辛香宜少，肉与菜类，宜杂食而勿单，食品种类，亦当时易。观是人之所喜，即适于是人之食品，苟非有害物，可任与之，惟勿过度，如小儿之于糖是。

咀嚼食品，宜至极碎，加汁放饭，甚害于人。盖液体过多，能阻碍咀嚼，薄释胃液，使消化力为之不完，而食物过量而频，则胃亦病。倘其方始，可绝食一二日，时取流质食品少许饮之。

毒物入胃，当急令呕吐，法在以指探喉，或用吐剂出之。

肠 食品不良，腹部遇冷，皆生肠病，或下痢，或腹痛，宜加温以治之。至便秘之疾，乃缘大肠，灌肠使降，愈之甚易。否则仅有运动，或服下剂，又赖习惯，亦能渐愈。

循环系及淋巴管第四

第一分　血 Sanguis，Blut.

血为赤色液体，循环体中，味咸，反应碱性，量较水稍重，居体重之十三分一。检以显镜，可见水状液，是曰血汁，及极小固体，游浮于内，是曰赤血轮，曰白血轮，曰血小板，曰原粒。

一之一　固体成分

赤血轮 Farbige Blutzellen 形在人类及哺乳动物（除剌摩 Lama 及橐佗 Kamel），皆作正圆，两面微陷，泻之体外，少顷即相联如缗钱，增血汁之浓度，则收缩作荔支实状，其质至软，故出入细隙至为自由，每一立方米密中数可五百万，径之大小在人类为七・五密克伦，然若排比全体赤血轮，作正方形，则一周可八十步。

按：一密克伦为一米密之千分一，每一米密等于华尺约三分三厘。

又：鸟类、两栖类、鱼类之赤血轮，形皆椭圆，中央有核，今举数种动物赤血轮之大小如左。

（一）圆形赤血轮

象　九・四密克伦　　　人　七・五密克伦

犬　七·二密克伦　　兔　七·一六密克伦
猫　六·二密克伦　　绵羊 五·〇密克伦
山羊 四·二五密克伦　麝　二·五一四密克伦

（二）椭圆形赤血轮

刺摩 小四·二　大七·五　鸠　小六·五　大一四·七
蛙　小一六·三 大二三·〇 守宫 小一九·五 大二九·三

赤血轮有膜无核，中藏形素，其内含主要成分，曰血色素 Hämatoidin，故色遂赤。血色素能与酸素相离合，离则暗赤，合则鲜朱，性溶解于水，复能结晶，且易分解，分解后所成质曰赫摩丁 Hämatin。此复化为二：一曰赫摩妥定 Hämatoidin，二曰赫明 Hämin。赫明易于结晶，久则愈易，故法医学用之。

白血轮 Farblose Blutzellen 白血轮无色亦无常形，成自形素。是中函核，或一或二，其在血中为数较少，与赤血轮若一与五百之比，然亦以时有差，如消化、刺络、化脓时则增，空腹及荣养不良时则减，倘顿增其数，与赤血轮成一与六十之比，则成疾曰白血病 deŭpämie。

白血轮具固有官能二：一吸收沛普敦，至黏膜而成卵白，使身体免于中毒；一防止病菌不入血中，使身体不罹传染之疾，必病菌大增，数不相埒，其力乃衰。

血小板 Blutplattchen 无色而小，约得赤血轮之三至四分一，形圆或椭圆，每血一立方米密中，数可二十万，一遇空气，辄即消失，故碻定殊难，此一八九二年时，毕卓察罗 Bizzozero 所发见者也。至其作用，迄今未喻，为之说者有几：一曰后当化为赤血轮，二曰与血之凝固有相涉，三曰为赤血轮之缩小物，四曰为白血轮之破片。

原粒 Elementar Körperchen 脂肪小丸也，在草食动物及哺乳动物之方哺子者，往往有之。

血之固体成分中，四者而外，又有微粒，妙罗 Müller 氏名之曰赫穆珂宁 Hämokonien，其发生由来及作用所在皆未之悉。

按：赤血轮发生，在胚胎之始，其中含核，且不具血色素，以间接性判分，次第增益，递肝成，判分始止，核亦随消，其发生之处，即为肝脾及淋巴腺。递夫成人，亦不止歇，如女子天癸 menstruation 月至，而血量不减，又如动物冬蛰，赤血轮皆减其量，顾入夏即增，皆其凭证，然发源所在，乃无碻说。或则谓出自骨髓，其说曰骨髓之中，函幺一种，名造血幺 Hämatoblasten，中亦函核，与见于胎儿之有核赤血轮相同。或则谓变自白血轮，其说曰：（一）已在脾静脉及骨髓中，见其方变之中间物；（二）且培克林好然 Beoklinghausen 亦常取蛙血置巨波黎器中，日通湿气，而目击其形变。

白血轮即卢可企丁，发生自脾及淋巴节，入于血中。赤血轮生存之长短，未能碻言，经一时期而后，往往消灭。其消灭之处，或谓即在肝脾及骨髓中，故于此诸官，常有血色素及残分，又胆汁色素，亦自此成，则消灭于是，可以想见。

白血轮之小分，多变性为脂，因而消灭。

一之二　液体成分

血除固体成分外，所余者为血汁，既出脉外，一分又凝而固，是曰乔素 Fibrin，余为黄白色液，曰血清。

纤素 之力，能令血凝结。设脉壁受病，或触空气，遇大热，皆能致是。而健康之人，则无此象。又多函炭酸、卵白，或加糖、盐、水及亚尔加里液，皆能缓之。

按：纤素凝血之理，旧谓血汁之中，函物三种，一曰纤母 Fibrinogen substanz，二曰纤形素 Fibrinoplastische Substanz，三曰纤酵素 Fibrinferment。比泻体外，则因纤酵素之作用令纤母与纤形素抱合为一，而血遂凝（A. Schmidt 氏说）。惟据最近研究，知实非是，纵无纤形素，而血之凝固自若。盖纤母实溶解性卵白质，一得酵素作用，即成定质，无待与纤形素相抱合也。然血在脉中，不函酵素，仅有其前级物曰前纤酸素，必待他因，始成为纤酸素，以作用于血云。

血清 中所函，为血清卵白、血清格罗勃林、脂及水分大半，并蒲陶糖及盐类少许。

第二分　循环系之构造

循环系之成，本于二者：曰心，曰脉。心在全系，实为中枢，以其官能，血乃入脉，环流全体，复归于心，是曰血循环。

二之一　心

心为圆锥状中空之官，成自无纹肌，与拳等大，内外有膜，内曰内膜，外曰心囊，位居两肺之间，大半偏左，前当匈壁，后由食道大动脉以与脊柱相隔，尖之所在，适当第五肋间腔，乳之内下，顶则与第四匈椎对，体具二面，前者隆起，后者较平。又具二缘，居右者锐，左则稍圆。

心之内部，由纵隔判为两腔，各腔俱有横隔，又判为二：上之二腔，曰左房，曰右房；下之二腔，曰左室，曰右室。心房容积，小于心室，其壁亦较弱，左右各有附赘，是曰心耳。二房之中，为静脉启口也，在左者四，为肺静脉；在右者三，为上下大静脉及大冠状静脉。房底各有椭圆形孔，与室相通，其孔曰房室孔。左右心室各具二孔，右之一曰肺 A 孔，左之一曰大动脉孔，与大动脉干相通，一即房室孔，咸有瓣膜，开张向室，即受心房之血，闭则驱血入动脉中。心尖内面，有肌突起，勾联如网，谓之肉柱。上行以向心房，其杪化而为腱，是曰腱束，分联瓣膜之耑，以防其反张而入房内。

右室之壁，较薄于左。房室口瓣膜，曰三尖瓣，肺动脉起发于此，有三半月瓣界之。倘右室开张，是瓣即闭，俾血不反流以入于室。

心前视图

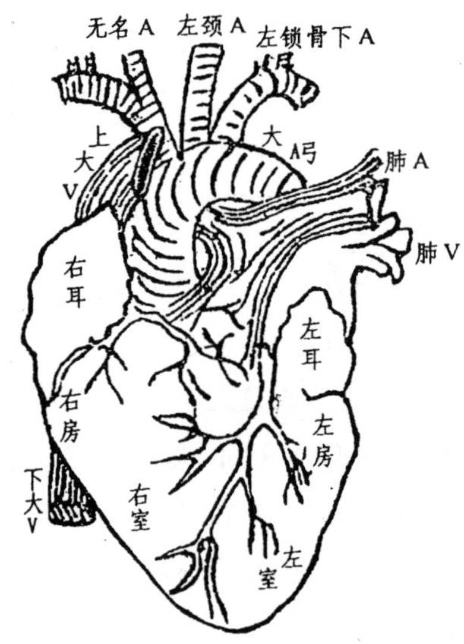

左室与房之界，具瓣膜二，是曰双尖瓣，或曰僧冠瓣，大动脉起发自此，亦有三半月瓣界之。倘左室开张，俾血之已入动脉者，不更逆流以入于室。

二之二　脉

动脉　动脉之干，大抵居体之深部，若在四支，则以屈侧为多，其分布于体，常与静脉骈行，包以脉鞘，时或二脉分枝，交相连合，则谓之吻合。

动脉构造，凡分三层：自内数之，则一为内皮，曰内膜；二为肌层，曰中膜；三为结缔织，曰外膜。内皮成自扁平之幺，其中函核，肌层之㐃，状如纺锥，脉之大者，则往往函弹力㐃，而结缔织内，亦函此至多。

毫管　毫管接动脉杪耑，勾联如网，分布全体腠内以及诸官，为状至微，非显镜不能见，言其构造，则仅内皮一层而已。

静脉　此为送血于心之膜管，位有浅深，深者与动脉骈行，浅者即居皮下。质之构造，与动脉同。惟三层之中，时有所缺，而弹力亦复至微，其枝亦交相吻合。内复有瓣，状如弦与月，内膜之襞积也。

二之三　脉之区分

脉出自心，可别为二：曰动脉，曰静脉。其间曰毫管，已如前言。动脉者，谓自心输血于体之脉，而血之性质，则所不论。静脉反是。详言之，即血既循环，乃由以归注于心之道也，为区分如次。

第一动脉

甲　肺动脉　此出于右心室，分为二枝，曰左右肺动脉，以布于肺。

乙　大动脉　此出于左心室，上行渐曲，成大动脉弓，沿椎体之左而下，至第四腰椎处，歧而为二，成左右总肠骨动脉，名上行部曰上行大动脉，下行部曰下行大动脉。

壹　上行大动脉　此为心囊所包，分歧仅数小枝，分布于心，其干上行而为大动脉弓。

贰　大动脉弓　在匈骨后方，自右曲左，出脉凡三：曰无名动脉，曰左总颈动脉，曰左锁骨下动脉。

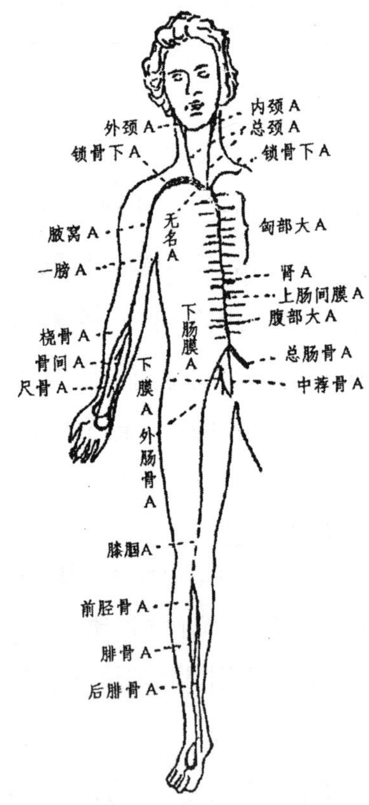

一 无名动脉　此复歧而为二：曰右总颈动脉，曰锁骨下动脉。

（一）右总颈动脉复歧而为二：曰外颈动脉，分布于面、颅及颈之前部；曰内颈动脉，析为三枝，一布于目，曰眼动脉，二布于脑，曰前大脑动脉及中大脑动脉。

（二）右锁骨下动脉分布于上支，至第一肋骨处，曰腋窝动脉。下曰上膊动脉，更下曰下膊动脉，此析而为二：曰桡骨动脉，曰尺骨动脉，比至于掌，则二者相吻合，曰掌弓。

二 左总颈动脉　直起自大动脉弓，分枝与（一）相似。

三 左锁骨下动脉　直起自大动脉弓，分枝同（二）。

叁　下行大动脉　其干与大动脉弓联，贯横膈而下，歧为总肠骨动脉，可分二部如次。

一 匈部大动脉　其分歧皆为小枝，布于肋间及气管、食道等。

二 腹部大动脉　凡分二大枝：曰体壁枝，曰内藏枝。

（一）体壁枝　属此者二：曰横膈动脉，曰腰动脉。

（二）内藏枝　属此者六：曰大内藏动脉，布于胃、肝及脾；曰上肠间膜动脉，布于小肠及膵；曰下肠间膜动脉，布于结肠；曰副肾动脉；曰肾动脉（较大）；曰内精系动脉。

三 中荐骨动脉　在腹部大动脉分歧处。

四 总肠骨动脉　此又分为二枝如左。

甲　内肠骨动脉分为三枝：一曰体壁枝，布于臀部；二曰内藏枝，布于旁光；三曰末枝，亦备内阴部动脉，布于内阴部。

乙　外肠骨动脉，仅二小枝，其下股动脉继之，布于上腿，更下则贯肌至后面而成膝腘动脉，居膝腘中，次更析而为二：一出前面，曰前胫骨动脉，其耑为足背动脉，布于足背；一居后面，曰后胫骨动脉，至于足蹠，其分枝与足背动脉之一分枝吻合而为足蹠弓。

第二静脉

甲　肺静脉　左右各二，始自左右肺之毫管，出肺门而注于心之左房。

乙　大静脉　区别为三：曰心静脉，曰上大静脉干，曰下大静脉干，全身之静脉血，因此归于心之右房。

壹　心静脉　此凡三枝，分布于心。

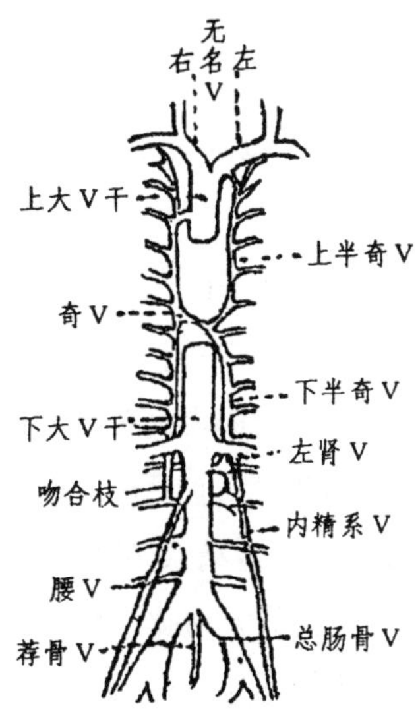

贰　上大静脉干　居上行大动脉之右，上行而注于右房，左右无名 V 之所会合也。

无名 V　此在左右，皆为外颈 V、内颈 V 及锁骨下 V 之所会合，细枝则降注者有椎骨V、深项V等，上注者有上肋骨间V、内乳V等。

（一）内颈V　在内颈A之后，与相骈行，脑中颈部之分枝注之。

（二）外颈V　此为细枝，位颈部之V注之。

（三）锁骨下V　此为上支V之干，分为二群，一深一浅，深者与A骈行，浅者布于皮下，其他有在椎骨左右，以收肋间回流之血者，右曰奇V，左曰半奇V。

叁　下大V干　居下行大A之右，上行而注于右房，左右总肠骨V之所会合也，区别为三。

（一）体壁枝　分枝凡二：一曰腰V，二曰横隔V。

（二）内藏枝　分枝凡三：一曰肾V，二曰内精系V，三曰肝V。

此他有脾V及上下肠间膜V三枝，会合为一者，曰门V，简称门脉。入自肝门，左右分歧而布于肝内。

（三）终枝　是即总肠骨V，与同名A骈行，分枝凡二：一曰内肠骨V，二曰外肠骨V。其二为下支V之主干，分为二群，一浅一深，与上支等。

第三分　循环系之生理

血居脉内，恒动不居，首出自心，入大动脉及肺动脉。次至分枝，终达毫管，更经较大之静脉，复归于心，是名循环。出自心之右室，由肺动脉以入肺，更经毫管，集肺静脉中而归左房者，曰小循环，亦称肺循环。出自心之左室，由大动脉干布于全身，更经毫管，会于上下大静脉干以入右房者，曰大循环，亦称全体循环。

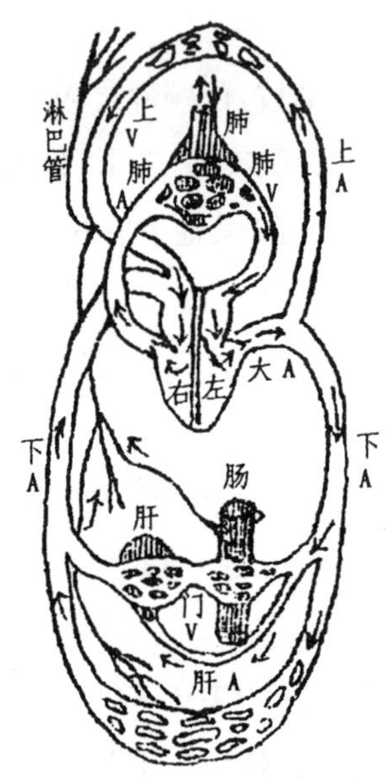

大循环之动脉，其血函泌分及荣养所需诸品，复饶酸素，当循环时，用溉全体之膆。静脉所函，则多炭酸，及诸废品，为膆理所已用与代谢所生成者，以归于心。故一则鲜朱，一则暗赤，而小循环反之。

心之运动　心之运动，一缩一张，交互而起，休憩间之，故血因以环流，周于全体。运动之法，首为房之收缩，次为室之收缩，次为休憩，名前二者曰缩期，后一曰舒期，其要略如次。

一 房之扩张　假取右房为例，则大 V 之血，灌注于中（如左房则为肺 V 血），又因呼吸，引心令放，房之四壁，遂以扩张，即心耳中，亦复受血。

二 房之收缩　心耳先缩，逼血入房，房壁继之，静脉孔口，因轮状肌，并时收缩，血遂莫入，过三尖瓣，注入室中，而肺之引力，引室令大，亦为其助。

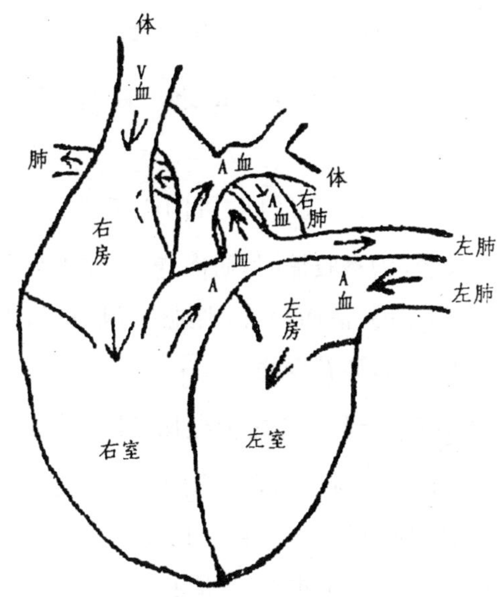

三 室之收缩　室既受血，遂起收缩，房室口瓣，同时闭塞，血无他道，遂入脉中。

四 室之扩张　收缩既毕，半月状瓣皆闭，以防血之逆流，而室乃扩张，继以休憩。

心搏 左匈第五肋间（间或为第四肋间）乳腺略下之处，时有搏动，可以触知，是名心搏。盖心收缩时，位置及形状皆变，初之椭圆，突呈圆形，心尖触击于匈，遂生此象。故体势转易，能微变其位置，又罹疾病如肋膜炎等，亦然。

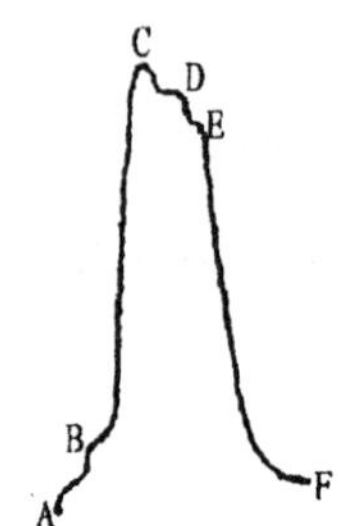

A 至 B＝休憩＋房之收缩
B 至 C＝室之收缩
E 至 F＝室之扩张
D＝大 A 瓣之闭锁
E＝肺 A 瓣之闭锁

心搏之状，可作曲线示之，其曲线曰心波线 Kardiogramm 如次。

心音 以耳抵匈之第五肋间，可闻心音二种，一浊而长，一清而短。浊而长者，为室收缩时，肌肉皆缩，遂成杂音，房室瓣之紧张及颤动，亦为之助；清而短者，则纯为动脉瓣闭锁之音，而大动脉中血之分子振动，亦补助之。

心之自动中枢 分布于心之神经凡三种：一曰肺胃神经（以其道径不定故亦称迷走神经），职司制止；二曰交感神经，职司鼓舞；三曰雷摩克氏神经节 Remok's Haufen，及毕特尔氏神经节 Bidder's Haufen，在心之实质中，昔谓心之能自动者因此。顾近今新说，则谓不然。纵取动物心肌，切去神经节，而波动固不休止，则非此之力，憭然可知。盖心之运动，全属肌质，以幺传幺，遂生自动，即静脉末耑之肌幺，受撄最易，故先收缩，次传于房及室之肌幺，而次复波及大动脉，爰起收缩，促血运行。

脉搏 心收缩时，逼血入脉，冲突管壁而联动不止者，曰脉搏。若在浅部，可以触知，能借是见心之运动状态。成人脉搏之数，每一分时，平均得七十至七十五，过曰盈脉，不及曰绌脉。又因心收缩速率之异而别为二，过曰疾脉，不及曰徐脉。此他大脉小脉，则视脉管扩张之度；坚脉软脉，则因脉管内压之强。

脉搏之状，亦能用曲线示之，其曲线曰脉波线 Sphygmogramm 如次。

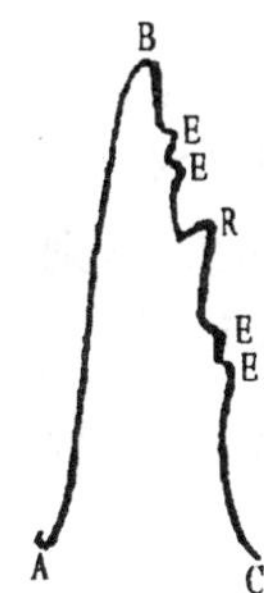

A 至 B(上行线)＝动脉之扩张

B 至 C(下行线)＝动脉之收缩

E＝弹力性隆起

R＝反冲波动

心收缩时，血入脉而使管扩张，故隆起为上行线，已而脉管收缩，则又陷为下行线。惟脉管虽缩，而大动脉瓣已闭，故血之一部流入分枝，一部逆行而触已阖之瓣，遂生反冲波动。脉管缩张颤动，则成弹力性隆起。露动物之脉，令迸血为图，亦复同此，是名阑陀氏脉波图 Landais′ Hämatograph。

速率 血行速率，因脉之种类及大小而异。大抵大动脉及肺动脉为最速，渐至分枝，速亦渐减，迨及毫管而达极度，次入静脉，乃渐复增多。如每一秒时，大动脉中血，行三六六米密；右颈动脉中血，行二六一米密。若在静脉，则为所属动脉之负〇·五至〇·七倍。

循环之因 此之主因，在血所受压力之不等，如大动脉与上下大静脉，及肺动脉与肺静脉是，惟不均等，故脉中之血，历就其压力低处，差异愈大，环行愈强。

循环之助 血入静脉，道程颇远，当在途中，历受抵抗，故得于心之进行力，已失太平，其为运动，半由二力之助，一曰匈廓之吸引力，一曰肌收缩时之迫压。

循环之用　大静脉聚淋巴管及门脉所赍之养品，与诸小静脉所赍膝理之废品，归纳于心，复入于肺，与一分之空气接，授以废品之一分，更取养气，成鲜朱色肺静脉血，由心入大动脉，循环全身，随其所至，以养品及养气供给膝理，废品余分，则送之输泻之官，故全体之膝，咸赖于血，设其无是，必至死亡。在动作时，尤须多量，如消化时之肠胃，运动时之肌肉，思虑时之脑，所用血量，咸较平时为多。

第四分　淋巴管之构造及生理

血流脉内，故所赍养品及养气，不能直与膝理之幺，必待淋巴为之介。淋巴者，液状如水，沿毫管壁，充满幺间。成分所函，略同于血，惟无赤血轮，其与白血轮相当者，曰淋巴幺，作用亦类。盖血中养分，常以渗透作用，通过脉壁，以注淋巴中，淋巴则分赋于幺，并集幺之废品，以注于血。

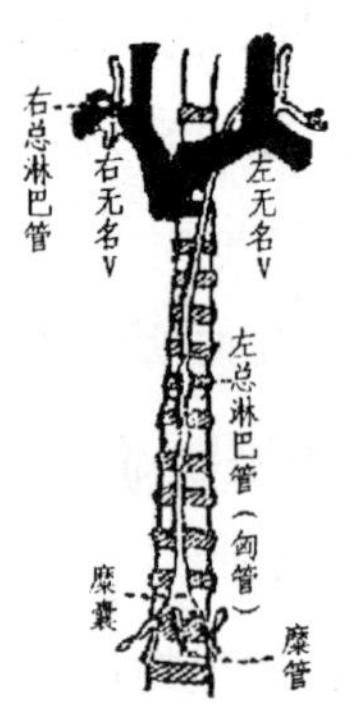

幺间之淋巴，一分归血，而其大半，则集注于淋巴毫管，诸毫管次第相合，遂为淋巴管。是管从静脉而行，其壁至薄，内具瓣膜，至体腔内，乃会合为二大枝：一曰右总淋巴管，为体上半之淋巴管所会，启口于右内颈静脉与锁骨下静脉之歧中；一曰左总淋巴管，亦称匈管，为体下半之淋巴管所会，启口于左内颈静脉与锁骨下静脉之歧中。管在腰部，则张大其耑，谓之糜囊，由肠胃来者，则谓之糜管。

淋巴系中，常有圆形或椭圆形节，曰淋巴腺。其主要者，居颈之外侧及腋下与鼠蹊部，内函淋巴幺无数，曰髓；外裹结缔织，曰膜，淋巴幺之生灭处也。

第五分　脉腺之构造及生理

脉腺构造，略类他腺，惟无输泻管，而其作用，亦不甚明。要者有三：曰脾，曰副肾，曰甲状腺。此他更有匈腺，仅见于婴儿，生三月则萎；有血淋巴腺(Blutlymphdrüsen)，去动物(或人类)之脾，则循大动脉而见，意其作用，在生血轮，顾不甚要，故略之。

五之一　脾 Splen, Milz

脾在腹腔左方，胃底外侧，状如大豆，色暗赤，与空气遇，则成浅蓝，外被结缔织膜，曰白膜，膜之所包曰脾髓，为质极柔，且饶脉管。白膜入于质中，交互若网目，腺幺实之，是名脾材。脾门者，在脾内面之中央，脉管神经所出入也。

脾之作用，今兹未详，所能知者，仅制作白血轮一事而已。

按：食后六七时间，脾必膨大，故或谓恐尔时生成物质，入于血中，又入肠胃，则能振起酵素之作用，以助消化云。

五之二　副肾 Capsula suprarenalis, Nebenniere

副肾为三角形小物，被左右肾之上若冠，其色黄赭，外包结缔织囊，内为实质，质分二部：外曰皮质，色正黄；内曰髓质，其色较黑。

副肾作用，不能详知，今所探索，凡左数事。

一 孚克 Füich 氏自副肾析出物质一种曰苏普剌来宁 Spurarenin，注于动物皮下，则脉管收缩，而循环益盛，故知副肾当有令血行增盛之作用。

二 去动物两侧副肾，则瞬息中毒，而成麻痹。惟用副肾浸水，注诸皮下，乃立愈，故知副肾当有扑灭血中毒品之作用。

三 副肾变性，则成安提孙氏病。又去兔之副肾，辄见其唇吻皮下，盛生色素，波纳 Boinet 氏验之于鼠，亦然。或谓髓质中有物曰诃摩堪 Chomogen，倘其失此，则体中大生色素，逾于平时，故知副肾当有制止色素形成过多之作用。

五之三　甲状腺 Glandula thyreoidea, Schiddrüse

甲状腺在气管上部，形如马蹄铁，二耑向上。当胎儿时，尝有输泻之管，启于口腔，顾将生则灭。是腺外被结缔织膜，且浸入实质，形成网目，腺幺实在目中。

腺之作用，今兹未详，所可言者如次。

一 去动物之甲状腺，则头部血行，辄失其序，故知有调节头部血行之作用。

二 去动物甲状腺，则神经及肌肉，皆呈异状，初为战栗痉挛，少顷遂死，以所取出者饲之，辄平复少顷，故知有扑灭毒品之作用。

甲状腺灭毒之有效成分，弗阑该尔（Frankel）氏尝取得之，为之名曰谛罗安替托克旬（Thyro-antitoxin），用治自甲状腺所得诸病，然服之过量，辄病脱虚云。

第六分　摄　卫

心为循环系之中枢，所系甚大，而获疾亦易，如劳作过度，及多饮醇酒烟草，皆能使膨大肥厚，及罹瓣膜之疾。醇酒尤能伤脉，饮之多年，脑内小动脉，往往变质，易于绽裂，血溢而殒，名曰卒中。又若阻其循环，如过屈身体，或衣不宽博，亦能令全体腠理，贫于荣养，故压抑束缚，至所不宜。

摄卫循环系，亦以适宜之运动为首要。若其如是，则肌肉作用，因而亢盛，需血颇多，又能压迫静脉，令中之血行，益加敏速，循环全系，为之一新，然过于剧烈，又所当禁。

创伤失血，或急生热症，及赤血轮发生之处罹疾，皆令赤血轮减其数；又运动或休息之不足，衣食及居室之不良，及患疟与寄生虫居于体内等，厥果亦尔。如是者谓之贫血，其状皮色苍白，荣养不完，往往为他病之因，宜视其最初之原，加以治理。

荣养及同化作用，过于旺盛，则皮色深赤，动脉怒张。脑中充血，乃觉冥眩；肺中充血，乃觉呼吸之艰，如是者谓之多血。节饮食而行适宜之运动，足以治之。

止血术　倘遇外伤，出血如注，置而不理，足以危生。故宜先止之以待治，惟伤口小而浅，则以血有凝固之力，顷刻自止。

独有动脉之稍大者断，乃必迸鲜朱色血，为势甚猛，尔时可就伤口上部，即近心一侧，力压其脉，血当顿止，可以就医。倘用指压之过久，渐觉疲乏，则取布条作巨结，适当脉上，结其两耑，用木杙或他物绞紧之。

血出平等而不急者，为伤毫管；血出徐缓，而暗赤者，为伤静脉，力压伤口，良久可愈。

输血术 人遇变故，失血至其三分二或四分三，则可用他人之血，注入脉中以为之助，其术曰输血 Blut Transfusion，即以血注射者曰直接输血，去血之夅素（血清）而注射者曰间接输血。惟所用血，必为同属，如犬之与狐，驴之与马，人之与青明子 Schimpanse 皆是（H. Friedentteal 氏说）。倘其异属，则他血入于脉中，赤血轮即时崩溃，立失其生命者有之。

近亦有以〇·九％食盐水，代血或血清之用者，所获成效，亦复甚良。

呼吸系第五

第一分　呼吸系之构造

呼吸系者，为口鼻二腔、喉、气管与肺，口腔已见消化系，鼻则归五官之分言之。

喉 为三角形物，上向于咽，下连气管，饮食之际常自上下，可视而知。内面咸被黏膜，与咽接处，会厌软骨在焉。

气管 联喉者为气管，作圆柱状 ，在食道前，其下歧而为二，曰左右气管枝；比达肺门，又益分析，曰小气管枝，布于肺之各叶。

气管构造，以软骨为本柢，骨状如玦，阙处实以无纹肌伞，数自十六以至二十。每玦之间，有结缔织为之连结，是名轮状系。管之内面，满被黏膜，上覆毡毛上皮，又有黏腺而在两软骨间及管之后部为最多。气管支构造，与前大同，惟略细小，软骨之数，左凡九至十二，右凡六至八。

肺 在心之左右，形如圆锥，外被浆膜，面见切痕，右三而左二，肺因受判为数叶，故名其痕曰叶间切痕。视肺内面，有穴为淋巴管、气管支及脉管神经之所出入，是名肺门。出入于是者，束以结缔织，如为肺之支柱，故亦有肺根之称。细察肺表，可见多觚之文，黑色为其界画，老则愈显，色素之沉着者也，名曰肺小叶。

进言细微构造，则以肺亦为腺，故作复胞状。其气管、支气管及喉，与输泻管类，若与常腺之分泌部相当者，曰气管支呼吸部。盖小气管支之末耑，分而益细，终成小囊，四壁变形，隆如半鞠，是名肺胞，众胞会集，被以结缔织，则成肺小叶，更会诸叶，始为一肺，故肺胞会集处，正与复腺之分泌部相类似也。

肺之动脉，来自右心室，分而入左右肺，更析为孙枝，遂成无数毫管，缠络肺胞之外，有如鱼网，次复相集为肺静脉，归于心之左房。

横膈 见消化系。

匈膜 亦有肋膜之称，实为浆膜，凡分二叶：一以包肺，曰肺匈膜，或内藏匈膜；一密著于体壁，曰体壁匈膜。甲至匈骨及匈椎处，则翻向体壁而为乙，心居其间，是成二腔，曰前后纵膈腔。

第二分　声官（喉）之构造及发声

呼吸之管，自呼吸而外，亦兼发声之用，其要者莫如喉。喉之构造，主为软骨，一曰甲状软骨，作 V 字形，下接环状软骨。是骨之颠，有二小骨，曰披裂软骨。

甲状、环状二骨，联而能动，会厌软骨则居舌骨后下，饮食之际，屈而下覆，使毋妄入于喉。喉之腔中，每侧各有二系，上被黏膜，左右相对，而留隙于其间，是名声带，上曰假声带，下曰真声带，隙曰声门，空气所出入也。

当呼吸时，声门辟启，前隘而后广，故空气出入，至为自由。

若喉肌收缩，则声带紧张左右相接，声门后部，亦几阻塞，呼出气流，为之窒碍而难行，于是迸力上升，声带颤动，而声音始以发。此声既出，经咽口鼻诸部，因其形状之变，爰成诸音。顾声之要官，惟真声带，若在其上者，乃于发声无关，故谓假声带焉。

发声要因，厥数有三：(一)左右相对二缘，当几相接；(二)有呼息之流，其力足以突出声门，而振动其声带；(三)声带当具弹力，且不着黏液，振动至为自由。

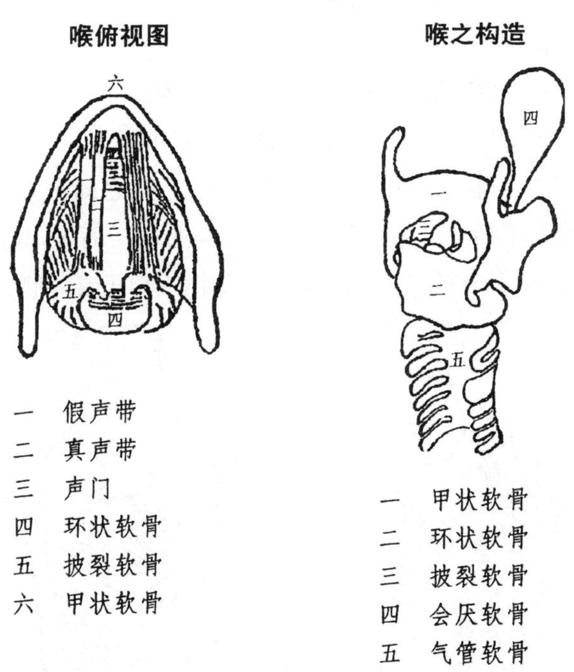

声之高低，亦关三事：(一)声带长短，如婴儿、女子、男子，后较诸前，皆薄且短，故声亦前者高而后者低；(二)声带紧张之度，其度强者，发声必大；(三)呼气之强弱，呼气愈力，声乃愈高。

声带弛张，主以肌肉，其目如次。

壹　前肌

环状甲状肌　此肌收缩则声带二附着点，相距加远，故遂紧张。

贰　后肌

一 后环状披裂肌　所以扩张声门。

二 横披裂肌　所以隘小喉之上口。

三 斜披裂肌　同前。

叁　侧肌

一 侧环状披裂肌　缩则声门变隘。

二 甲状披裂肌　以隘带门，且张声带。

三 甲状会厌肌　此为后肌(二)(三)之助。

声之发于咽及口鼻二腔者为低语，声带同时而颤，其语乃高。语之诸音，可别为二：一曰母音，合于乐律；一曰子音，则杂响也。

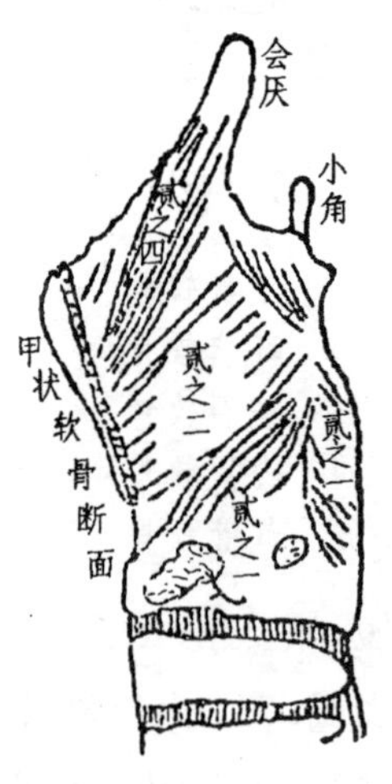

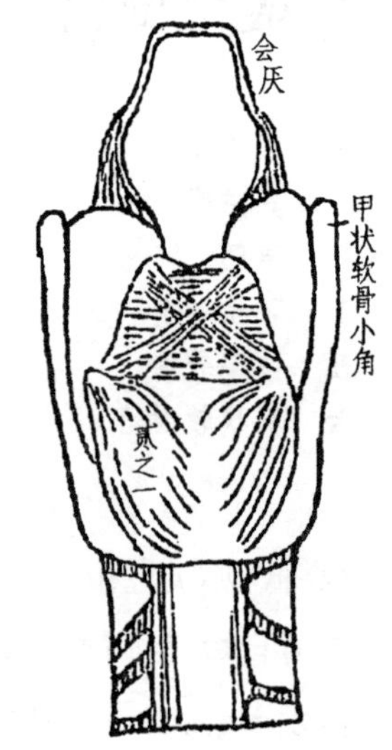

第三分　呼吸系之生理

血中气体与空气及腠中气体相交换者谓之。言其主的，在输入酸素，以供所需，代谢之废品（炭素），则驱诸外。其血中之气与空气相交换者，谓之外呼吸，主以肺以皮；腠与血之气相交换者，谓之内呼吸，则大循环血与所及腠理间之作用也。

呼吸　审度匈廓，或缩或张，当其张时，空气入肺曰吸 Inspiration；已而匈廓顿缩，肺亦从之，压迫内气，更出于外曰呼 Expiration，二事成就，谓之一息 Einatemzug（或曰一呼吸）。次乃休憩继之，倘止不行，死亡随至，故知人体需气，量当至多，肺定不动，固以内外气自生之交流，能成代谢，而肺血得此，犹未为足，必别有运动以催促之焉。

呼吸运动　凡有气体，必自压力高处，以就于低，故两肺既缩，内压乃高，肺中之气，自向口鼻二道而逸于外；已而复张，则外气之压，反高于内，遂复流入，充其空虚。故呼吸之成，一归于肺容积之增减，亦即匈腔容积之增减，而匈腹肌肉，实左右之。

一 横膈在匈腔底部，平时隆而向上，肌纟收缩，则隆度顿减，下压肠胃，推腹向前，匈腔之内，增其容积，迨复故处，而容积亦从之减。

一肋骨在匈腔周围，平时邪而向下，此骨与椎骨间，有举肋肌。二肋之间，有内外肋间肌，举肋肌与外肋间肌缩，则提肋向上，腔之四面，容积以增。迨二肌之收缩止，内肋间肌之收缩起，而容积亦从之减。

按:呼吸时动作之肌,若更举细目,则如下方。

一 平常吸息时收缩诸肌:横膈、外肋间肌、举肋肌。

(一)强剧吸息时收缩诸肌:躯肌、颈肌、鼻肌、口盖肌及咽肌。

二 平常呼息已缩诸肌之弛及匈廓重量。

(二)强剧呼息时收缩诸肌:腹肌、内肋间肌、方腰肌。

平常呼吸时,男子皆隆陷其上腹部,而肋骨殆无动,是名腹式呼吸;女子反是,肋动偏胜,腹动极微,是名匈式呼吸。顾强剧时,则无间男女,混有二式,是名匈腹式呼吸。

呼吸量 肺中空气,决不因呼吸而具易,所出入者,其量有定,顾量之多少,则一系于呼吸之浅深。若呼吸具足,犹有留遗,则曰余气 Residualluft,在康健无疾者,约得一二〇〇至一七〇〇立方生密(兑飞及格垒安 Davgh, Grehant 氏实验)。平常呼吸而后,尚能力呼而出者曰储气 Reserveluft,其量约得一〇〇〇至一五〇〇立方生密(赫钦孙 Hutschinson 氏实验)。若平时呼吸,则出入之气,约得五〇〇立方生密(同上),在婴儿则为成人之四分一。

深吸而后,即行深呼,所出空气之量,谓之活量 Vitalkapazität,盖空气交换之极量也。在德意志人,平均得三二二二立方生密,日本人平均得三〇一二立方生密(明治生命保险会社统计为二万人之中数)。计之之器曰赫钦孙氏检息器 Hutschinson's Spirometer。

按:检息器构造,要略如图,有器 A,上附量尺。其内注水,次覆一器如 B，系索过活车，加重物 C，俾其平均，迨届检息，则启活塞 D，人作深吸，乃以口当 E 处作深呼，器 B 受托渐升而上，至呼已，则闭 D 活塞，读 B 顶与尺所刻画相平之数，为肺活量。

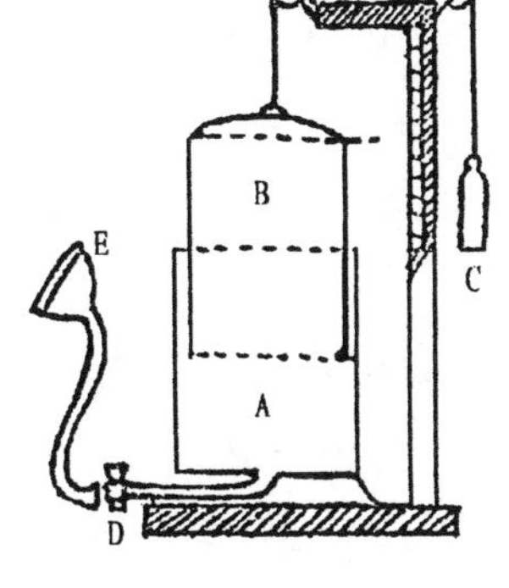

量之差数，又系属于数事，言大较如次。

一 身长　长者量多，短者量少。

二 躯体容积　积大者量多，大抵为其体积之七分一。

三 体重　过体重中数者递减，如每增重一启罗克兰，则肺活量减三七立方生密。

四 年龄　以三十五岁为最多，上至六十五，下至十五，皆每差一年，辄减二三立方生密。

五 男女　男子中数约三六六〇立方生密，女子二五五〇立方生密，其差为一一一〇（Amold 氏）。

六 职业　此盖以荣养善否，而影响及于肺活量者，可别三级：一曰军人及航海者，二曰工人、巡士，三曰贫民、贵人及学生，每一级约差二〇〇立方生密（同上）。

七 体之位置　直立及空腹时则量多，劳作后及衰疲则量少。

总上七事，视肺活量大小，又可施以为内籀，归于四因：一为匈廓大小，二为呼吸肌力之强弱，三为肌肉动作之抵抗力（如肋软骨之弹力及腹部充实等），四为肺之扩张力。

呼吸数　呼吸之数，每一分时中，在成人以一三至二四为中数，脉搏四至，则行一息，顾亦以外缘生差如左。

一 体位	次为一分时中，成人呼吸之中数
卧	一三
坐	一九
立	二三
二 年龄	壮者最少，老幼递增，如下
〇至一岁	四四
五	二六
一五至二〇	二〇
二〇至二五	一八·七
二五至三〇	一六
三〇至五〇	一八·一

呼吸变态 平常呼吸而外，更有为其变态者数事。

咳嗽在先行深吸，闭其声门，乃俄作强剧呼息，逐气或他物出于外。

謦欬为延长呼气，令过舌根及软口盖隘路之间。

嚏为先作反覆短吸气，次顿生强呼，突过鼻腔，挟黏液等与之俱出。

鼾为当睡眠时，软口盖弛而向下，空气经此，颤而成声。

哭为先隘其声门，次作短深吸息，继以长呼，如是相续。

笑为紧张其声带，时相离合，短促呼气，过之上出，若继若联。

欠者，张其口，作深长吸息也。

换气 检平常一呼吸之气，炭酸得四·三八%，酸素得十六·〇三三％，则人在空气，摄取酸素多于所呼出炭酸之酸素，可以了然。凡此酸素，一分转成炭酸，大分则用其他之诸酸化作用，今举成人二十四时间中换气量如次。

一吸入酸素　七四四克阑（五一六五〇〇立方生密）。

一呼出炭酸　九〇〇克阑（四五五五〇〇立方生密）。

一　　　水　三三〇至六四〇克阑。

然炭酸排出之量，复以种种因缘而生差异，其著如左。

一 年龄　年愈进则量愈增，迨二六至三〇岁而达其极，迄六〇岁不变，后乃渐衰。

二 男女　男子量多。

三 强弱　强者量多。

四 晨夕　晨之呼吸疾而深，故量增，将午稍减，正午复增，达于极度，午后又渐衰，夕而就食，是乃更增，逮就眠则减。

五 寒温　凡温血动物，体温减则量减，若体温无变而外界寒，则量增。

六 劳逸　劳者量多。

七 饥饱　饱者量多。

八 呼吸数　呼吸愈多，则排出之量愈微，如左表。

每一分时呼吸数	呼出气百分中之炭酸量
一二	四·三
二四	三·五
四八	三·一
九六	二·九

肺内之气体交流　肺胞内之空气，较之他部，尤富炭酸，上

而至喉，乃渐与外气似。故设断一呼息为二，收集其气，则前半呼息所含之炭酸，必少于后半呼息，此以甲气出自喉与气管，而乙气之来，则从深部故也。气在肺中诸部，既异其构造，遂生交流作用，终相溷合，达于肺胞，而外气乃与肺毫管之血相接。

肺毫管中血与肺胞间之换气 为之说者，今世有二。一为力学作用，亦即交流，谓静脉血中之酸素压力，小于肺胞内气体之酸素压力，而炭酸压力则胜之，因有此差，气以相易，顾究其实，乃不尽然。设令人吸纯酸素，而所摄取者不加多，其证一；闭动物于密室，比死而室内之气，已无酸素，其证二。一为质学作用，谓换气之成，全由于血色素，赤血轮在静脉中，搜集炭酸，以至肺之毫管，与肺胞内之大气接，乃放散炭酸，摄取酸素，成酸化血色素，环行全身，以所函酸素，分与腠理，故外气或变，而所取不异其量。

异性气体之呼吸 凡温血动物，偶阙酸素，即失其生。空气中酸素，平时为二一％，是为最适；若减至七·五％，则呼吸渐艰，至四·五％而达其极，比及三％乃全体痉挛而殒，是曰绝息。

酸素而外，可分气体为三类：一曰无力性气体，吸之无害，顾亦无益，如轻气及淡气是；二曰绝息性气体，其量若多，则声门作痉挛性锁闭以拒之，使为小量，乃致咳嗽，如绿化轻、硫化轻、次硝酸、亚谟尼亚、绿气等是；三曰毒性气体，则不独无益于生，且实足以致死，如炭酸、亚酸化淡素、酸化炭素、硫化水素等是。

呼吸中枢 呼吸运动中枢，在延髓之生点。生点云者，微毁即死之部也。

第四分　呼吸系之摄卫

换气一事，在人生为首要，使非收吸酸素，排出炭酸，则人之生命立殆。欲其圆满，当慎二事：一曰空气宜择清新，二曰呼吸官宜使康健。

空气　空气之于肺，犹养品之于胃。人体欲健，固需养品，而尤赖有酸素之空气。故所呼吸，必求清新，保持健康其效一，治理疾病其效二，而小儿为尤然。若在校中，空气匮乏，则积渐成疾者，所在多有。故若操坐业，居暗室，则宜时出户外，或得暇辄逍遥卉木繁列之地，运动身体，或作深吸息以匡之。

空气污浊者，易令人病，如尘埃、煤臭，足以撄肺。而尘埃之中，常函病菌，故尤所当警。他若众人群居，室少户牖，呼吸既久，酸素益匮。或冬日拥炉燃烛，而大气不能流通，则数小时后，空气即污，使百分中含炭酸及〇·七至一分，已可齅而辨之；假其更多，居者乃觉头痛耳鸣，呼吸艰苦，心跃加疾，颜面紫赤，更不趋避，遂至绝息。又入窖室、古井，或至储积酒类及石炭之地，中炭酸而绝息者，亦恒有之，故慎者当先探以火，见不灭，则就之无害。

人类呼息及烛炬炉火所生炭酸量，为数颇大，如左表。

	炭酸每小时所生之量以立得为单位（一立约中国之五合半）	水气（同上）①
婴儿（男）	一〇	二〇

① “同上”指“每小时所生之量以立得为单位”。——编者

僮子		一七	四〇
成人	靖定时	二〇	六〇
	劳作时	三六	一二三
蜡烛		一五	一〇——一二
石油火		五六——六一	三五——四〇
菜油火		三一——五六	二六——四〇
煤气灯	平光	九〇	一二〇
	圆光	一三〇	一五七

炭酸而外，呼气中又函有机物质，其毒尤烈。一人居室，窗隙诸处，自能通风，或不为害。顾冬日懂户，或众人集会，则所当慎，甲宜懂不过密，乙则必畅开窗牖，俾迎新气。若患病之人，卧室窗棂，尤不当闭，第亦不可使风直吹其体，故宜立屏风为之蔽，使新气回环入室，以速其痊。

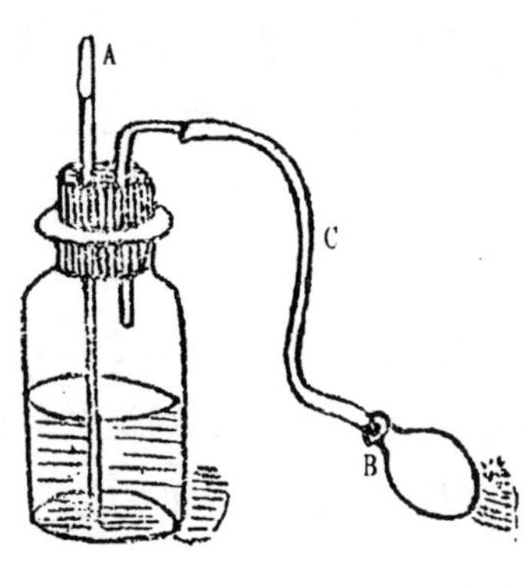

按：计室内炭酸量，以仑该 Lunge 氏术为最简。术如下图：为波黎瓶，内容一〇立方生密，口加树胶之塞，上植长短二波黎管，长管一耑殆达于底，一耑则联树胶管A，短管一耑，则联树胶之丸B。空其中，容七〇立方生密，C 处有穴，可以出入空气。次用炭酸素特 Na_2CO_3 五・三克，斐诺尔支答林 $C_2OH_3O_4$ 〇・一克，同溶于蒸水一立中，取其二立方生密，加蒸水一立，则成淡红色液。临测计时，先取此液一〇立方生密，纳瓶中，乃以二指压A管，又捺B丸，则空气过C而出，次纵二指，外气即入瓶内，加以震荡，则所函炭酸，为素特水所收，成重炭酸素特 $NaHCO_3$。次复压AB，又纵之如前，至淡红液褪为无色而止，乃计加压次数，检下表，即得炭酸之含量。

次数	四八	三五	二七	二一	一七	一三	一〇	九	八	七	六
炭酸性	〇·三%	〇·四%	〇·五%	〇·六%	〇·七%	〇·八%	〇·九%	一·〇%	一·二%	一·四%	一·五%

空气之要，既如前陈，而日光则有扑灭病菌之力，故居室要事，既需空气之流通，亦必使日光无匮，久居暗室，病必随之，故凡人家，宜择明朗。又植物能取空中炭酸借日光之力，使之分解，归酸素于空中，故草木繁茂之区，其空气必洁。欧土大都，人烟所会，必有公园。即一族之家，亦好辟土治畦，以植卉木，就一面言之，固可云赏其华实，顾云所以保人体之康豫，固蔑不可也。

呼吸官本体之摄卫 欲呼吸官之健康，首重三事：一曰圆满之匈廓，二曰壮健之呼吸肌，三曰清新之空气。人当婴儿时，匈部不施逼拶，或著隘小之衣，束缚躯体，读书习字，其身不屈曲伛偻，则匈部之发达全，又借运动及体操，亦能匡而正之。

计呼吸肌之发达，要因凡二：一曰养品，二曰运动。摄卫合律，自益加强，若不然，则呼吸极微，全体遂弱。

感寒虽小疾，然为肺病之因，故当深警。豫防其发，宜坚皮肤（详见上），又不可谈话唱歌，或呼吸温气而后，即当风寒。设不得已，则坚合唇吻，呼吸以鼻，眠时亦然。盖鼻腔曲折，空气经此，能增其温，而腔内毫毛，又能阻尘埃入于气管，今人有喜薙刈之者，则犹战士之袒裼而迎敌刃矣。

疾病 衄血为鼻腔黏膜之出血，无害者多。是时宜耑坐，以指压鼻，或取绵蘸明矾末塞之，设尚不已，则用布片浸冷水绕其额及颈，即愈。

加答儿之起于鼻腔、喉、气管、气管支者，为黏膜之发热，肿而色赤，泌黏液颇多，且作咳嗽，惟皮肤强健者，不罹是疾，既病而后，则呼吸不宜自口，且戒吸烟。

肺炎为肺胞之发炎，肺结核为腠理之坏灭。究其初因，皆缘病菌，惟肺强固不蒙害。一人之疾，能传于众，故必有唾壶，盛消毒药及水，以贮其痰，使不干燥，否则病菌溷入空气，传于他人。

声嘶者，为喉内黏膜之发热，避尘埃及湿空气，且不多言，则愈。

口吃为声官之肌肉痉挛，其运动不受神经之命令，故意所欲语，口不随之。若先作深吸息后，徐徐发语，以练习此肌肉之运动，即能匡正之。

吃逆者，亦呼吸变态之一，因横膈痉挛，逼气上出而然，久则有害，举手向天，联作吸息即愈。

泌尿系第六

第一分　构　造

人体废品，其一分为尿，有机关以司制造输泻，曰泌尿系。属于系之官四：曰肾，职在造作；曰输尿管，职在输送；又所以储输入物之处曰旁光；所以泄输入物之处曰尿道。

肾 左右各一，傍腰椎骨相对，新者色暗赭，形如蚕豆，前面微隆，左肾略隘而长，右肾较广而短，后面与腹壁相接，借前面所被腹膜出入之脉与含脂之结缔织以固之，是名脂囊。男子之肾，常较大于女子，又亦有浮游不著于腹壁者（右肾为多），曰悬肾；有左右下耑相合者，曰蹄铁肾。

肾之外面，被以结缔织膜，离之极易，内见浅窈，区为数叶，名之曰肾小叶。其内缘之陷处曰肾门，内通肾窦，肾动静脉之出入处也，剖视其质，可析为二：在表者曰皮质，其色深赤，复有血管如丸，是名摩尔辟基氏小体 Corpuscula malpighii；在内者曰髓质，作锥体状，数凡一〇以至十五，名之曰肾锥 Pyramins renales，底向皮质，顶向肾窦，谓其顶曰肾乳头 Papillae renales，锥体之中，有线状物，自底集合而趋顶，在底者尤巨，谓之髓线。

肾之两质，咸为极小管之集合，其管曰细尿管 Tubuli renales。

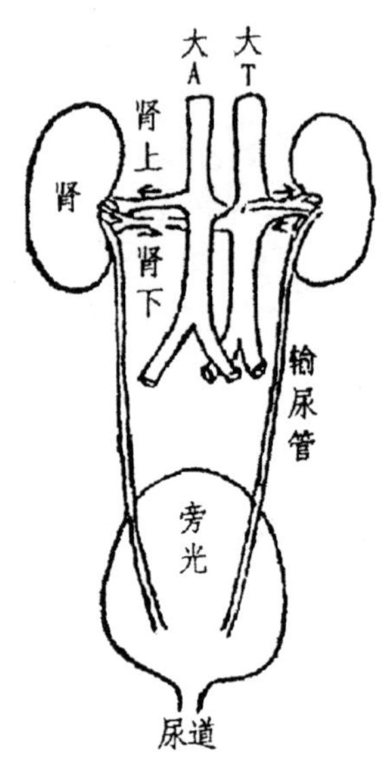

因其状态，复别为二：一曰曲线尿管，主在皮质；一曰直细尿管，主在髓质。曲者回环迂曲，始于摩尔辟其氏小体，渐下益直，径亦益大，成乳头管，终启其口于肾乳头。

摩尔辟其氏小体之内，函丸状脉，亦称丝丸，为肾动脉之末，入者曰输入管，出者曰输出管，输出管至小体外，即易为静脉，出于肾门，包丝丸者为小囊，成自两叶，内叶与丸直接，外叶则否，各集自扁平之幺，逮离丸较远，是成方状，即为细尿管。

输尿管 髓质之间，挟有空隙曰肾盂。下而成管，其状细长，是名输尿管。左右相对，沿腹壁而降，斜启其口于旁光。

此之构造，凡分三层：内为黏膜，次为肌膜，最外则结缔织被之。

旁光 在耻骨软骨接合之后，实时正圆，虚则略椭。前下部之中央，启有孔道，所以通尿道者也。

此之构造，亦分三层：如输尿管，惟黏膜皱作三角形；其顶向下，是为旁光三角；又旁光与尿道之界，肌膜特为发达，是名旁光约括肌。

尿道 起于旁光之耑，女子微曲，男子则作 S 字形。此之构造，凡分二层：内曰黏膜，外曰肌膜。

第二分 尿

尿当新时，为澄明之液，色微黄以至赤黄，具特异之臭，反应酸性（惟草食动物为弱酸性或亚尔加里性），每二十四小时中，排泄量为八合，女子逊之。

尿所含质，其有形者，有脂肪及上皮之幺，而百分之九六则为水，余亦为固形分，溶于水中如次。

一 尿素 Harnstoff $CO(NH_2)_2$

此为有形物之主分，且占多量，置之稍久，则受细菌之作用，取水而成炭酸亚穆纽谟 $CO(NH_2)_2+2H_2O=(NH_4)_2CO_3$。

尿素之成，一由于卵白质之分解，其代谢有盛衰，即泌分有多寡，故常因时而变如下。

（甲）食蛋白质多则加，胃虚则减。

（乙）男子尿素，多于女子，小儿虽少，顾较之体重，则多于成人。

（丙）晨起最少，次乃渐增，至五时而造其极，后此复减。

（丁）食格里科尔、硇沙、炭酸及植物酸亚穆纽谟盐类，则其淡素在人体中，转成尿素。

与尿素类者，又有尿酸 Harnsaure（Trioxypurin）$C_5H_4N_4O_3$，克来爱谛宁 Kreatinin $C_4H_4N_3O$，克珊丁 Xanthin $C_5H_4N_4O_2$等。

二 马尿酸 Hippursaure $C_9H_9NO_3$

此在草食动物为最多，顾人类亦有之。

三 蓚酸 Oxalsaure $C_2H_2O_4$

四 尿色素 Harnfarbstoff

其著者曰乌罗比林 Urobilin $C_{32}H_{40}N_4O_7$。尿输泻后，少顷即生，与以微黄色者也，考乌罗比林之成，由胆汁色素，而胆汁色素之成，则由血色素，故尿之色素，与血相关。

五 无机物

最多者为食盐，每日所泻，至十六克，其他有硫酸、磷酸及铁少许。

六 气体

尿一立中，约含气体百至二百立方生密，其中炭酸约九〇，淡素约一〇，酸素极微。此他亦有异常成分，则惟病时见之，如（一）血中多卵白质，（二）血过漓薄，渗出而生浮肿，（三）不食含盐等，则见血清阿尔勃明；（一）罹糖尿病，（二）中亚硝酸阿弥尔毒及（三）罹膵病，则见蒲陶糖；获黄疸病，则见胆汁酸与胆汁色素。

第三分 泌尿系之生理

脉中之血，环流全体，因取其废品，如卵白质分解物，用遗盐类及水分等，经肾动脉而入肾，其毫管络摩尔辟其氏小体，故因血压之力，滤水分及盐类入细尿管中，混管壁诸幺之泌分物为尿，降至乳头，出输尿管，入旁光，储之少顷，乃经尿道而泻于外。

尿之色与量 尿素、尿酸及盐类之量多则色浓，水之量多则色淡。若尿量多寡，则关及肤。如酷暑时，皮之脉张，血集于此而汗盛，则尿之量自少；逮夫冬，皮部之血行就衰，输泻之事，肾负其责者大半，则汗少而尿多。故皮之与肾，实一致其作用者也。顾亦有异常者数事，如饮水不辍及心之官能亢进，其量亦增，反是者减。

尿之成就　尿之成分尿素及尿酸等，考其成就，如在于血。试去动物之肾而察其血，则动脉中所含，常多于静脉，其成不在肾，视此可悟。更索原起，麦思那（Meissner）氏则以归诸肝，顾为学者所斥。近以炭酸亚穆纽谟合血，令过未死之肝，见尿素之增，至于二倍，乃始复信之。

然有不可解者，为血中尿素，其量甚微（〇・一%）。而人体日所输泻，则居全尿量之百分二，多寡之异，莫可比方。使仅借毫管之滤析，当难至此，路特惠克（Ludwig）遂为之说曰：滤自丝丸者，本非甚浓，第以经曲直细尿管，水分遂受吸收，而益增其浓度耳。波曼氏又反之曰：丝丸所泌，厥惟水分，若有形成分如尿素，则曲细尿管上皮幺之所分泌也。二说孰是，以下列实验决之。

哈覃哈因（R. Heidenhain）且靛硫酸钠注家兔血中，逮其尿初呈蓝色，即截肾一薄片检之，则见靛硫酸钠仅在曲细尿管中，丝丸及直细尿管，绝不有此。观于是，可必丝丸所泌，仅为盐分及水，而尿之主分如尿素等，则泌自曲细尿管之上皮幺，两相溷合，遂经直细尿管以外泻。固形、液体二者，泌分之处不同，则多寡悬殊，固无足异矣。

尿之输泻　尿既聚于肾盂，因输尿管之蠕动而入旁光，分泌愈多，则蠕动亦愈速，旁光渐廓大以受之，借约括肌之蹙收，抑不令泄，所储既多，则知觉神经受其撄，生蓄尿感，而约括肌亦因反射作用，约之益坚，比旁光紧张越其度，则亦以反射作用而蹙收，其力胜约括肌，尿遂作逆意之输泻。顾在平时，则随意输泻者为多。

闭锁旁光之神经中枢，在于脊髓，当第六及第八椎间，病则旁光立弛。

第四分　摄　卫

肾与皮肤，关系至密，既如前言，而肺亦分司体中水分之输泻，故三者而病其一，则他二之责，益重且劳，作业越常，遂亦疲病，是以肺、皮及肾之发达，当力图其平均。

酒精入体，能加肾以撄，设饮之久长，则肾乃发热，为慢性肾炎。

肾既受疾，输泻作用必为之不完，体内废品，泻出无自，则成水肿。

食卵白质过多，形成尿酸及尿酸盐类，亦逾常度，并生沉淀，则成结石，在肾者曰肾结石，在旁光者曰旁光结石，或仅由沉淀，或有黏液（?）黏合之。

肾疾之因，主在感冒、纵酒及身体濡湿等，顾皮肤病及传染病等，亦能致之。摄卫之道，惟有戒酒慎寒，及豫防传染之疾而已。

其他又有尿闭之疾，大抵缘尿道之闭塞。至于遗尿，则以约括肌之麻痹，或脊髓之障害而得者也。

五官系第七

凡质学或力学之作用，加于神经杪末，则由神经幺以达脑，各就中枢，生某感觉，其作用谓之撄。觉有二：一曰通觉，其起无定域，如痛如快；一曰别觉，其起有常处，如见如闻。二者虽俱发于中枢，顾复转达至杪，而令其处生某觉，是曰离心性觉律。

就根底以论通别二觉，则甲惟在身内生觉，乙必待外物乃生觉耳，而其应各各外物，又各各异，每就一事，则有一官，惟一定撄，可以兴起，总名其官曰五官，名一定之撄曰适撄。如目所以感光，而光即为目之适撄；耳所以感音，而音即为耳之适撄是。

第一分　触官

一之一　构造

前言肤革，尝谓二者之界，多见隆陷，是名乳头，脉及神经，咸藏于此。此神经者，实亦杪耑之一也，若司触觉末官，则状凡种种，可区别为四如次。

层板小体　亦称跋提尔巴希尼氏小体 Vater-Pacini´sche Körperchen，在掌跖之皮下结缔织中，关节周围及生殖器，其状卵圆，外环结缔织为囊，远疏而近密，隙含流体，视之透明，神经杪末，贯囊而入，弸大其耑而终于囊内。

神经终丸 此在结膜、舌及软口盖，为丸形小胞，膜有结缔织性，内函液体，神经𠂉之末即终液中，其耑锐细而不弸大。

触觉小体 此在革之乳头中，状略椭圆，被结缔织膜，有文如螺旋，幺核亦横走应之，一小体函众触胞，神经耑即终其内，故螺旋之文，殆即生于触胞之重叠者耳。

神经终节 在角膜上皮中，耑作结节状而尽，角膜知觉神经之末耑也。

一之二　生理

触觉 以隘谊言，触觉者，为知抵触“而知物形”之官，皮及舌中具之。触觉适撄，曰压，曰引，若越一定之度，则成痛而触觉亡。皮之触性，随处殊异，最发达者在指及舌，故欲辨别微密，辄指抚之。

然以广谊言，则触之为觉，必非单一，抵触而后，他觉随生，其觉曰处觉，曰压觉，曰温觉。

处觉 设就人肤，触以锐物，则是人所觉，不仅为见触于物，且并所触之处而觉之，是名处觉。

处觉精粗，可检以威培尔 E. H. Weber 术。术用不锐之规，略展两足 ，令受检者闭目，触诸皮上，历问所觉，为单为双，则得成果如次。

（一）在或一距离时，常生单一之觉。

（二）部分相异，则距离必或大或小，始能与单觉浑融，此规足距离大小，即所以测处觉之钝锐。发育而大，则距离小，亦知其变，最锐为舌耑，即距一分，亦尚能觉。次为指耑之掌侧，距与舌同，历腕渐升，觉亦弥弱，而背侧尤钝于掌，必距五分乃知非单。其他则颊及眼睑最敏，唇次之，而背为最钝。

压觉 皮上置重物，人即知所生压之大小，是名压觉。其官为压点，肤薄则敏，厚者反之，故在前额，虽置一米克，亦生压觉。四肢则离心愈远，敏度愈增。据麦斯那氏实验，盖此觉之发，乃在受压与非受压之界云。设载重略多，而支以肌力，则压觉而外，更生肌觉，能识其重，敏较压觉尤胜之。

温觉及寒觉 温度变化，肤革能感其异，是为温觉及寒觉。其官为温点及寒点，所遇物之导热力大，则较诸导热力小者，愈益感寒，此以感其夺温作用故也。觉之最敏者为舌，而颊、眼睑、外听道次之。温之细别，以指能觉自摄氏一五至三五度之异，更大或小，则渐莫知。温觉之兴，亦关皮表之大小，设有四〇度水，探以一指，辄不若探以全手之温。

上述四官，独存于皮。设去动物之皮，撄其各点，则不复有触、处、压、温诸觉，独有通觉，即痛苦而已。

痛觉 凡知觉神经所在地，一受强撄，莫不感此，其觉发于神经全干，而以受撄之处为尤。痛之由生，其因有几，如迫拶、掣引、药物、寒、热等属之。中之寒热，较易研索，据所实验，则摄氏四八度乃生热痛，一二度而起冷痛，顾复与受撄面积之大小相关。

痛之强弱，因神经之勃兴度而异，故各有差，以全体言，则三叉及内藏神经，勃兴最大，他皆逊之。又以撄言，则受撄之地愈大，其痛即愈剧。

其余通觉 此谓饥、渴、痒、快、战栗、恶心等。此诸觉中，惟痒似能指其处，他皆不然。

一之三　摄卫

见第二十五至二十七叶(注:见运动系第三分 三之二)。

第二分　齅官

二之一　构造

齅觉之官为鼻部，区而为二:曰外鼻，曰内鼻。外鼻为状，略作三角形，以软骨为基础，上覆皮肤，多函脂腺;内鼻则为鼻腔及其黏膜，膜皆密着于骨及软骨，强厚弸大，类于海绵，函脉甚富。此复别为三部:曰前庭部，曰呼吸部，曰齅觉部。

前庭部 在鼻孔近处，上皮之中，多含小腺，并生毫毛。

呼吸部 此为毡毛上皮，其色赤，中亦函腺，以泌分黏液及浆液，而数劣于前庭部。

齅觉部 所在最深，色作褐黄，徒目可判，齅神经分布于此，名其膜曰齅上皮，支柱幺及齅幺在焉。

支柱幺上部，作圆柱状，于函黄色色素粒;下部甚隘，而歧其耑，与邻幺吻合，成形素网，每列之幺所函核，略同其高。齅幺之形，上下皆锐，弸大之处有核，环以形素，上耑生茸毳，下耑则锐灭，与神经乆联，其核之高，亦悉等一。

上列两种而外，亦有类齅幺并类支柱幺而实非是者，盖其中间物也。

二之二　生理

齅神经杪，布于齅觉部，臭素达其地，则受黏液吸收，以撄其杪，经神经而达于脑之一中枢，中枢感之，爰生齅觉。

臭素之触齅幺，厥初最敏，历二三分时则倦，越一分时复其初，惟既倦于甲，而以乙易之，则复敏。

臭虽觉于吸息之际，顾亦能觉诸呼息时，如函臭素于口，呼而出之，则鼻亦能觉，特不如吸入之敏耳。

齅触钝锐，因左三事：一曰接触面之大小，如海豹鼻腔，具无数襞积而覆以齅上皮，故齅觉之敏，殊超其类；二曰臭素接触于齅幺之多少；三曰臭素与空气溷合之浓淡，然或种臭素，则虽极淡，尚能觉之。

臭素生觉，大抵溷于空气，以入鼻腔，若为液体，则令鼻黏膜有变，故悉不能觉，然若合诸〇·六％之食盐水中，亦能别其香臭，惟较气体为逊而已。

臭素种别，繁不可理，近亦有为之析分者，顾论者訾其未备，今姑录之如次。

（一）以脱臭 Ether　一切果实；

（二）阿罗摩臭 Aroma　酒精等；

（三）巴尔撒谟臭 Balsam　华；

（四）安勃罗希阿臭 Ambrosia　琥珀、麝香等；

（五）蒜臭　蒜及盐素等；

（六）焦臭　焦米及烟草等；

（七）羶臭　干酪及汗；

（八）毒恶性臭　阿片等；

（九）呕哕性臭　腐朽之动物质。

齅觉性质，亦如臭素，数多而性殊，今兹未知其细，惬之者谓之香，不与惬者谓之殠，惬与不惬，其故安在，亦未详也。

二之三　摄卫

齅官平日，常宜洁净，亦不当时受过度之撄，如强烈之气体等，否者辄成麻痹，又中国之鼻烟，亦甚害于齅官，故当戒绝。

人罹感冒，或多吸函尘空气，则黏膜肿胀，出水状液，齅觉忽钝，且病头痛，是名鼻加答儿，能波及于喉及气管点，是宜慎寒，以防斯疾，倘其既发，则时时吸温水或盐水入鼻以涤之。

外鼻道之毫毛，所以去气中尘埃，使不入于深部，故以刀薙刈，至所不宜，其甚者或因此而中传染病之毒。又小儿好以指探鼻孔，或纳他物，亦当止之。

第三分　味　官

三之一　构造

味觉之官在于舌。舌者犹前此消化系所论列，在口腔中，成自横纹肌糸，上被黏膜，虽徒目视，亦见前后二分：前方大半，面极甲错；后方小半，则面平滑而坚。其甲错之处，乳头在焉。

乳头凡二种，为黏膜之隐起，互相混殽，存于舌面：一曰糸状乳头，视之如毳，检以显镜，则见每乳头之耑，分散如草，为上皮糸，且多角变，乳头之内，结缔织及弹力糸实之；二曰菌状乳头，状如所名，而数少于甲，硼其耑，上缀第二乳头，惟在舌侧舌耑者，耑皆平滑，内亦实结缔织，少弹力糸，皮不变角，故其色丹。

舌前后二分之间，有圆物一列，数自七以至十二，曰轮状乳头，其直径一分余，高一分，作角度状。而颠向后，邻比隆起，周围陷而成沟，味神经杪多存于此，是曰味蕾。其处在轮状乳头侧面，为上皮幺数个所集成，回环如华之蓓蕾，上耑辟启，谓之味口，味神经杪入于底，而终其中，幺之形凡二，咸隘且长：一曰支柱幺，形素澄明，其核多在上部，向外而隆；一曰味幺，核之所在，亦复隆起，顾以在下部者为多，上耑缀小茎，仿佛有光，达于味口，故亦谓之小茎幺，下耑或细或粗，亦有分歧者。

味蕾除轮状乳头外，亦存他处，如菌状乳头侧面，软口盖后面，及悬壅垂等皆有之，惟数乃甚少。又轮状乳头之后，更有小隆起，作圆形，中央有孔，内函卢可企丁，名之曰舌滤胞，囊状腺也。

三之二　生理

多种物质，置之舌面，则令人起一种觉，名曰味觉。是觉概别为四，曰甘、酸、苦、咸。味之甘者如蔗糖、蒲萄糖，酸者如酸类，苦如植物性碱类，即几那、马菲等，咸如食盐，凡此数者，或本为液体，或遇唾能溶，倘不如是，即无味觉。

含味之液，既着舌面，则触味蕾，撄其神经，似因质学作用，爰生味觉。而觉味之处，复各不同，如舌耑善觉甘，舌根善觉苦，舌缘善觉酸，舌面前部善觉盐，盖其味觉神经杪，当有种种，各导兴奋至于中枢，遂起特异势力，令在觉官，生某味觉也。

味觉锐钝，系属于数事如左。

一 接触物质之面积，即味面愈大，觉斯愈锐，而最敏者为轮状乳头。

二 所味物质之浓淡，次所胪列，即受离难易次序，先者加水，易于失味，后者递难。

一饴　二糖　三盐　四芦荟　五几那　六硫酸

即最易者为糖，而硫酸虽羼水极多，犹不失酢，然若浓厚，则味蕾败坏，味觉遂亡。

三 物味去口难易，因物不同，盐最速，甘酸苦次之，故食盐而后，少倾失咸，而一食几那，则苦口至久。

四 味觉敏否，多由先天，然亦成于练习，惟久食略同之味，或善攖之质，则渐就衰。

五 味之不同，亦时赖齅觉及视觉之助，顾其别异，为谬非诚。

六 食物温度，极关味觉，最适者为摄氏十度至三十五度，此上此下，皆能夺之。

三之三　摄卫

舌面宜洁，亦勿屡食攖舌之品，以钝其神经。

舌受病及干燥被苔，皆害味觉，前二当就医治理，倘遇后一，则刮之令去，留意于消化系即痊。

第四分　听　官

四之一　构造

司听之官为耳，析之得三：曰外耳，曰中耳，曰内耳。

外耳 云者，在外为耳翼，少进为内听道。耳翼基础，悉属软骨，外被以皮，惟聃独含脂而无骨。外听道继之，其状微曲，所被与耳翼同，上具茸毛，并藏脂腺，名之曰耵聍腺，所泌分者曰耵聍。外皮渐进，乃益菲薄，终迻合于鼓膜，以作外耳与中耳之界。

鼓膜为状，略作椭圆，外面正中，向后微陷，受槌骨柄之所牵掣也，名之曰脐。膜质凡分三层：中为结缔织；外为外皮，即外听道外皮之续；内为黏膜，与鼓室黏膜联。

中耳 此为颞颥骨中之一腔，外隔鼓膜，以接外耳；内为鼓室，其上下前后内外六壁，咸覆黏膜。室容小骨三：其二较大，曰槌骨，曰砧骨；一较小，曰镫骨。槌骨之柄，联于鼓膜；镫骨之底，则正抵内壁之穴曰卵圆窗；而砧骨居二骨间，各联以系（韧带），善于运动。鼓膜前壁，又渐次隘作管状，开口于咽，曰欧斯泰希 Eustachi 氏管，长可三〇至四〇米密，常通耳与口腔之空气，且输泻黏液，出之口中。

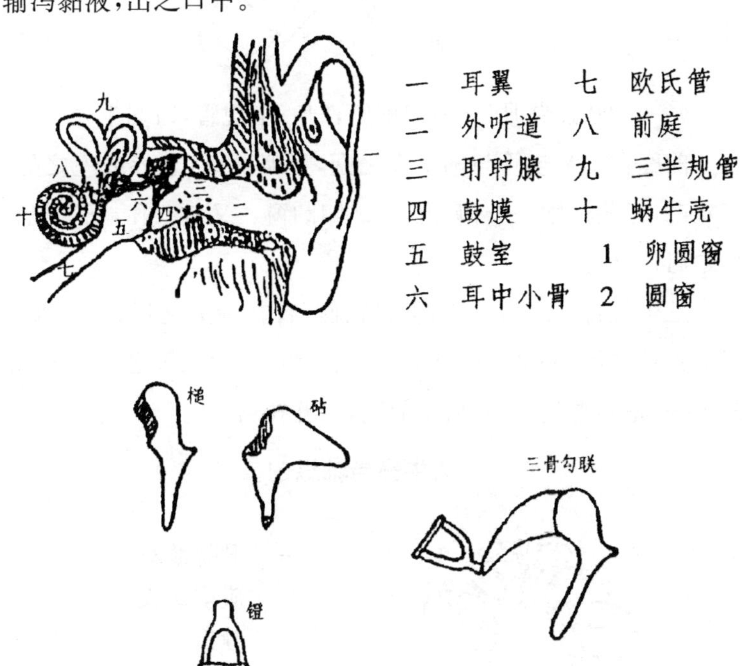

内耳 此藏颞颥骨实质之内，为状觚奇不正，神经终末在焉，析之为二：曰骨状迷路，曰膜状迷路。二者之形，皆略相似，而乙藏于甲中，微具间隙，其隙与膜状迷路中，皆实水状液，隙中者曰外淋巴，膜中者曰内淋巴。

骨状迷路图式

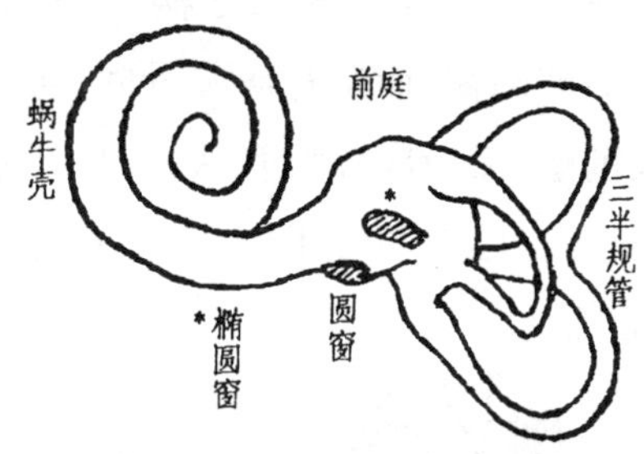

（一）骨状迷路凡三部：曰前庭，曰三半规管，曰蜗牛壳。

前庭在三半规管与蜗牛壳之间，形略卵圆，外界鼓室之处，有穴二，皆蒙薄膜，一曰圆窗，一曰卵圆窗。又具五孔，三半规管足之启口处也。

三半规管别之为三：曰上、后、侧，皆在前庭之后，弯环如半规。各具二足，一足则翢其耑，谓之壶腹，上后二管之各一足，相合为一，是名总足，故其启于前庭，仅五孔焉。

蜗牛壳当轴纵剖

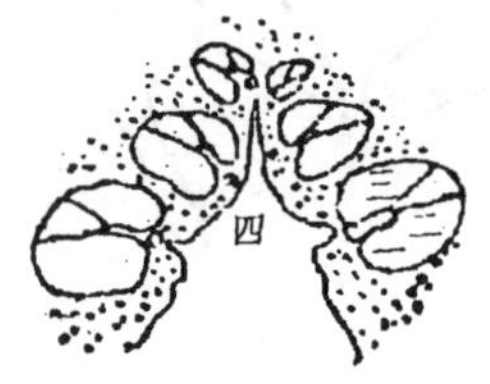

一 骨螺旋板
二 膜螺旋板
三 赖氏那氏膜
四 骨轴纵管

蜗牛壳在前庭之前，状如所名，耑与欧氏管相对，区为三部：曰骨轴，曰骨螺旋管，曰骨螺旋板。骨轴之起，即自蜗牛壳底，其耑渐锐，有如圆锥，质具小孔无数，以藏神经。骨螺旋管绕轴而上，至颠凡二周半，内有骨螺旋板，一耑著轴，一耑游离。是处锐而翘起，名之曰钩，旋管得此不具中隔，遂判为二：上前半分曰前庭道，由卵圆窗通于前庭；下半分曰鼓室道，由圆窗通于鼓室。二道至蜗牛壳颠，遂以小孔互相交通，是曰旋孔。

膜状迷路图式

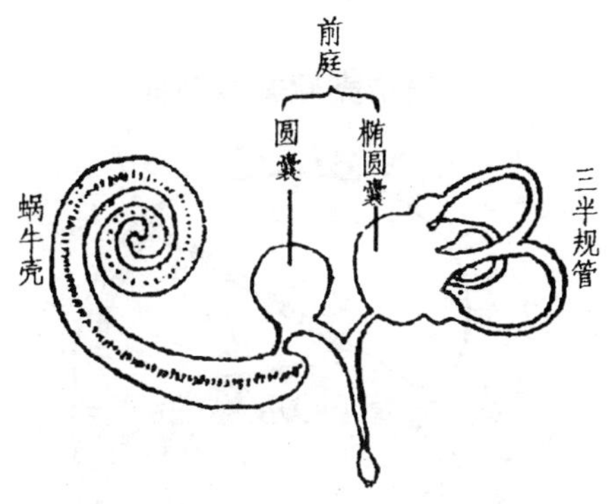

（二）膜状迷路为透明薄膜，在骨状迷路中，亦应其状，区为三部：曰前庭小囊，曰膜状三半规管，曰膜状蜗牛壳。

前庭小囊凡二：一曰卵圆囊，一曰正圆囊。卵圆囊有启口处六，其五通膜状三半规管，其一通膜状蜗牛壳。侧壁一分，较形甲错，谓之听斑，正圆囊属之，以一管迂回相接，侧壁甲错之处，亦有听斑在焉。

膜状三半规管者，起自卵圆囊，状与骨状三半规管相应。壶腹之中，亦有听斑，高者谓之听栉，成自神经上皮，而以柱状幺拥之。神经上皮所含，有幺二种：一曰支柱幺（亦称夆状幺），翢其两耑，下部函核，且亦翢大，而下耑时或分歧；一曰毳幺，作圆柱形，存于表部而不达上皮之底，中亦函核，下耑微翢，上耑则被薄膜，毳丛其上，是称听毛。神经至壶腹内，更分细枝无数，交互成络，杪末则终于幺中，小囊听斑，亦复如是。

卵圆及圆囊听斑之上，更覆白色胶状物质，曰听石膜。中藏听石多数，其状极小如梭，炭酸石灰之结晶体也。然或种下级动物，则有合为一较巨之石者。

蜗牛壳螺旋腔剖面

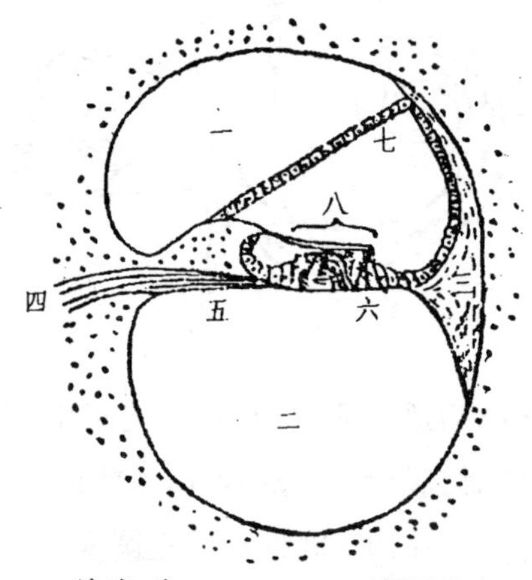

一　前庭道　　　五　骨螺旋板
二　鼓室道　　　六　基膜
三　结缔织　　　七　赖式那氏膜
四　蜗牛壳神经　八　珂尔谛氏官

珂尔谛氏官放大

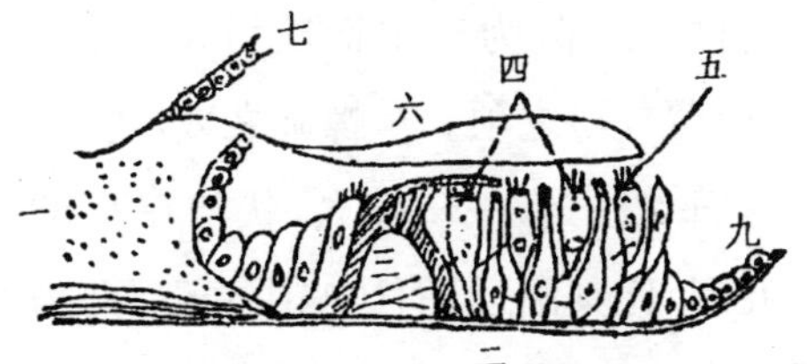

一　骨螺旋板　　六　珂氏板
二　基膜　　　　七　赖氏膜
三　珂氏弓　　　八　神经
四　毳幺　　　　九　上皮幺
五　支柱幺

膜状迷路内听神经分布想象式

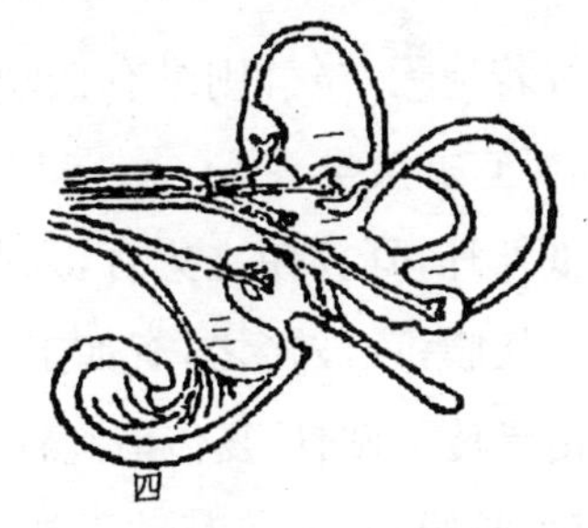

一　壶腹　　三　圆囊
二　椭圆囊　四　蜗牛壳

膜状蜗牛壳在骨状者之内，状与之符，膜之一分，自侧壁横行，以接骨状螺旋板之钩，前庭鼓室二道，交通遂绝，名之曰基膜。前庭道内，复有膜起自骨螺旋板，斜上著壁，前庭遂复区而为二，名之曰赖式那尔氏膜 Reissners Membran，成自单层上皮，联于基膜，以与珂尔谛氏官 Corti's Organ 相接。珂尔谛氏官者，居基膜之上，听神经终末之地也。

珂尔谛氏官之主部，为珂尔谛氏弓 Corti's Bogen，内外相依，内弓有唇，以覆外弓之项。全螺旋之数，约四至六千，两侧又各拥幺二种，一曰支柱幺，一曰毳幺，状与在听斑者类。毳幺在人，大都四至五列，比其渐远，而达蜗牛壳壁，乃为上皮幺。两弓之上，又覆网状小板，具孔三列，位置井然（Kölliker 氏说）。

内耳神经为听神经杪末，入蜗牛壳之骨螺旋板根部，乃隆起作神经节，自节更出丝路，布于珂尔谛氏官，此他分歧，则布于小囊及壶腹之听斑，惟决不入三半规管之内。

四之二　生理

声之传导　声所由生，本于弹力体之振动，道经空气，以达神经，爰生听觉。故若绝无空气，则纵有振动物体，亦无物导其声波，媒介既亡，而听官亦废矣。

声波之来，先抵外耳，耳翼使之集合，入听道中，复因共鸣，增其强度，次乃至于鼓膜，声波击之，有如击鼓，鼓膜应之而颤，力及于槌骨之柄，由是传诸砧骨，复传诸镫骨，此骨之底，当椭圆窗，故窗膜亦颤，有如鼓膜，则又传其动于外淋巴，更及内淋巴，令起波动，次第以进，至于前庭，则触小囊及壶腹之听斑，乃入蜗牛壳之前庭道中，动珂尔谛氏官，出旋孔而降鼓室道，抵圆窗之膜而止。惟液体容积，莫能蹙收，故受压于椭圆窗膜，则自必相推益前，至于圆窗，逮窗膜外隆，其流始定。由是审之，椭圆窗及圆窗之膜，其作用实相反，而借以生内淋巴之波动者也。

波动经过，至于小囊，动听石膜，力及于听石，遂传导至石下之幺，诸幺受撄，爰以兴奋（然在下级动物有合为一石者，则如是作用，亦肊测耳）。而其壶腹，则毳幺感之，在珂尔谛氏官，今兹未知其细，审别以肊，殆亦毳幺之力也。

声传自外耳而外，亦能由头盖骨以至迷路，设微击音叉，令作微颤，经过外气，不能闻其声，顾置诸头上，则振动自此递传，了然可辨。

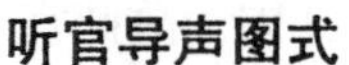

听官导声图式

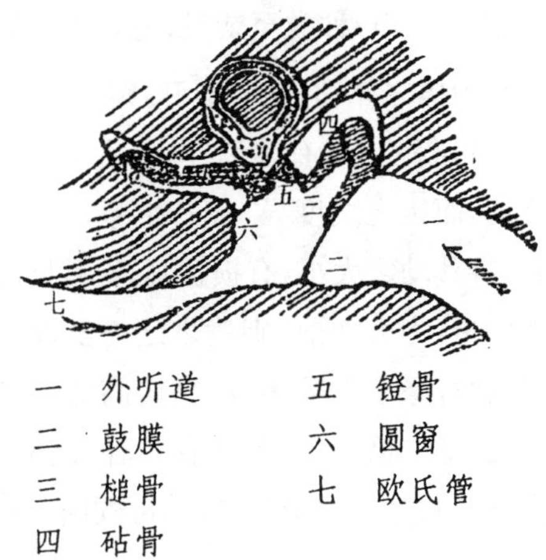

一　外听道　　五　镫骨
二　鼓膜　　六　圆窗
三　槌骨　　七　欧氏管
四　砧骨

欧氏管之用　鼓室中压力与外界空气之压力，使不相同，则鼓膜状态，不能无变，故欧氏管为之介，用平匀之，惟其道路恒阖不开，必咽物时乃启。作之证者，有跋尔萨勒跋 Valsalva 氏术，即吸息而后，闭口及鼻，继以咽气，则大气入管，至于鼓室，增高内压，迫鼓膜外隆，遂闻微响；又呼吸而后，施行前术，厥果亦同，惟尔所闻，乃口腔收吸空气，出诸鼓室，内压为降，而外气迫压鼓膜，令其内陷之响耳。

欧氏管之不恒启者，为益有三：（一）使其不尔，则传导语声，令生恶感;(二)呼吸之际,杜绝孔道,使鼓室之气,不为动摇;(三)输泻鼓室泌分物,出诸口腔,使无停滞。

三半规管之用 此与听觉,漠焉无关,弗罗连斯 Frourens 氏尝去鸠之三半规管,而见其体重平匀,几莫能保,故谓职在衡身,且主冥眩。然斯泰尔纳 Steiner 氏施诸鲨鱼,则不甚验,爱华德 Ewald 氏仍施之鸠,厥果亦同。故此官为用,今兹未之能决。

音之性质 撄耳之声,种类至杂,从力学所区别,大较凡二:一曰乐音,生于弹力体之律动;二曰噪音,则非律之动为之也。

乐音类别,又可得三:设有琴弦于此,张而拨以指,则动生音,使张之之度同,而拨之之度异,音乃生差,是曰强弱;惟尔时动数,初无有异,特其动之大小,有损益耳,次就同弦,更立一轸,俾判为二,又拨以指,为力如前,则拨之之度虽同,而弦鸣之高,乃胜于昔,此之增益,缘于动数多少,是曰高低;盖当尔时,半弦动数,实加于全弦,至二倍矣,他若乐音二种,高低强弱,度悉相同,而来撄听官,碻知有别,如琴与笛,不可椢同,是曰音色,则乐音固有之性也。

独弦所生,其动止一,此所成就,谓之单音;单音越二,而相椢合,则曰复音。复音之中,有惬非惬,设乙之动数,二倍于甲,则能惬耳,是名协音,故协音者,二弦动数,当成比例;假其反是,比不能适,则其为音,即难惬人,是曰不协音。

觉音之理 如前所言,音出动体,以成声波,进撄鼓膜,爰生听觉,故为声强,即其动大,则声波随之大;为声小,即其动小,则声波随之小,神经受撄,于是有差,兴奋之度不同,而强弱亦以辨。

声之高低,原于动数,然其最低,即一秒时之动,不及十六,乃莫能闻；又使极高，越于四万，则惟感痛，听觉亦亡。故高低之度，当有定数，不越此数，则声波递传入耳，基膜应之。基膜之中，函有众伞，中之某伞，仅感某音，感此音者，应之而动，力及毳幺，且撄神经，俾之勃兴，导至中枢，高低以辨；若为复音，则入耳而后，各分为单，比至中枢，合而觉复，其闻噪音，亦复如是。

按：觉音之说，今所成就者如上，总其要约，乃归功于毳幺。至珂尔谛氏官，则未详悉，如赫绥 Hasse 氏言，奏乐响，鸠亦能听取，顾钬验其蜗牛壳，则无珂尔谛氏官，仅有毳幺而已。故是官设之何事，尚存疑也，若夫听栉、听斑，乃仅生普通声觉云。

音乐方向及距离之识别　别声之由来，多据强弱，至至要者为耳翼，觉前强则定为前，左强则定为左，别距远近，为理亦然。第仅赖听官，恒致巨谬，故非辅以他觉，往往不诚。

两耳合听　人用两耳，盖以别音原之方向以及距离，又赖首之运动，可就至近之侧，即行倾听。而一音之发，感于两耳，是否同然，则未详也。据陀威 Dove 氏实验，乃不一致。术即用同调之音叉二，各就一耳，甲定不动，乙则转旋，尔时受验者所闻，时甲时乙，定动二音，不能合听，故此殆如觑官，亦行交代，又使左耳受撄之性，强于右耳，则仅有左耳，觉其二音之一而已。

四之三　摄卫

听官要部，深伏颞颥骨中，故在平时，不易受创，然其疾病，亦以所在隐奥，颇难知之。耳之蒙损最易者，为外听道，屡以耵聍屯积，或阑入异物，至于不聪。此他亦因疾病，如炎症及化脓，则得耳痛、重听、耳聋、耳鸣诸疾。

鼻加答儿及扁桃腺肿，常使欧氏管闭而不启，则亦患重听及耳鸣，吸温空气及水蒸气，可以治之。又隙风入耳，亦所当忌。

过微及过大之声，无不劳听神经，而高低二者，倏忽转换，或倾听一事，至于久久，其害尤甚。如是多日，则神经为之麻痹而失其听者有之，故从事于日闻大声之业者，所当团绵为丸，塞左右耳。倘偶闻极烈之声，则声波过猛，鼓膜或裂，宜掩以掌，或即张口，令欧氏管中空气，得以自由，用退避之。

耳病原因，多在感冒。盖寒气（或冷水）入耳，每侵鼓膜或鼓室，俾生急性炎，其本有慢性炎者，则令转成急性，寒或剧甚，乃侵迷路，瞬息之间，即至耳聋。故履寒地，游海水，或烈风方作，中挟沙尘，则出门必塞以绵，用防其入。

耵聍屯积，以至不聪者，可用微温汤或素特水涤去之，次更徐拭令干，毋使存水。惟不当用不净或锐利之器，或以薙刀，薙外听道，盖以刀若用经多人，则能为丹毒或其他传染病传导之具也。

第五分　视　官

五之一　构造

视官区为二部：一曰睛（眼球）；一曰辅官，如睑如睫，所以护睛者也。

（一）睛

睛居头骨之眼窠中，其状近圆，外被囊膜，内有函质，借视神经联于脑。膜壁凡二分，前之小分，澄澈通明，后之大半则反是。全膜区分，可得三层：曰外膜，曰中膜，曰内膜。函质亦凡三分：

曰水晶体，曰波黎体，曰房水。

外膜 其质甚强，更别为二：曰角膜，曰白膜（亦称巩膜）。角膜澄明通光，为外膜之前小分，世谓之青眼者此。前隆后陷，其缘接于白膜，细微构造，可分五层：一曰角膜上皮，为圆柱状幺所集合；二曰前弹力膜；三曰角膜固有层，为此膜主部，极微之忴，凑会以成；四曰后弹力膜；五曰角膜内皮，则单层扁平多角形幺之所成就也。

角膜之中，有淋巴道，有神经，皆在固有层中，而独无脉管，惟与白膜接处，有管如环，为静脉窦而已。

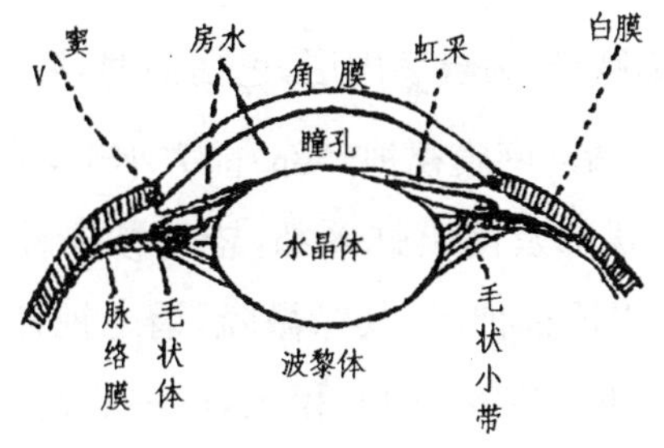

白膜续于角膜，积占全外膜之五分四，滑泽而色白，老人微黄，僮子青色。后方偏内，较厚而有孔，以通视神经，全部构造，俱为结缔织，亦含弹力忴，神经血管及淋巴道出入之。

中膜 此凡三分：曰脉络膜，曰毛状体，曰虹采。

脉络膜占中膜之大半，前接毛状体，后有圆孔，以通神经，为质甚薄，脉管饶多，并含色素。其质或自四层：一曰脉络膜上层，即结缔织，亦含弹力忴及色素幺，与白膜联，颇不易析；二曰脉管层，内函动静脉管，静脉至此，曲如旋状，名之曰涡状静脉；三曰毫管络层，为毫管之所构造；四曰基膜，则波黎状之薄膜也，故亦称之曰波黎膜。

毛状体即脉络膜前耑，惟较肥厚，相接之处，皆如锯齿，其体多具襞积，曰毛状襞积。更上则与虹采联，体中多函无纹肌乣，作辐射或轮状，谓之毛状肌，所以缩张毛状体者也。

虹采为毛状体之续，居角膜与水晶体间，密接水晶体前面，为状如轮。中央有孔曰瞳孔，能应光线强弱，或缩或张。其面被上皮幺，次为结缔织，终则具色素层，所含色素或寡或多，视人种而异。亦含肌乣，其一环走，所以使瞳孔收缩；其一辐射，所以使瞳孔开张。

内膜 亦称网膜，为囊襞内层，色白而薄，后方大半，有神经杪末，可以感光，谓之网膜视神经部；前方小半，则覆毛状体及虹采，谓之网膜毛状部及网膜虹采部，皆无杪末神经，并阙光觉。睛轴内侧，有孔以通视神经，其缘微隆，谓之视神经乳头。轴之中点，略作黄色，是称黄斑，中心稍陷，曰中心窝，视觉最敏之处也。网膜视神经部，为质虽极菲薄，顾检以显镜，可得十层。自外举之，则首一曰色素上皮层；次四曰神经上皮层，为视幺所在地；次五曰脑层，则出入于脑之幺之所在地也。

色素上皮层为单层之幺，内函色素，作六角形，进覆毛状体及虹采，则为网膜毛状部及网膜虹采部。

柱状层之中，有幺二种，一如圆柱，排比整然；一如圆锥，则稍陵杂。下耑均作乣状，入于脑层，二幺之性，并有光觉。

外境界膜在前者之下，证明薄膜也。

外颗粒层为层较厚，圆形之幺实之。

网膜构造想象图式

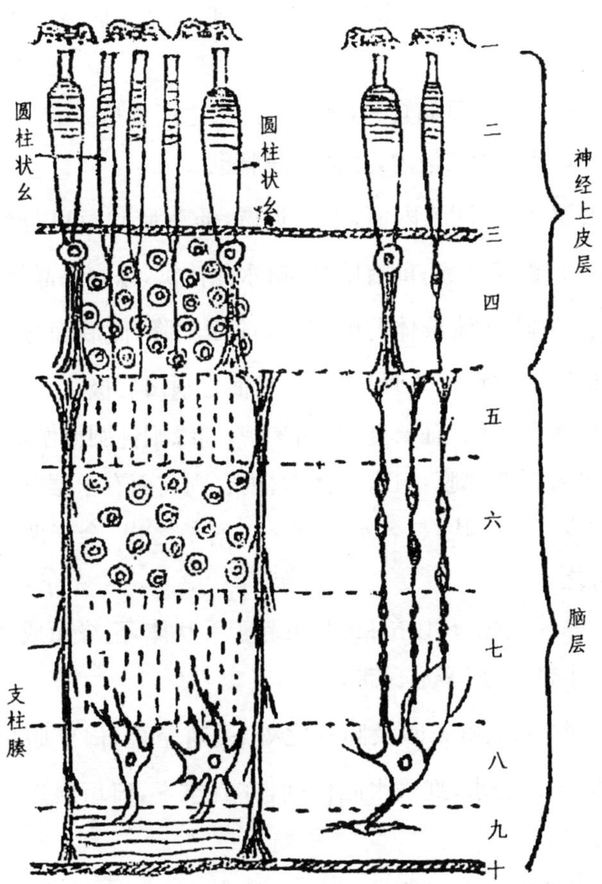

外网状层则为薄层，神经突起，织作网状，而圆形之幺，函于隙间。

内颗粒层椭圆或圆锥形有核幺之所凑合者也。

内网状层成于多角形神经幺之突起，交互错综，有如网络，且亦函圆形之幺。

神经节幺层成于多角神经幺，其突起入内网状层，织作网状。

视神经纟层质如其名，为视神经幺之所构造。

内境界膜所在最内，亦证明薄膜也。

波黎体 在网膜内面，形略近圆，质为胶状，可以澈光。外被囊膜，曰波黎体囊；前有陷处，曰水晶体窝，以容水晶体。

水晶体 在波黎体与虹采间，前面微隆，而后面尤甚，位于水晶体窝内，名前面之顶曰前极，后面之顶曰后极。二极之间设直线，曰水晶体轴，轴长度，凡四米密，周缘则钝圆而游离。是体构造，外被通明薄膜，曰水晶体囊，内容则前面有单层圆柱状幺，其下即发育为纟状，是名水晶体纟。诸纟之耑，会于两极，有黏质联合之。

水晶体周缘，环以纟束，其束起于毛状体，至缘而成环状，故曰毛状小带，亦曰辛尼氏带。

房水 角膜虹采间及瞳孔之处，爰有空虚，曰前眼房，中所含液体，曰前房水；虹采水晶体间，亦有空虚，曰后眼房，所函液曰后房水。

视神经 起自视神经交叉，经蝶骨之孔，以入目瞳，逮至后壁，乃贯白膜而分布于网膜，其分散中心，名之曰盲点。神经之外，被鞘三层，皆为脑膜之续。外中二层，迻合于白膜，内层则至网膜而终。中央函二脉管，曰网膜中心动静脉。比出乳头，即分二枝，以扩布于网膜之内。

睛及视神经之纵断

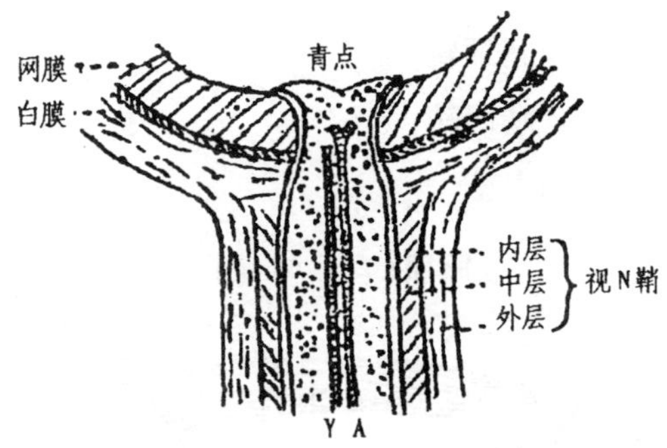

视神经中心 AY 分布之状

（二）辅官

辅目之官有几，所以动之者有眼肌，所以卫之者有眼窠，有睑，有结膜，所以润之者有泪，其官谓之泪官。

眼肌 司眼启闭者有轮状肌，已述于前，次有上睑举肌，缩则睑启。若纯以动睛，则有二种，各依排列而为之名：曰直肌，曰斜肌。其细目如次。

一 上直肌 令睛上转；

二 外直肌　其一耑析为二，令睛外转；

三 内直肌　令睛内转；

四 下直肌　令睛下转；

五 上斜肌　令睛回转；

六 下斜肌　同上。

眼肌(自外侧视)

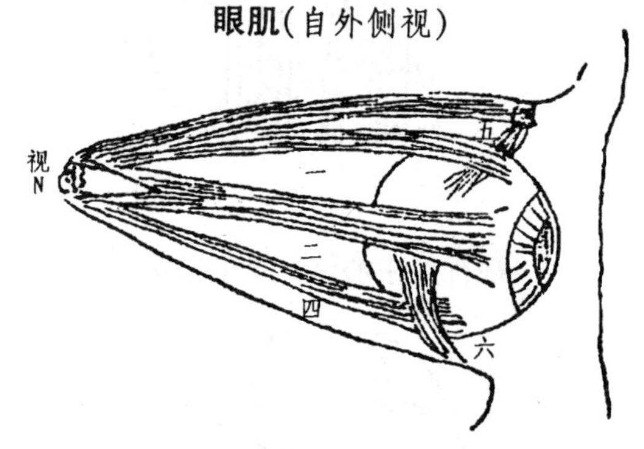

眼窠 为七骨之所构成。其上为前头骨，下为上颚骨、口盖骨、蝶骨，外(及下)为颧骨，内为筛骨、泪骨。眼窠之中，目睛眼肌及视神经外，复实脂肪，以为之卫。脂与睛之后壁，则隔以薄膜，曰提农氏膜 Bursa tenoni。此与白膜间，复有微隙，曰提农氏腔 Spatium tenoni，所以使目瞳运动，不受窒碍者也。

睑 在睛之前，上下凡二，闭则适相合会。二睑交处，内耑作钝角曰内眦，是处上下，各有一孔曰泪点；外耑较锐曰外眦，游离之缘，则骈列坚毫曰睫毛。上睑之大，胜于下睑，而眉在其上。

睑之最外，被以上皮，密生嫩毳，次为肌层，即眼睑轮状肌，次为睑软骨，亦上大下小，与睑相应，形如弦月，其后有腺曰麦逢氏腺 Meibom's drüsen，泌脂状物，谓之眼脂。

结膜 为外皮之续，被睑内面以及目睛，谓甲曰睑结膜，谓乙曰睛结膜。

睑结膜密著于睑之内面，函脉络至多，故其色赤。有小黏腺，以泌黏液，上行复下，则迻入睛结膜，名其处曰结膜穹窿。睛结膜则先覆白膜，后乃密著于角膜之缘，内眦近处，成一襞积，谓之弦月状襞积，泪湖、泪阜等在焉。

泪官 泪之由来，本于泪腺。是腺作椭圆形，居眼窠外上部，小腺多数，集为腺体，而启输泻管之口于结膜穹窿，凡所泌分，先注泪湖（在内眦之睛结膜上，中央稍隆，是名泪阜），次入泪点，过泪小管，储诸泪囊，更出较大之管而至鼻腔，其所经之管曰鼻泪管。

泪官联合

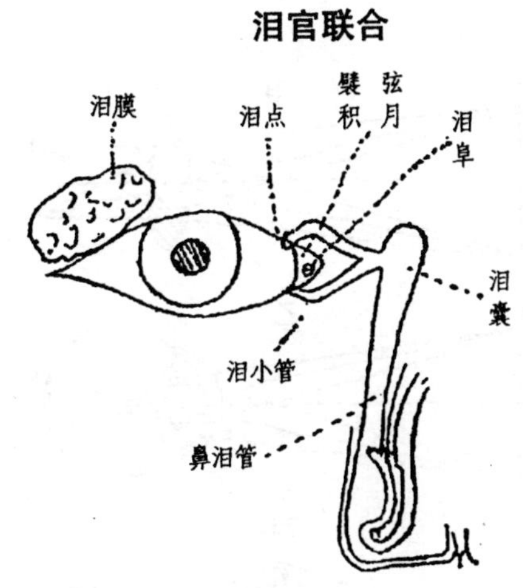

五之二　生理

屈光 视官之用，如摄影箧，是箧前面，具一灵视，后置干板，适如网膜，设有物体，放射光线，如 A 与 B，则 A 点之光，通过灵视，遂作屈折，比及干板，即成影于下，有如甲图。B 点之光，亦复如是。而干板之上，成倒影焉，睛之构造以及造象，绝不异此。中层多脉，供给以血，又函色素使不通明，惟其屈光，较为繁复。盖在暗中屈光之体，为数有三，非如摄影箧，只一灵视，故光线入目，当经角膜、房水、水晶体及波黎体，历受屈折，而其结果，乃如乙图，网膜结影，亦复倒置。

明视　自发光点射来之光，先屈于角膜，受其束集，达水晶体，再受束集，乃落网膜。故必一切光线，悉集网膜上之一点，始得明视。假使过近过远，则所造之象，即落网膜前后，觉官所见，为之蒙龙，是称散象。设视距不相同之物，其一著明，一必隐约，即以一当明视，一成散象故耳。

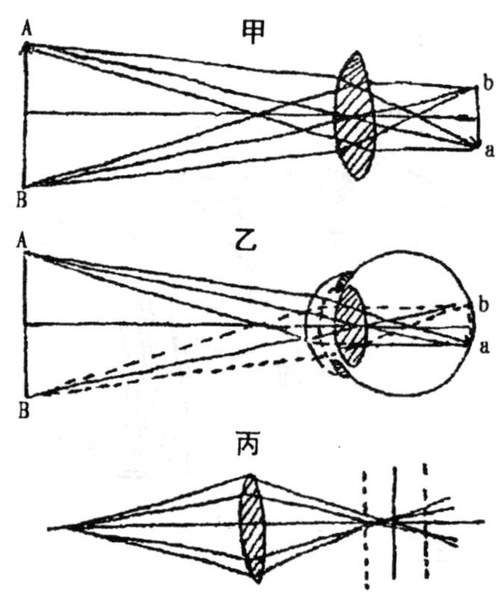

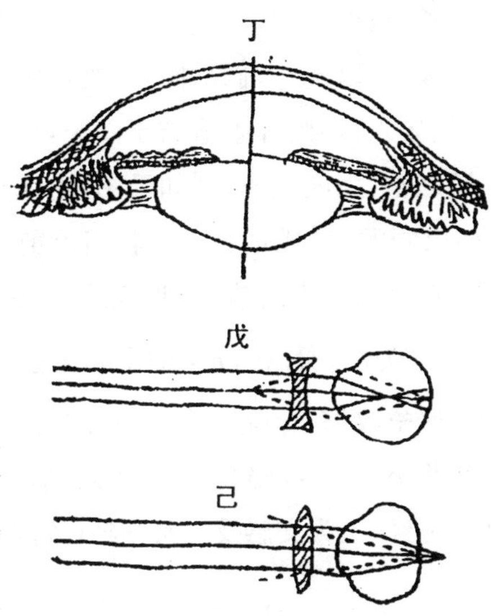

调节 目之明视，恒有定数，较远或较近物体，或莫能审，则有官能，用调节之，使一切物，皆可审辨。其主曰水晶体，此在平时，由毛状小带之掣引，常与波黎体密接，轴亦较短，递视近处之物，则毛状体缩而向前，小带亦弛，水晶体遂以前隆，增长其轴，屈光度大，而物象结于网膜，如是屡变，爰得明视诸物。此他则瞳孔收缩及虹采前行二事，亦辅其成(图丁)。

正视及远近视 明视距离，其界有定，顾亦以人而生差别，名距目极远，尚能明视之极限曰远点；距目至近，尚能明视之极限曰近点。倘在靖时，远点至于无限，远距物体之平行光线，亦能结于网膜，而近点凡五卓尔(华尺约四寸)，则曰正视，倘不能尔，是为远视，或为近视。

近视者，远距之光，靖时不能结于网膜。盖其目睛，缘先天或遗传性，过于修长，故如戊图，光线之来，未达网膜，既已交叉于波黎体，而所见象，遂以恍忽，倘欲匡正，当用陷中灵视，置目睛前，令光扩散，始导入目，则外象适结于网膜，所见始以了然。若其反是，而目睛之轴，为度过短，则如己图，光线集合，在网膜后，所结物象，亦以蒙龙，爰成远视。匡救当反前术，用隆中灵视，集合其光，俾方至网膜，正已结象，则其所见，始明晰焉。

虹采之用 虹采为用，所以遮光，阏阻周围之光，使物明晰。倘其过烈，则轮状肌纟收缩，令瞳孔小，入目之光，遂减其量；假使过晦，则辐射状肌纟收缩，纵瞳孔大，所入之光，量亦遂增。二肌主宰，甲为动眼神经，乙为交感及三叉神经，故撄其一，则瞳孔之变应之。

瞳孔大小，左右常同，又以诸因，而生变化，即仅撄一侧瞳孔，而他侧瞳孔，亦与俱变焉。

（一）光撄网膜，则瞳孔缩，撄视神经亦然。

（二）注视近距之物，则瞳孔缩小以调节之。

（三）虹采充血则缩，贫血则张。

（四）中毒则瞳孔变其状，如服阿忒罗宾（Atrobin）则张，服马菲则缩是。

光觉 光觉在于网膜，其尤要者为圆柱状幺及圆锥状幺，若其无此，即无光觉，盲点是也。

凡视神经纟，决无觉光性，故视神经所入之盲点，不能感光，而感光最敏之黄斑，不存视神经纟。

圆柱及圆锥状幺为状，各如所名，每幺可分二节：耑曰外节，末曰内节。圆柱幺外节，含紫色素，倘遇日光，其色即褪，寇纳

(Kühne) 氏名之曰视紫。视紫遇光，虽即分解，旋复新生。故网膜者，正如干板，视光晦明，能结物象，结象而后，顷刻已消，又生视紫，以为之补，见千万象，无冲突焉。惟视紫为物，虽不存于圆锥状幺，顾黄斑所函，乃悉锥状，其觉最明，则网膜中，自当尚存他种视素，始能如此，然殆无色，故不能详。二幺末耑，则咸与视神经乎相接，故此所变化，即导入脑，至于中枢，复从离心性觉律，返至视官，而见外物。

同强之光，攖目久久，则作用渐弱，而目疲劳，必靖少顷，其力始复。光之生感，亦有一定，倘光线倏忽，为时极短，则网膜得此，或不勃兴。然㸃之如电，人亦能见，则其时不妨至暂，了然可知。又勃兴而后，其象亦不即去，如眙目视日，旋即闭睑，而日之为象，尚在目前，是名残象，生轮之作，本此理也。

色觉 依据力学家言，则光线成因，乃在光原子之波动，其波大小，亦如声波。攖视官而别强弱，动数多少，则犹声音之有高低，来攖视官，爰异色采。譬如日光，为动数殊异之光波多数所合成，入目感白，然使过三棱波黎，则因屈折之度不同，见析为六，遂与人以特别光觉，亦即色觉。其色曰赤、赭、黄、绿、青、紫，是名单色，单色之间，犹有色存，则曰棝色。

六单色中，赤色之屈折度最弱，紫色最强。然赤紫二色前后，实乃犹有光波，特因动数过弱，或则过强，故不能起人视觉，亦如过高或过低之声，不能起人听觉然也。

色觉之理，未能碻知。据扬克 Young 及赫仑霍支 Helenholtz 氏说，则谓网膜所函，有神经乎三种，攖甲则生赤色感，攖乙则生绿色感，攖丙则生紫色感。此三种乎，受色之攖，必为同质，其奋兴之度乃大，如以赤之光波，来撄甲纟，乃大奋兴，倘以撄乙，则其度小，余纟仿之。故色觉之成，当有原觉三种，撄有强弱，而相溷合，爰觉诸色。倘三觉奋兴，强度同一，乃仅觉白色而已。左所列图，即以阐发此理，今更演解，有如下方。

至色觉主官，则当为圆锥状幺，色觉之纟，与相联属，倘三种中，或阙其一，是成色盲。色盲者，为有疾之目。其类凡几：或不感赤，或不感绿，或不感紫，是名偏色盲，而中以不感赤者为最众；倘其一切色采，俱不能感，则视察万有，只见黑白，观采色画，亦如墨描，是名全色盲。

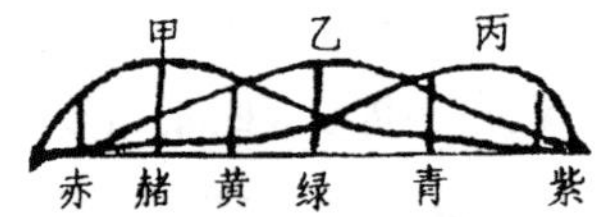

一　赤色觉　撄甲纟最强乙丙纟皆弱
二　赭色觉　撄甲纟最强乙纟较弱丙更逊之
三　黄色觉　撄甲乙纟皆强丙纟较弱
四　绿色觉　撄乙纟最强甲丙纟皆弱
五　青色觉　撄丙纟最强乙纟较弱甲更逊之
六　紫色觉　撄丙纟最强甲乙皆弱
七　白色觉　撄甲乙丙纟强度相同

双目视　视以二目，其益有四：(一)所见者广；(二)网膜造象，成自二发光点，故物之容积；(三)可以察知距离与夫大小；(四)一目缺点，可借他目以补之。

大小之别，主在网膜造象之大小，象大者知大，象小仿之。顾距离不同，则大小常妄，故宜审慎其距而判断之，如月与星，其一例也。

距离之别，主在调节，即劳者为近，逸者为遥。若远近二物，造象于网膜者同大，则据往之经验，以近者为小，而远者为大焉。

单视 凡网膜造象，其数止一，则见物一，二则见二。顾平日视物，左右二目，各结一象，合之成二，而所见物，不觉为复者，缘左右目有符合点，使物体之光，适落于此，则遵离心律，在外见象，适相合符，故觉为一。

实体视 注视实体时，两目所见，实非相同，因目之位，而有微异。如右目所见，必稍偏右；左目所见，必稍偏左，二目合见，始总其全。如实体镜 Stereoscopep，即用斯理，如图有二棱锥体甲乙，置于左右，各稍稍偏，然入境中，二目合视，则左右相合，状遂如丙。

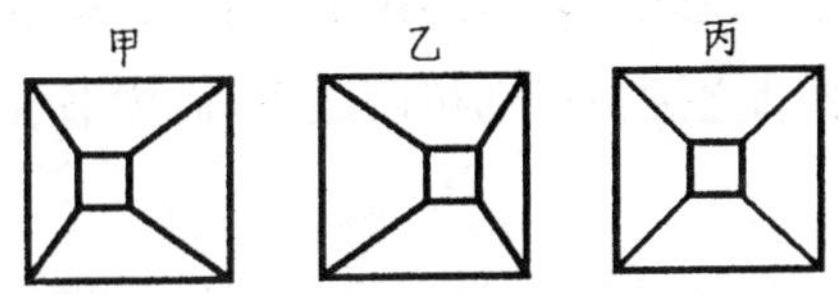

幻视 依目所见，而别大小距离，多缘经验，以及判断，既如前言。故所决定，时有幻妄，如月之初升，与至天半，目之所见，似有大小。盖思想中，谓同一物，远小近大，而仰视天半，颇若远于地平。又月行渐上，终乃孤立，非如在地平时，可与他物，互相比较，故所判断，遂迷误矣。

他若二目所见，有物甲乙，其状全异，不能相容，则当并见二物，或偏见其一，是名视野竞争。如用赤青二色波黎，罩目视物，则所见或为斑赤，或为斑青，其色采不能一定，已而视觉麻痹，外界之物，遂成灰色。

五之三　摄卫

睛在眼窠之中，骨环于外，前则稍隆，可御撞击，表又覆以眼睑，启闭如意，且能反射闭阖，避外物不意之袭来。睑缘有睫毛列于上下以去尘，上复有眉以阻汗，结膜则平泽濡湿，令睛之运动，无所滞著。瞬目屡作，则尘埃既去，而角膜亦因以不干，其天然之摄卫，诚可谓近于美备者矣。

顾人为摄卫，亦非可怠，在先天弱目，尤见其然。譬如撞击敲扑以及外物入目，可不待言，即尘埃烟灰大热冷水以及隙风，亦所当避。又如光线过度，为害亦多，而灿烂之光，撄网膜之力特强者，厥害弥甚，故对日、月、火焰、明镜等发大光耀物，勿应久视，亦不得对极强之光线，作画读书。倘其如是，皆令目弱。若就微光，如黄昏以及昧爽，以治用目之业，结果亦然。此他则以不定之光，如跃动之烛或风动树阴之下，而读书至久，亦令目劳，故所当禁。

目之获疾，亦每因于职业。假使制作精微之品，如描写彫镌，或有光泽，或过暗黑，或发大光，则从事久之，每发目疾，故当时行休养，展视远处暗色物体，或暂易他事，以纾其劳。而所治物体，距目过近，则日久渐为近视，当深懲之。

近视亦为学校病之一，如校室光线，过弱过强，或就坐姿势，不能合法，皆得斯疾。据近年欧土调查结果，则大抵学校愈高，而近视者亦愈众。如德人珂谟言，村小学为一・四％，市小学为六・七％，中学校为一〇・三％，师范学校为一九・七％，高等学校为二六・二％。易言之，即中学校占十分一，师范学校几占其五分一，而高等学校乃越四分一也。

近视之原因及其豫防，要略如次。

原因之主者：(一)读书习字时，目之离案过近，劳调节者久，故目肌疲劳，水晶体渐益硼隆，更推网膜向后，而眼轴遂长于常人；(二)卓倚高卑，不能合度，故读书习字或作画时必屈曲其体，俯首向前，眼窠之内，遂至充血，而目眼受其压迫，渐益以长；(三)读细字书籍过久；(四)在光线不足之处，久劳视力；(五)不眠及目之不洁等，亦间接诱至。豫防之术，乃在审察原因，施行矫正。语其要略，则为：(一)在家庭或学校读书习字时，必当耑坐，体勿前屈，亦勿俯首；(二)卓倚高卑，必使相称；(三)书籍文字，宜择其大，纸勿粗糙，亦勿有光，色则微黄或白；(四)日光须足，而不当令其动摇，入夕明灯，亦复如是。

卓倚之度，与目极相系属，近视而外，亦致他疾，故小学校尤应懲之，揭其要旨如次。

(一)倚之高度，与坐者下腿之长等；(二)倚之广，与坐者上腿之长等；(三)卓倚相差，以坐者耑坐后，两腕适量卓上，而不待肩胛有所低昂为度；(四)卓倚距离，当用无距，或用负距。

目病之中，有传染病，流毒人群，为害亦大，最甚者曰颗粒性结膜炎。是疾初在结膜之上生黄白色椭圆或圆形粒，继而结膜赤肿，泌液体如黏液状，视力稍衰。使数年不治，则结膜因瘢而缩，目遂失其运动，睑软骨曲而向内，睫毛亦然，日撄目睛，厥疾益甚。校中之一人患此，传播及全校者有之，故若未盛，则当禁病者登校，传毒之具，悉取以消毒，并禁取用。若传播已及多人，乃必暂时闭校，待流行稍衰，始复开学，而患者则速就医者理之。

神经系第八

凡神经系，厥类有二：一曰动物性神经系，二曰植物性神经系。如是两系，又析二分：一曰杪末，二曰中枢。中枢云者，实其主分，而末梢则为所分派，此分派物，通称神经。

动物性神经中枢为柔软质，头骨腔及脊髓管即动物性管中，分枝外行，多布于肌以及觉管。布于肌者，受撄则缩，爰生运动，故曰运动神经。布于觉管者，受诸种撄，乃即奋兴，因以生觉，故曰知觉神经：其受质力之撄，能识其性者，谓之通觉神经；惟遇适撄，乃始兴起者，谓之别觉神经。运动及知觉神经二者，盖犹电信，时时往来，甲传内撄，达于杪末，乙传外撄，纳诸中枢，故亦名甲曰求心性神经，乙曰离心性神经。又缘二者皆以脑脊髓为中枢，故亦总称之曰脑脊髓神经系。

植物性神经所在，为植物性管之内，脊柱左右，中枢为神经节，多数相联，有如贯珠，杪末则作伞状，大都分布于内藏及脉。其在脉者，命之缩张，俾有节度，故亦有动脉神经系之名。若所统御，乃为荣养及孳殖二能，于知觉运动，绝无系属，然亦与志及识，善相感应，以其感状，表见于外，故亦谓之交感神经系。

神经形成，本于三质：一曰神经幺，二曰神经伞，三日神经胶质。惟一与二，实其主分，总称之曰诺伦（Neuron），或曰神经元。（一）神经幺形状大小，凡有种种，中函颗粒或色素，复具一核，核中更有微点曰小核，体则有突起外延，或神经纟，名曰轴索。其他复有突起多数，状如树枝，则名之曰形素突起，轴索绵延，长如丝缕，爰成(二)神经纟，外包髓鞘，质如脂肪，时或断而不续，髓鞘之外，又被结缔织膜，处处函核，谓之勖横(Schwann)氏鞘，兼有二鞘者，曰有髓神经，具乙阙甲者曰无髓神经。而神经幺及纟而外，则有(三)胶质为之支柱，成自幺与极微之纟似结缔织之物也。

神经幺为生理之中枢，纟则职司传导，外撄与遇，即以奋兴，将其所受，报告于内，惟荣养失正，则初呈奋兴之状，而久乃衰弱，又断以器械，使不与中枢联续，厥果亦同，顾其后乃入于死。

神经成分，主为蛋白以及脂肪，靖止之时，呈中性或弱亚尔加里性反应，劳作而后，则呈酸性，死后亦然。

第一分　脑脊髓神经中枢部之构造

一之一　脑

脑在头盖腔中，状与骨腔，略相一致，即为椭圆，左右相称。其质柔软，内之质白，名曰白质；外则有灰色质被之，是名灰质。其表被膜三重，自外数之，则一为坚膜，密着于骨，颇厚而强，亦谓之硬脑膜，顾至脊髓，乃以脂肪与骨相间，是为硬脊髓膜；次曰蜘蛛膜，在前者之内面，为质极薄；三曰脉络膜，亦称软膜，直接脑面，与蜘蛛膜共入于回旋及罅隙之中。此诸膜中，有流质少许，往来于脑与脊髓间，则名之曰脑脊髓液。

脑之析分，可得三部：曰大脑，曰小脑，曰延髓。延髓本为脊髓之变形，顾以构造繁复，故亦置诸此分，而说述之。

(1)大脑外面

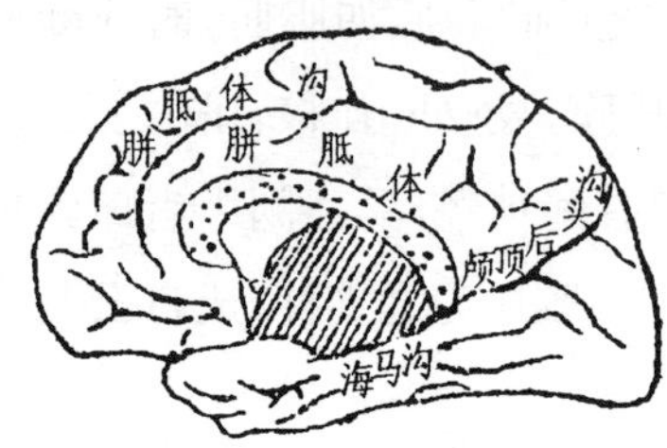

大脑 此为脑之最大分，形略卵圆，其表多见隆起，谓之脑回旋。诸回旋间，多见陷处，谓之脑沟，深者曰主沟，浅者曰副沟。中央有深沟直走，界脑为二，左右相等，是名大脑纵裂。其半脑曰大脑半体，所以结合左右半体者曰胼胝体，而半体大分，则自上及外，覆脑干以及小脑，故亦谓之脑盖。

左右半体，均分三面，曰内、外、下。至大主沟，在于外面，曰什尔雅 Sylvü 氏窝，亦称外沟。次分为二，名直而上升者曰什氏前枝，横走向后者曰什氏后枝。脑在前枝之前，则为前头叶，在后枝上，为颅顶叶，在后枝下，为颞颥叶，此叶深处，更有回旋五六，是为岛叶，或曰雷侠儿之岛。

大亚于外沟者，有中心沟，始自纵裂，至外沟近处而灭，以作前头及颞颥二叶之界。前后更有副沟，谓之前后沟，其回旋曰中心前后回旋。脑之后半，则复有亚于中心沟者一，内面尤显，是称颅顶后头沟，脑在是沟之后者曰后头叶。此他则半体内面上部，即半体与胼胝体间，有胼胝体沟，又其下部，即后头叶与脑干间，有海马沟，皆主沟也。胼胝体为结合左右两半大脑之主部，其夅横走，入于脑中，体之前耑，细如鸟喙，名之曰嘴；次乃顿

(2)大脑内面

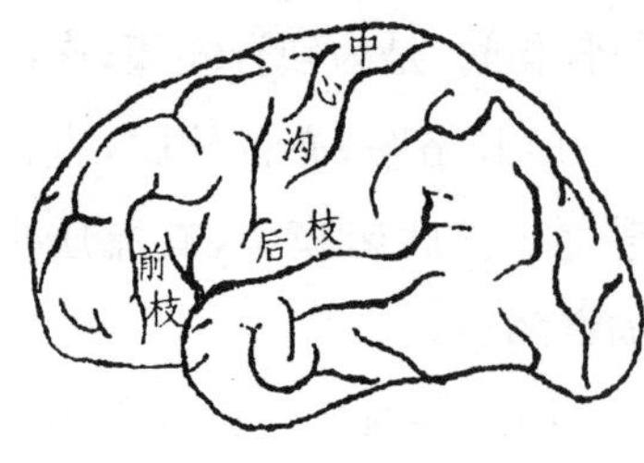

巨，名之曰膝；自膝后行，则谓之曰干；干之下面，廓然而广，爰成苔盖，下覆脑室，后耑翢大，是为副木。胼胝体干之下，有物屈曲，是名穹窿。此二者间，以透明中隔结合之，而穹窿后下，则视神经系在焉，视神经之发原地也。

脑室亦曰脑侧室，由透明中隔界为左右，其中部曰中央室。自此分向三方，伸张为角，是曰前角、后角及下角，后角最小，下角最大。

大脑之质，内白外灰，顾白色质中，亦有灰白色质，是名大脑神经核，一曰尾状核。在脑室之底，白灰二质，互相缭绕，故亦谓之线状核。此核之中，又有小核一列，名之曰卢斯状核。线状物外方，更有一核，为状隘长，曰索状核。

(3)脑之前额断

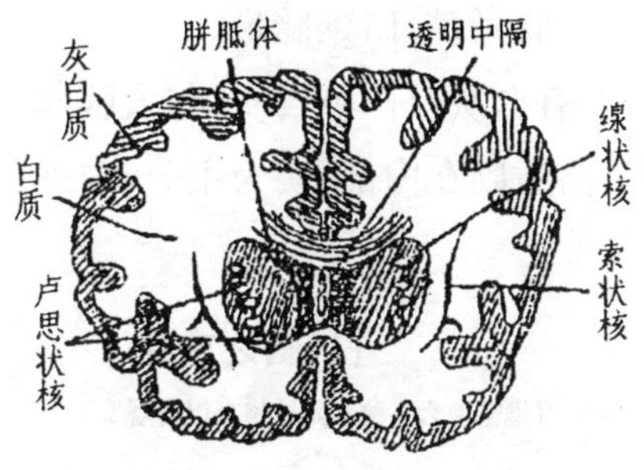

脑干者，成于众糸，其糸来自小脑及延髓，入大脑中。属于此者，有跋罗理氏桥，居延髓及大脑之间，状略隆起，其后与小脑联，成自白质与灰白质，后者成核，谓之桥核。干之上部，则有钝圆隆起一列，厥数凡四，谓之四叠体。是体之下，存一小空，曰什尔维氏导水管，与脊髓之正中管相通者也。

(4)大脑纵断

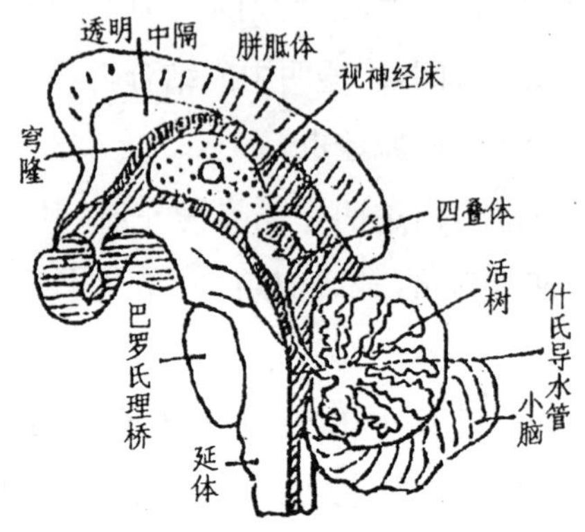

小脑 在大脑后头叶之下，状略椭圆，上耑微隆，谓之上虫；下耑中央，亦复下陷，是名小脑纵裂，裂中有小隆起，谓之下虫。全体分为三叶，又具三足：一联跛罗理氏桥，曰桥足；一联四叠体，曰四叠体足；一联延髓，曰延髓足。

小脑构造，亦有白灰及白色二质，与大脑同。白灰色质居于其表，为质甚菲，白质则在内部，实为主分，向外角张，如枝柯状，是名活树。

(1)脑之末视

(惟略使大小脑与延髓相离以便观览)

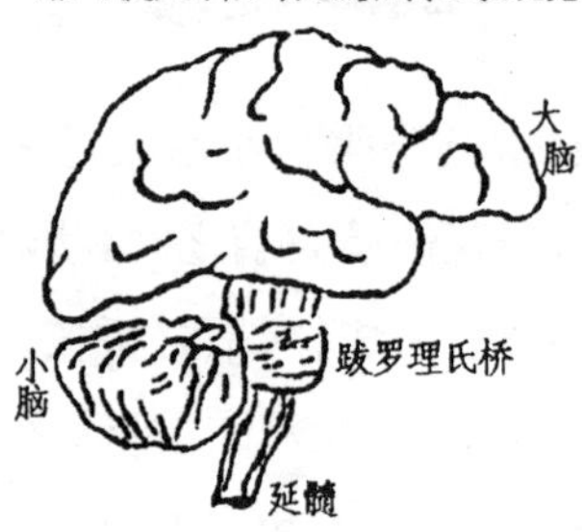

(2)延髓前面

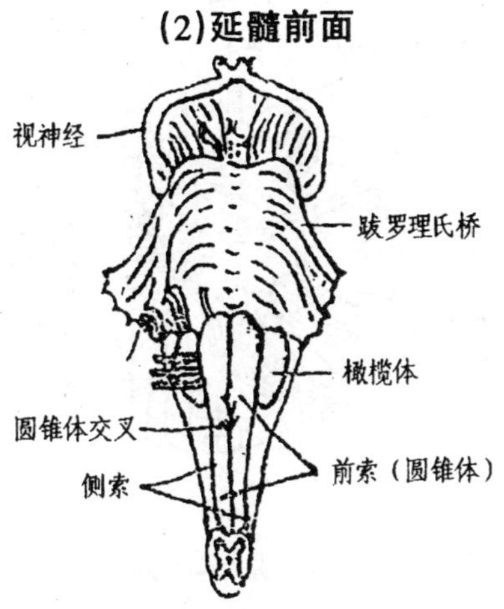

(3)延髓下耑横断

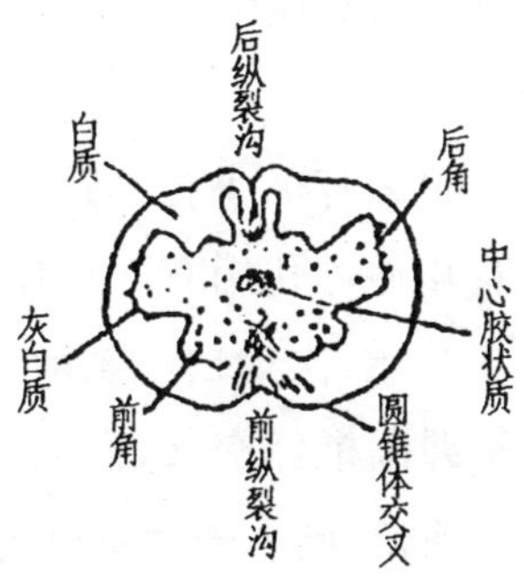

(4)脊髓横断

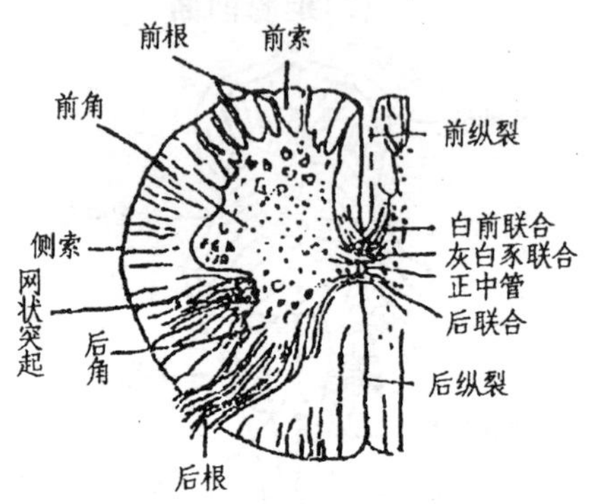

延髓 即脊髓上耑,颇较弸大,与跛罗理氏桥相联。前面中央,具一细沟,曰前纵裂沟,故延髓遂分作左右两半。又因神经根纵裂,分为三束:一曰前束,即圆锥体,束之下半,有神经夊相错,是名圆锥体交叉,上半缀以椭圆小体,是名橄榄体;二曰侧索,在体之左右;三曰后索,则在体之后面者也。后面亦具裂沟,与前面等,曰后纵裂沟。

横断延髓下耑,则中央有极小孔,曰正中管,上联什氏导水管,下与脊髓之同名管相通。孔周有灰白质,略可通光,是名中心胶状质,次为寻常灰白质,次为白质。前纵裂沟与灰白质间,有神经夊左右交互,是即圆椎体交叉,而灰白质则多作突起,角张向外,名向前外者曰前角,向后外者曰后角。

一之二　脊髓

脊髓在脊柱管中,略呈圆形,上接延髓(约以第一头椎为界),下则至于尾骶,全经过中,弸大之处凡二,一曰颈弸大部,二曰腰膨大部，分布于上下支诸神经之发原地也。腰膨大部之下，乃更锐细，是名终末圆锥，毕于第二腰椎骨管中。

脊髓前后，各有裂沟，名之曰前后纵裂。因有此裂，而脊髓遂略分为左右二半，每半更分三束，曰前、后、侧索，与延髓同。前索侧索之间，略陷向内，后索侧索之间亦然，名甲曰前侧沟，乙曰后侧沟，其中央小孔，接延髓之孔而下者，则仍谓之正中管。

脊髓之质，亦为灰白质及白质，惟甲被于外，乙藏于内，与大小脑正反，横断而视其状，见白质如 H 字形，上耑较大，谓之前角，神经夰之自此出者曰前根；下耑修长，谓之后角，神经夰之自此出者曰后根。二角之间，更有小突起多数，交互如网，伸张向外，曰网状突起。

第二分　脑脊髓神经系杪末部之构造

末梢全部，更析为二，名出自脑者曰脑神经，出自脊髓者曰脊髓神经。

二之一　脑神经

凡十二对，咸出自脑及延髓之底，自前列数，则如下方。

(1)齅神经　为别觉神经之一，具求心性，司齅觉，为状本细而膨其耑，自此出小枝多数，名曰齅沫，皆过节骨之孔，入于鼻腔，乃更析分，交互成网状，以分布于鼻中隔及侧壁之黏膜。

(2)视神经　为别觉神经之一，具求心性，司视觉，其经颇粗，外包坚膜曰视神经鞘，起自视神经交叉，过头骨之视神经孔，至于眼窠，更贯白膜与脉络膜，析为细枝，分布于网膜，是为视神经𥿄层(第九层)。

(3)动眼神经　此为纯粹运动神经之一,具离心性,司动眼肌,起于导水管底,贯脑膜而出,以入眼窠,更析二枝,其上枝分布于上直肌及上眼睑举肌,下枝则分布于内直肌、下直肌及下斜肌,又以细枝,走入虹采,而布于虹采中肌𥿄及毛状肌。

(4)滑车神经　此亦为纯粹运动神经之一,具离心性,司动眼肌,为状较细,起于四叠体近处,前走以入眼窠,而布于上斜肌,是肌亦名滑车肌,故神经之名应之。

(5)三叉神经　脑神经中,此为最大,以前后二根,发于跛罗理氏桥之侧。后根较细,司运动,具离心性;前根颇巨,司知觉,具求心性。二根并行,贯脑膜而出。前根乃析为三:名甲曰眼枝,或曰第一枝,更析为之,以分布于(一)前额,(二)毛状体与鼻翼及(三)泪腺;乙曰上颚神经,或曰第二枝,较甲尤巨,更析为二,以分布于(一)眼睑、鼻翼、唇、上颚诸齿及(二)颞颥部、颧部之外皮;丙曰下颚枝,即第三枝,诸分枝中,最大者此,三叉神经之后根,并入其中,故兼运动知觉二性。次复析分,一种为知觉枝,一种为运动枝。知觉枝复别三数:(一)布于齿槽、齿龈、颐之外皮;(二)颞颥外皮、下颚关节、耳翼、鼓膜;(三)舌之黏膜及舌下腺等。运动枝则别为四,布于(一)咬肌,(二)颞颥肌,(三)翼状肌,(四)颊肌及口吻外皮、颊部黏膜等。

三叉神经之三枝,各缀神经节一枝,甲曰毛状神经节,乙曰鼻神经节,丙曰耳神经节。运动及知觉神经之𥿄,时或分于节,乃更分布于他分。

(6)外旋神经　此为纯粹运动神经之一,具离心性,专司运动外直肌，起自跋罗理氏桥之缘，前行入眼窠内，而分布于外直肌。

(7)颜面神经　此为纯粹运动神经之一，具离心性，起自延髓之上外方，与听神经共入内听道，遂分数枝：其布于内者，在鼓室中；其外行者，则分布于颜面肌之大分，及颈肌之一分。

(8)听神经　为别觉神经之一，具求心性，司听觉，起自延髓之上外分，颜面神经之后，与颜面神经偕入内听道，遂分二枝：一布于膜状之半规管，一布于蜗牛壳。

十二对脑神经之所从出

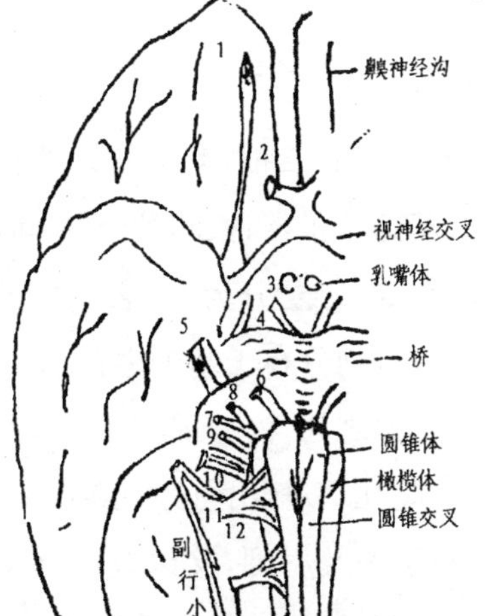

(9)舌咽神经　此兼运动知觉二性，又函别觉性神经𢇁，司味觉，起自延髓之上外方，析为二枝，又以小枝布于鼓室黏膜，主枝之一曰舌枝，二曰咽枝，舌枝终于轮状乳头中，咽枝则分布于咽肌及其黏膜。

(10)迷走神经　此亦兼运动及知觉二性，分布区域，至为广大。起自延髓之上外方，合⺷束一〇至一五而成一干。其经过中，枝别至众，列布于软口盖、咽、食道、喉、气管、心、肺、胃及肝等，又以分泌⺷，赋于所经之诸腺焉。

(11)副行神经　此为纯粹运动神经之一，起自延髓与脊髓间，歧为二枝，一布于匈锁乳头肌，一布于僧冠肌。

(12)舌下神经　此为纯粹运动神经之一，以一〇至一五束，起于延髓前面，橄榄体与锥状体间，已乃合为一干，出头盖腔，更析二枝，布于舌肌。

二之二　脊髓神经

凡三十一对，各以前后二根，起于脊髓之前侧沟及后侧沟。后根颇大，主知觉，基部硼张，曰椎间神经节；前根较小，主运动。二根相合，成神经干。次乃复分为二，名甲曰前枝，布于躯干前部与夫四支；乙曰后枝，则分布于躯干之背部。

脊髓神经可据发原之处，为五部，自上举之则如次。

(1)颈椎神经　此凡八对，出自颈椎各侧，前枝互络，成神经丛。自此出细枝，布于颈及肩胛，又以较巨之干，循腋下及上膊而降，途中多分细枝，布于皮表，干之最末，则止于指耑。

(2)背椎神经　此凡十二对，出自匈椎各侧，布于肋间，名曰肋间神经。上方七对，穿大匈肌，布于匈部之表面；下方五对，则出腹部皮表，分布于斯。

(3)腰椎神经　此凡五对，出自腰椎各侧，互络为神经丛，布于腰部诸肌。又以较巨之干，至于下肢，凡所经过，多分细枝，分布于皮及肌，而杪末则终于趾耑。

(4)荐骨神经　此凡五对，在骨盘之内，以细枝错综交互，成神经丛。自此更出分枝，布于臀部上腰以及孳殖之官。又有巨干，循上腰后侧，经膝膕而下，终于蹠侧趾耑，名曰坐骨神经，人体神经干之最大者也。

(5)尾骶骨神经　在尾骶骨两侧，为极小肢，布于是骨之耑，与夫皮表。

附　交感神经系之构造及官能

构造　交感神经本干，为二索条，在脊柱两侧，自上而下，处处弸大，成神经节。各依位置而与之名，曰颈神经节、背神经节、腰神经节、荐骨神经节及尾骶骨神经节。

此诸神经节，实为中枢，自此更出枝别，其一分与脊髓神经相交通，他之大半，则勾联为神经丛，以分布于脉及内藏，亦依所在而为之名，曰头部、颈部、匈部、腹部及骨盘部交感神经。

官能　交感神经所分布，主在脉及内藏，故所主宰，为荣养孳殖，已言于前，然以与中枢相交通，故亦受其兴奋，以发起运动及分泌，或阻止之。

交感神经与脊髓神经之关系

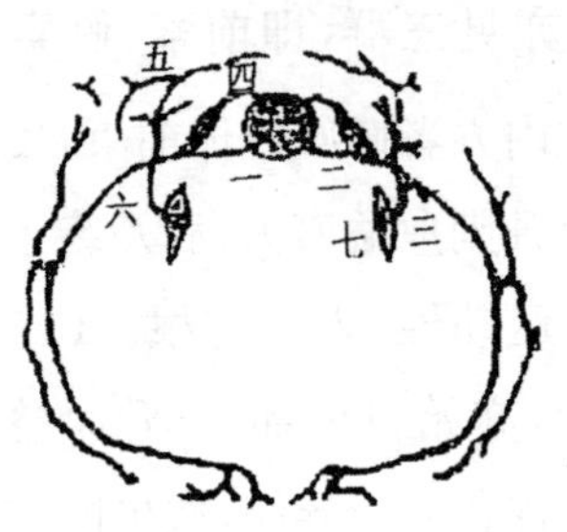

一　脊　髓
二　前　根
三　肋间神经
四　后　根
五　后　枝
六　内藏枝
七　交感神经节

第三分　中枢神经系中神经糸之径路

中枢部成自二质，灰白质多幺，白质多糸，而其诸糸，又相勾联，故神经全系，绝无窒碍之患。其在脑者，略有三群：(一)居同侧半体中，互联邻部，谓之联络糸；(二)自二侧半体至于异侧，最大者为胼胝体，谓之联合糸；(三)自大脑皮质(灰白质)下行以至小脑延髓脊髓诸部，总称之曰放线冠。其诸糸中，要者有四：一曰圆锥体径路，始自中心回旋之皮质，经跋罗理氏桥而入延髓，或圆锥体，已而转入异侧脊髓中，易响之处，则为圆锥体交叉；二曰大脑桥径路，其一分起于前头叶，一分则起于后头叶，各至跋罗理氏桥之桥核，乃与小脑桥径路联，小脑桥径路云者，神经糸之始自小脑皮质而至桥核者也；三曰知觉性径路，始自颅顶叶皮质，降至圆锥体后，乃作交叉，次入脊髓之后索，与索中神经糸联络，爰出后根，溷入知觉神经中，布于诸部；四曰颜面神经及舌下神经之中枢性径路，始自中心回旋之皮质，过脑干以至延髓，与同名之二神经相联。

若在脊髓，则徒目审察，亦见三群，即前索、侧索及后索。顾(一)前索之糸，复为二分，在内方者曰圆锥体前束，发达之度，因人而殊，大抵始自匈部，愈上升则愈益盛大，后乃终于圆锥体；在外方者曰固有前索，其糸有运动性，入于前根。(二)侧索之糸，更析为四：甲曰圆锥体侧索，亦始自匈部，上升而益发达，与圆锥体前索同，比至交叉，其糸遂各入于异侧，次更前进，达大脑皮质而终；乙曰孚微游 Foville 氏索，居甲之外侧，司随意运动，

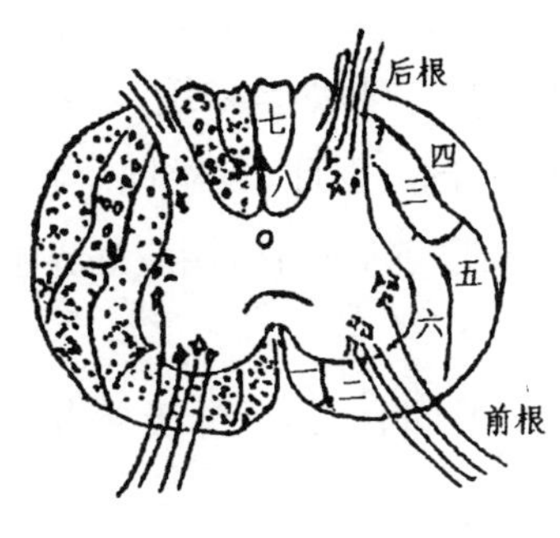

一　圆锥体前索
二　固有前索
三　圆锥体侧索
四　孚微游氏索
五　前外索
六　固有侧索
七　皋尔氏索
八　楔状索

其长亘全脊体，上升入异侧小脑而终；丙曰前外索，亦名格威 Gower 氏索，更在乙前，司知觉，长亦亘全脊髓，上升入延髓而终；丁曰固有侧索，则极细之糸之所凑会者也。（三）后索之糸，亦犹前束，析而为二，在内方者曰皋尔 Goll 氏索，在外方者曰楔状索，二者糸皆上行，终则入于延髓。

第四分　脑脊髓神经中枢部之生理

四之一　作用

精神作用　凡人举手投足，多因意识之力，如是意识，在中枢幺。此幺具固有能力，能自偾兴，次传诸离心性糸，以至外部，俾生动作，是为随意运动。

设体表受撄，则其处之神经杪末，为之偾兴，次由求心性糸，传诸中枢，爰生感觉。故中枢幺，又有特别能力，能知外界之撄。惟有此觉，乃有外界观念，且此观念，又非刹那之间，即归消亡，即于中枢，永久不灭，故人遂以有忆。

中枢之幺，每遇外界事物，既有忆力，则尔后倘逢同一事物，自能征诸前之所忆，而断其性质之同，如是作用，其名曰知。

又中枢幺，既具忆力，则人自可据此，以求同事物之显见于方来，如是作用，名之曰志。若联前后所忆，用应外界事物之变，则名曰才(智)。

凡此诸力，咸为中枢之幺所固有，其显见于外者，则总称之曰精神作用。

反射作用　因知觉性神经而生之运动，曰反射运动。如是动作，不必受意识之命令，而能自行，如操锥刺指，则当方觉未觉之际，指已先退。又用撄性气体，薰人鼻腔，嚏必先作，觉乃与偕。凡此见象，皆应外撄而来，非任人意，故谓之反射作用。

盖外撄频繁，沓来纷至，使尽借精神作用以应之，则不特不胜其烦扰而已，每来一撄，必先辨其撄之性质，次由意识以生动作，故其应之也迟，或且有害于生命，缘此二因，则有反射作用，使外撄之来，不必一一有判别于大脑，仅由知觉性神经糸，导入脊髓灰质中之幺，次即迻入运动性神经糸，爰生动作，以应外撄。故初之待精神而动者，久久益习，则能自行，所谓熟练或习惯者，此也。

顾反射作用，亦能制以意识。苟其立意不动，则伸指触睫，亦不目逃，以手搔肤，可不失笑，是名反射制止机。惟在此机，亦有定限，设外撄过强，或其时过久，则官能遂消。又反射作用中，虽意识所莫能制止者亦有之，如男根勃起、分娩、虹采运动等皆是。

自动作用　人体诸官之中，有不因意识，不根外因，而自动作者，谓之自动作用，有如呼吸，即属斯例。盖中枢幺，具一能力，能自偾兴，令杪末所布之官，自生动作，由生至死，更无休时，且动止有序，无紊乱焉。

传导作用 如第三分所言，诸神经𢆯，互相勾联，故甲之偾兴，可传于乙，是名传导作用。譬如偶逢一撄，则由知觉性神经𢆯，传入反射中枢，更迻入运动性神经𢆯，而动作见于外，惟尔时亦传此撄，至于精神中枢，故反射起时，亦并生觉。

上述作用，非同一中枢，兼有其四，乃各以固有能力，分任其事者也。

四之二　官能

大脑 凡精神作用，咸为大脑所主宰，发育有害，知能必低，倘蒙毁伤，亦复如是。惟仅毁半体，则他之半体，尚能代之；逮毁其全，而所司作用，遂以丧失。

大脑之中枢，要者凡三，皆在皮质如次。

（一）运动中枢　居大脑全表，倘一侧偾兴，则他侧之肌，能生运动，其在前头叶之一分，特名之曰言语中枢，司舌、口及颚诸肌之运动，倘加毁坏，则得失语之疾。

（二）寒热中枢　与运动中枢偕。

（三）感觉中枢　司五官觉：一曰视中枢，在后头叶；二曰听中枢，在颞颥叶；三、四曰鼰中枢及味中枢，在前头叶；五曰触（广谊）中枢，在胼胝体及前后中心回旋之处。倘其某中枢毁，则某觉亡。

小脑 此虽受伤，于觉官知能及精神作用，咸无核碍，惟全身运动，为之不调，步行亦失常度，故调整身体之细致运动，及支持躯干，当属小脑主之。

延髓 此之中枢，可作二类，一为自动，一为反射，亦有统辖脊髓一切之反射者，则曰主中枢。其自动中枢中，于保续生命之要，有出大脑及脊髓右者，今分别记之如下。

自动中枢第一

(1)呼吸中枢　此在小脑与延髓间之菱形窝中，位于下耑，毁之则呼吸止息，生命立殆，故亦谓为主点。而其兴奋，则与血中酸素及炭酸素之函量相关。使酸素极多，炭酸至少，则中枢不为所撄，遂无呼吸；二者不越常量，则呼吸均齐，有如恒态；惟炭酸量多，酸素量少，则呼吸遂频数而艰，久而唫喁，终乃绝息。

(2)心制止神经中枢　偾兴弱则心动为之衰，强则为之止。

(3)心鼓舞神经中枢　偾兴则心搏为之数，而收缩之力亦加强。

(4)动脉中枢　偾兴则动脉收缩，心与静脉，遂以廓张。

(5)张脉神经中枢　官能与(4)正反。

(6)痉挛中枢　延髓贫血或静脉性充血，则撄此中枢，令发痉挛，加以质学及力学之撄亦然。

(7)主发汗中枢　此统御脊髓之发汗中枢者也。

反射中枢第二

(1)闭睑中枢

(2)喷嚏中枢

(3)咳嗽中枢

(4)发声中枢

(5)啜入运动及咀嚼中枢

(6)泌唾中枢

(7)咽下中枢

(8)呕吐中枢

(9)开瞳中枢

(10)主反射中枢　统辖脊髓中一切反射中枢者也。

脊髓　脊髓所存之中枢，厥数凡八，咸有反射作用，即与延髓断绝，亦尚能暂保其官能，惟在健体，乃悉受延髓之主反射中枢所主宰，故亦谓之下级脊髓中枢，其目如次。

(1)散瞳中枢　约在第一至第三匈椎部，暗则偾兴，而瞳孔为之散大；

(2)排矢中枢　约在第五至第六七腰椎部中；

(3)排尿中枢　同前；

(4)勃起中枢　在腰椎部；

(5)射尽中枢　约在第四五腰椎部；

(6)分娩中枢　在第一及第二腰椎部；

(7)脉神经中枢　散在全脊髓中，司脉之收缩与其廓张；

(8)发汗中枢　所在同上。

第五分　脑脊髓神经中枢杪末部之生理

见第二分之一。

第六分　神经系之摄卫

人之所以灵者，耑缘脑及神经与夫五官暨言语之官，善能发达，别具睿智，超于他禽，故能依据旧有，加以薰修，克成事业，他物莫逮。然使训习摄卫，不能合律，或毁损疾病，未能豫防，则上述诸官，即为不豫，而人之睿智，亦沮阏矣。

图神经系之康健者，首重荣养，即消化呼吸等系，咸当检摄，血脉顺遂，空气清新，诸凡要事，已具前分。盖躯体既衰，精神安托，故前言摄卫诸术，于神经一系，实能咸有至大之系属者也。此他则宜视身体之强弱，渐加磨练，与体育同。

凡劳动精神之人，时必有所休息，倘其过剧，则休止之时宜长，睡眠之时宜久。假使不尔，脑乃受过度之撄（如思虑感动，永日不已，或则过强等），终易常度，是成神经衰弱，或为神经过敏，遇事易激，或则易忘，一切精神官能，无不减退。

脑之受撄，除上述之思虑感动，为直达者而外，更有介达者数种，能使其病。介达之道，或因五官及知觉神经（如撄精神过剧之视觉、听觉、严寒、极热等），或因于血（如服麻药、醇酒及过饮浓茶、加非等），此他则打击头部，亦能令脑、脊髓官能为之核碍，成脑或脊髓之震荡症焉。

脑震荡症者，为大脑官能之伤，外见之征，为呕吐、失神、昏睡、脉搏徐缓、呼吸就微及皮肤转成苍白色等；脊髓震荡症则为脊髓官能之核碍，大抵缘脊柱直受撞击，或由四肢与臀部之冲突而生，外见之征，为失觉、失动、遗矢、遗溺、呼吸及心搏之不正、减弱等。又伤时无他，而后日则知觉运动，渐易常态者亦有之。当始发时，宜令安卧，就头部行冰罨术，或视病状，服以亢奋之剂，后急延医，令加治理。

乱服醇酒烟草，甚害神经，常因此发脑充血、脑出血（卒中）

诸疾。若在龆中,厥害尤甚,故有嗜此二品者,必禁绝之。

过剧之寒热,无不害神经系,而小儿为尤,如病感冒,能作神经系统之因,又受酷热,则病中暑,其甚者,或至脑膜炎。

眠 者,即脑之弱度贫血,脑中之血,散逸于外,负荷既减,乃得安谧,故此之于人,实为休养神经系惟一方术。惟其有此,而夙昔劳倦,得以净尽。故眠之时间,当视职业之种类、长短及劳逸而定。约言中数,则成人约七八时间,小儿约十至十六时间。倘就眠,则精神五官及随意运动,莫不停止;而不随意运动,如循环呼吸等,亦略减弱,物质代谢,缓于醒时,吸收酸素之量,亦从而减。假使日间受过强之撄,或入寐而外撄至,则脑之一分,虽息不安,或复奋兴,而梦作焉。

此他要事,为择寝室,一曰宜广,二曰宜安,三曰宜静。此他则空气宜燥,且不得置善于挥发之品(如酒及石油等)。室少户牖,则人不宜多。

Generatio(生殖)第九

第一分　构造

一之一　Organa Genitalia Virilia(男性生殖器官)

Ⅰ. Testis et epididymis(睾丸与附睾)甲之状卵圆,而质柔软,其外被膜,曰白膜,更成襞积,侵入质中,其全体遂受画为多数小叶,名之曰 Lobuli testis(睾丸小叶)。每叶之成,集自细管,亦具曲直,与细尿管同,名前者曰 Tubuli seminiferi contorti(精曲小管),后者曰 T. s. recti(直细精管)。诸管之终,吻合如网,复自此出细管十以至十二,外行至 Epididymis(曲精细管)中,又作回旋,成 Lobuli epididymis(附睾小叶),次又会合,而为一枝,乃迻行为 Ductus spermaticus(输精管)。甲乙二者,咸为细管所集成,故按其性质,实为复腺。曲管构造,成自三层:最外即扁平之幺,次为膜质,内则复层上皮。此上皮幺,靖时形圆,逮夫动作,则见诸相,名其业曰 Spermatogenesis(精子发生)。如是官能,难见于人,至易者莫若鼠,觚验其幺,可得数种,至要者曰 Spermatiden(精子细胞),即形成 Spermatozoon(精子)者也。

自细管所分泌者,谓之 Sperma(精液),呈亚尔加里性,其在 Testis(睾丸)中,质殊浓厚,迨其既出,则溷合 Ductus spermaticus(输精管)及柯贝氏腺、摄护腺等泌分之液,质遂加漓,有形成分,所函止一,即 Spermatozoon(精子),为孳殖之要品,成自三分:上耑为首,中部为体,最终则谓之尾。其首扁平,有如梨实,以 Nuclein(核蛋白质)为质,与核相当;体则自微乑之合成,其外被膜;尾亦如是,性能运动,类于颤毛。

Ⅱ. Ductis spermaticus(输精管)为 Epididymis(曲精细管)之续,长约三〇至四〇生密,自下而升,终至 Vesicula seminalis(精囊)近处,入摄护腺而启口于尿道之后部。

此之构造,凡分三层:内为黏膜,次有肌层,最外则为乑膜。

Ⅲ. Vesicula seminalis(精囊)在旁光之后,直肠之前,左右各一,司泌液体,以漓 Sperma(精液),启口之处,同于前者。

Ⅳ. Urethra virilis(男性尿道)此在第六,已记其略,此当更加诠释者,为可析为三部:一曰摄护腺部,环以同名之腺;二曰膜状部,环以肌肉;三曰海绵体部,则为 Corpus Cavemosum Urethrae(尿道阴茎海绵体)之所绕,柯贝氏腺,启口于是焉。

摄护腺之状,有如栗实,锐耑向下,所泌分者,乃为浆液,柯贝氏腺亦然。

Ⅴ. Penis(阴茎)析为三部:后耑曰 Radix P.(阴茎根),前耑曰 Glans P.(龟头),中央则谓之 Corpus P.(男根)。前耑弸大,旋复小隘,其外多腺,泌分液体,储之隘中,全体覆以外皮,多函色素,凡黄色人,皮常不覆至耑,皙人则否,若其成人而不脱,则谓之 Phimosis(包皮过长)。

构成此者,为海绵体,名之曰 Corpus cavernosum penis(阴茎海绵体),厥数凡二,分居左右,检以显镜,则为极细之弹力乑,布于是者，有动静脉。设在后耑之肌，缩而不弛，则静脉血，不能归流，蕴积海绵体中，爰生勃起。

一之二 Organa Genitalia muliebria（女性生殖器官）

Ⅰ. Ovarium et parovarium（卵巢与卵巢冠）此于孳殖，实为要官，比诸男子，则犹 Testis（睾丸）也。甲之位置，居 Uterus（子宫）两侧，左右各一，形略椭圆，长二·五至五生密，广一至三生密，以系（韧带）与 Uterus（子宫）联，而此及 Tuba uterina（输卵管）之间，则有细管所集成之小体一群，名曰 Parovarium（卵巢冠）。考 Ovarium（卵巢）之构造，实亦一腺，别为三层：首曰白膜，成自结缔织，上被单层圆柱状幺，谓之胚上皮；次曰皮质，与白膜无特别之界；三曰髓质，则纡曲之脉，与无形肌糸所构合也。皮质之中，有小囊多数（在人约三六〇〇〇），成自上皮之幺，谓之滤泡，在皮质外层，则秩然成列，谓之滤泡带，每泡之中，各函 Ovum（卵子），为孳殖要品，与男子之 Spermatozoon（精子）相当者也。

Ovum（卵子）发生，在胚上皮。此上皮中，函有较巨之幺，能渐次浸入皮质，次成丸形，而上皮亦益孳殖，以成复层，所函 Ovum（卵子），终乃偏居一侧。上皮幺外，更有薄膜，中央则见空虚，实以液体，名此丸形者曰滤泡，膜曰滤泡膜，液曰滤泡滴。

Ovum（卵子）亦作圆形，其外被膜，可见细文，曰透明带 Zona pellucida（卵膜）。膜中所有，亦为形素，又具颗粒状物，则曰第二形素，总称之曰 Vitellus（卵黄素）。中央有核，谓之胚泡，核中更具二仁，谓之胚点，常作运动，如阿弥巴然（Nägeli）。

Ⅱ. Tuba Uterina（输卵管）左右各一，与 Uterus（子宫）及

Ovarium(卵巢)相联,Ovum(卵子)之入 Uterus(子宫)。此其道径,一耑向内,启口于 Uterus(子宫)之顶;一耑则启口于腹腔,此耑之缘,甚有隆陷,名曰 Fimbriae tubae(输卵管剪彩)。亦有细长而达 Ovarium(卵巢)者,则谓之 F. ovarica(卵巢韧带),是中十分,长而硼其耑,是为摩尔该尼氏之水泡体 Sinus morgagni。

此之构造,亦分三层,自内数之,则一曰黏膜,次曰肌膜,终曰浆膜。

Ⅲ. Uterus(子宫)位居旁光与立肠之间,状如落苏,上耑硼大,是曰底,中央曰体,下耑狭小,是曰头,突出于 Vagina(阴道)中。正中有孔,谓之 Orificium externum uteri(子宫颈)。本若一字,逮分娩而后,乃成圆形,全部内面,略皆平泽,惟头部稍有襞积,谓之枝状襞积,而顶之两旁,则 Tuba uterina(输卵管)启口之孔在焉。

此之构造,亦分三层:最内为黏膜层,次为肌层,最外则为浆膜。黏膜之中,多函小腺,谓之 Glandulae uterinae(子宫腺),而及头部,则上皮及具毡毛。

Ⅳ. Vagina(阴道)此为纯粹 Copulatio(性交)之官。上耑与 Uterus(子宫)相续,全体虚作管状,微弯如弓,隆部向后,与旁光及直肠,则系以结缔织;下耑辟启,本有薄膜蔽之,是名 Hymen(处女膜),膜上往往有孔,或圆形或如半月,或如筛孔,所以通 Menstruation(月经)者也。

此之构造,亦凡三层:首曰黏膜,表面多具襞积,中不函腺;次曰肌膜,内层轮走,外层直行;终曰奀膜,则为结缔织与弹力奀之所构成。

Ⅴ. Par genitales extemae(普遍的外生殖器)

此之两侧,有大襞积,成自肤革,表具毫毛,内函脂腺,名曰Laium majus pudendi(大阴唇)。而其下面,乃更有较小襞积,谓之L. minus pudendi(小阴唇)。二襞积互于上下,各相联合。乙之上耑,存一小体,谓之Clitoris(阴蒂),亦能勃起,与男子之Corpus cavernosum penis(阴茎海绵体)相当者也。

附:mammae(乳房)。此之位置,在匈骨左右,第三至第四肋间,比至成期,乃顿发达,顾女性为尤著,状约半圆,中央具一突起,谓之乳头 (Papilla mammae),周围有色素沉著,是名乳腺构造。

晕(Areola mammae)。乳腺构造为复胞状腺,数约二十,其输细管,则共启口于乳头,诸腺之间,联以结缔织。倘方有身,或方授乳,则并有脂幺实之,人当有身之终,腺即弸大,腺壁之幺,泌分脂肪,又有卢可企丁,自膝而入腺中,摄取其脂,浮游液内,令其色白,是名乳丸,达授乳之时垂毕,则乳腺萎缩,终乃惟输泻管仅存。若在男子,则无腺旁,第有分岐之输泻管而已。

乳之成分,据区匿Ko′nig氏所析分,(二十次)得中数如次。

水 八七·四一 卵白质 二·二九 脂肪 三·七八 乳糖 六·二一 矿质 〇·三一

第二分 生 理

Generatio(生殖)之官,既臻成熟,则人遂入于成期。是期之初，男约十四以至十六（岁），女则自十三以至十五岁，爰始有Spermatozoon（精子）与夫Ovum（卵子）之泌分，器官亦充血具足，爰起Copulatio（性交）之欲。身体诸部，多见变更，如是官能，女子至五十而衰，而男子乃至于耄耋。

Menstruation（月经）孳殖之官，发育具足，则在女子，乃见Menstruation（月经），每四七日而一至，此Ovum（卵子）已熟，脱离Ovarium（卵巢）之征象也。

滤胞发生，在Ovarium（卵巢）中，比其成熟，大如豌豆，中函Ovum（卵子）及卵白质液体，至于尔时，其量大增，终乃破裂，胞膜亦函脉络，故于脉中之血，两相棝合，并皆外行，且Uterus（子宫）亦复充血，脉之细者，往往绽裂，巨者亦有赤血轮通过管壁，其量极多，缘此数因，则遂有Menstruation（月经）之见象。

滤胞既裂，Ovarium（卵巢）之膜随之，而Tuba uterina（输卵管）之剪彩，时乃向Ovarium（卵巢），以受其Ovum（卵子）。又因管壁之幺，具有颤毛，故赖其运动，得至Uterus（子宫）中，受尽发育。设其不尔，则遂死亡。Fecundation（受精）此之成因，由于遘会，射尽而后，男性之Spermatozoon（精子），乃在孳殖官之一处，与Ovum（卵子）遇，贯入于Uterus（子宫），尔时Ovum（卵子）之膜，突然增厚，形素亦忽收缩，用拒其余，使勿更进，倘尽夅之入，数不止一，则胎儿发育，遂为畸形。

第三分　摄　卫

略

结 论

体温第一

人方生活，必有常温，不因外缘而变，是称体温。其度亦因处所，微见差异：血最高，体腔次之，外皮又次之。测计之处，厥惟腋下，或在口中，以摄氏三十六度五分至三十七度五分为常数。

变动 体温常数，时亦变动，列举其要，则如下方。

一 因于时 午后四时最高，清晨及夜半最低。

二 因于食 进食而后，体温常升，设其饥饿，则温度渐降，至摄氏二十度，乃遂死亡。

三 因于年 赤子最高，老人较低。

四 因于时 劳作方中，或精神感动，皆使之增，温浴、饮酒而后，皆使之减。

发生 此之由来，可别为二：一曰质学作用，二曰力学作用。

一 质学作用 凡有物质，与酸素化合，则曰酸化，亦名燃烧。而人所饮食荣养之品，析为元素，要不过三，曰水素、淡素、炭素，若至要之酸素，则因呼吸，取诸气中。四者在腠理之内，爰生变化，脂肪及函水炭素，遇酸素为水及炭酸，卵白则成尿素，当此质变之际，即生体温，而硫成硫酸，磷成磷酸，亦作之助。

按：据力学家言，凡力不能骤生，必有所本。如一物质，不动不变，而究其实，乃有力存，是名能力。倘燃烧后，此力遂变，是称活力，爰以生温。人类食品，皆具能力，遇得酸素，则受其酸化，转成活力，即为体温。故言体温之原，当在食品与呼吸之酸素。

二 力学作用　内藏及肌肉之运动，亦能生温。如血之循环，历受抵抗，呼吸之际，空气出入，肋骨上下，及肌腱与骨节之互相摩擦皆是。又胃肠运动，亦复有温，第其温度，甚微小耳。

调节　人之体温，既不因外缘而生差，则自必别有机能以调节之，其略如次。

一 发生之调节

（甲）体外过寒，则生温多，呼出炭酸之量增，而所需酸素，量亦益大。

（乙）外皮遇冷，则肌肉发随意及不随意（战栗）运动，促生体温。

（丙）温度升降，每影响于食品，如届严冬，或居寒地，则常感饥，且需多食脂肪之属，而夏日及热地则反之。

二 放散之调节

（甲）体温上升，则皮肤之脉张，皮作赤色，使善导热，偕以发汗，逮其蒸发为汽，乃遂挟热，与之俱行；倘其下降，则脉遂缩，使其体温，少所放失，而皮表之色，于以转苍。

（乙）心之收缩，能驱血至于皮表，令放其温，故心动亢进，则血之环流次数为之增，而体温放失，亦加其量。

（丙）体温过高，则呼吸数，当吸气时，虽因空气摩擦，略能增温，顾当呼息，则水汽挟温，与之外行，复能催促循环，使益迅速。

（丁）寒地动物，皮下每具极厚脂肪层，以遏体温，使少放失，而居热带者不然。

此他体温放散，亦因姿势，猬缩则减，伸展则增。倘其体温发生，忽失常度，或调节官能，不能健康，则体温顿升，是为发热，当制止其发生，或促放散以治之。

人类体温，调节至适，既如前言，顾外界温寒，转变亦剧，爰乃不能不假他质为之辅，而古人衣室之制，于是昉矣。

衣 食品酸化，乃生体温，衣以保之，使勿妄耗。而热之散失，每缘三因：一曰放射，二曰传导，三曰蒸发。衣服当具之道，即系于斯。

（一）质多气孔，使内外换气，不疾而徐，盖衣之为用，非禁止体温，俾弗放失，惟在抑留长久，节其消耗，故质疏多孔者，既能收汗，又复函空气甚多，适于蔽体。毛布最上，棉布次之，而麻布所宜，乃独炎夏，若夫罗谷锦绣，则仅修饰而已。

（二）空气之往来频而疾，则能导热，使之散亡，倘蔽体以衣，则空气出入，仅由小孔，温之散失，亦因以徐，然使密塞不通，乃复有害。

（三）人体之表，恒泻水气炭酸，故衣之为质，既需与外气隔，又需与外气通，导输泻品，宣之于外，复宜有吸水性，其湿其燥，皆甚徐徐。此性毛布最上，棉布次之，与第一事同。若麻与绢，则沁水极速，气孔俄顷即塞，能阻蒸发，燥亦极速，能夺体温，故衣此而不慎慭者，每罹感冒之疾。

通观上述之事，可知衣之为用，非能生温，而在留发生之体温，使勿顿散，故衣不宽博，及质地致密，皆不宜于人。

衣之色采，亦与体温相属。收热之力，白色最少，黑色最多；然反射光线之力，则白色最多，黑色最少，故白色宜于夏，黑色宜于冬。

衣之寒燠，当视习惯，亦因年龄，然言通理，则大抵上部可寒，下部宜暖。首已有发，无假及冠，颈在动时，勿用棉领，此他隘窄之衣，虽为时样，然甚有害于摄卫，勿御可也。

夜卧之衣，厥惟衾褥。人当眠时，体温略降，脑亦稍稍贫血，故衾褥宜温于衣，使体温放失，为时益徐，又引血下行，俾脑休息。其表里所宜，为棉与麻，常需洗涤，毋使垢污，至塞气孔，而所夹之棉，则以干燥洁净，多具空气者为最适。

室 室者，所以御风雨，防寒暑，人居其中，得以安定。约言之，即以此作人为之气候，使勿受外界之变者也。当慎之事，大凡有三：一曰屋材，二曰空气，三曰日光。

（一）屋材最要，在于通气，次为导温。通气之力，大者为善，石最上，木与土次之，宜作室壁。通气之力小者，可葺为盖，茅最善，顾以能然，遂鲜见用，多用板或瓦作之。

（二）室中空气合生物呼出之气，久则污浊，故宜易之。易气之法，天然者为风，常时则有气体交流作用，人为者其术有几，如暖炉及风轮皆是。使室有湿气，则至害人，此之由来，多自地面，若四壁濡湿，则空气出入，受其阻碍，而易气为之不良。

（三）室中之光，宜甚明晰，在昼有日，夜则用灯，色以白者为适，余所当慎者，略如下方。

一 光量宜大，然不可灿烂夺目。

二 光原不宜极热，令室增温。

三 光线不可动摇。

四 所生气体，令室中空气变恶者，所不当用。

代谢第二

生活 绪论尝言，人体本柢，实始于幺，幺合为膆，膆合为官。体之诸官，各有作用，施行不止，爰始有生，而作用之来，则赖酸化。如举手投足，或设想用思，则所司之官，其一分必有酸化与分解之事。故生象之见，分解随之，既有分解，自生废品，废品留于体内，是以害生，故人体遂不能无所输泻，既分解输泻矣，爰乃自生不足，当有新质，用补其虚，而始取食品，即荣养之要，遂由是起焉。

代谢 代谢者，即合上述荣养、酸化、输泻三事而言。人之方生，刻不止歇，而体温亦随属之。人体为物，譬如流水，流虽长存，水乃常易，所谓交臂成故者也。区别代谢，可得八级如次。

（甲）荣养

一 食品之食素，转化于消化系中。

二 食素之已质变者，被收入脉，因血之循环，遂遍布于体之诸部。

三 全体诸官之膆，乃由淋巴液之媒介，取其养分，纳诸幺中。

四 幺得养分，乃用以生长孳殖，以补膆之所不足。

（乙）酸化

五 空气中之酸素，因呼吸而入肺胞。

六 通过胞壁，以至毫管，亦因血之循环，遍布于体之诸部。

七 全体诸官之腠，亦由淋巴液之媒介，取其酸素，酸化分解，以生活力，与夫体温。

（丙）输泻

八 已分解之腠，复借淋巴液之媒介，返而入脉，函于血中，至输泻之官，出于体外，自肾为尿，自皮为汗，而自肺则为呼出之气。

腠既分解，因生不足，当有饮食，以弥补之，爰有所觉，谓之饥渴。饥者，胃中方空，黏膜生变，因由神经，传诸脑中，使其荣养，无有疏失；而渴者，则口腔干燥，软口盖继之，因由神经，传入脑中所生之感也。

代谢盛衰 以代谢譬诸经济，正复相同，荣养为收入，输泻为支出。少之时，荣养之作用盛，收入之量，多于所出，故能用其养分孳生新幺，令其身体，日益发育，是为生长。逮至成年，出入之量，殆相等一，新幺、新腠虽亦生长，而仅作补分解之阙，故骨心肺等要官不更增大，即荣养偶或有余，亦不过益其脂肪与肌肉之量，是谓之肥。使其反是，支出之量，多于收入，则本有之腠渐减，是谓之腴。若夫老人，则其幺与腠，生育皆衰，支出之量，必超于收入，身体因是渐益衰耗，终乃死亡。

通言摄卫第三

个人摄卫　以一个人，自图体力之茁壮，防疾病于未萌，致意于饮食衣室以至动止起卧者谓之。若在平时，通言要略，实止二事：一曰洁净，即体之诸官，毋使蒙垢，倘其不洁，则作用渐滞，终乃毁伤，故附体之物，咸当湔濯，并屡曝诸日光之中，俾所著微菌，不能繁生；二曰运动，此之为事，不徒能发达肌骨而已，且亦能盛大其代谢官能，令体长健，故当勉行，惟勿越度，作而至劳，爰乃休息，使体中废品，得以排除。日中作劳，晚必晏息，劳精神身体者愈剧，则晏息之时宜愈多，惟起卧之时，当立定限，朝气常新，暮气常浊，夙兴早卧，摄卫之通则也。

若如前言，摄卫无怠，全体之官壮而官能全，则曰健康；体之一分，觉其异常，或某官能，见有障碍，则曰疾病。疾病之原，大要有几：或缘器械之力，如挫折创伤；或缘寒温之变，如感冒及呼吸器病；又或缘荣养不良，劳作过甚，及服烟草、醇酒、毒物或败肉、馁鱼之属，则人体为之衰弱易常，能招他病之发生，或与病菌以寄生之机会。

未病之前，宜慎豫防，已言于前，既病而后，则当治理。首需反省，平时何事，背于摄卫，逮知其故，即迁改之。次宜服药，用图止病，惟药之为物，非能除病，仅能遏止或促进体之某官，令其官能，或增或减，逮生体作用，复其常度，则曰病瘳。故不善摄卫，而托命于药石者，揆诸学理，正如南行而辕北向者也。

病之痊否，多视体质。设有病菌，寄生于人，若其质弱，无抵抗力，则菌盛人衰，终至于死；若其质强，则卢可企丁，食菌令绝，或在体中，别生物质，曰反毒素，力能抗毒，并灭病菌，而此物物质，亦能长留。自此而后，则此种病菌，即入人体，莫能寄生，是称免疫质，如中国之痘，既出而后，多不更生，即斯理也。

公共摄卫 在行政权范围以内，维持社会摄卫者谓之。顾其基本，在于个人，若譬国家于人体，则个人正如一幺，幺而不健，体奚能壮？故政家立制而善，个人所当遵行，同一心力，俾群安善，当行之事，略如下方。

一 关于食品者，则设水道，使全群所饮，无有不洁。又巡饼饵、果实、鱼肉诸肆，检其商品，倘有不良，即禁发售。

二 关于家室道路者，宜开沟渠，以宣污水。又运尘埃污物，勿积于市，定制造场等之地，俾勿以有害气体，弥漫市中，且设公园，令市民劳作之余，怡神于此。

三 关于豫防传染病者，为公众卫生首要，凡最险之疾，如霍乱、赤痢、黑疫、痘疮等，时或流行，则当急施遏止及扑灭之术：(一)有人物自病源地来，则行检疫及消毒；(二)普行洒扫及免疫(如痘)之制；(三)纳病人于一定之医院，病家邻近，当绝交通，而病人所用什物、衣服及输泻品，则并施消毒，此法常用日光蒸汽，或以石炭酸、升汞水及石灰乳洒之。

附录：

生理实验术要略

一　骨之有机及无机成分

切兽骨作细片。煮之。则胶质出于水中。所余者为无机成分。或煆去其有机分亦可。用磷盐酸。浸骨片于中。历数日。则无机分溶解。所余者为有机成分。

二　横纹肌之纹

取肌束一。切去其腱。次去肌膜。用针徐徐分析。逮得极细之糸。乃就显镜(三百倍)检之。无纹肌亦然。

三　食素检出术

(一)卵白质　加密伦氏液。则呈赤色。(密伦氏液制法用汞一克。溶解于硝酸二克。次加水一倍。以漓薄之。)或先加苛性钾水溶液。次注入极薄之硫酸铜水溶液。则呈紫色。

(二)含水炭素

甲溶蒲陶糖于水。加菲林氏液。则呈赭色。(菲林氏液制法。(一)硫酸铜二五克。加水一〇〇克。(二)酒石酸钠一克。苛性钠〇·四克。加水一〇〇克。次取(一)一立方生密。(二)二·五立方生密。混合之即成。)

乙取蔗糖溶解于水。加硫酸少许。即成蒲陶糖。可用前术试之。

丙取淀粉入水中。注入碘之酒精溶液。则呈蓝色。

四　唾之糖化作用

取淀粉和水。纳试管中。煮令成糊。注以碘液。即呈紫色。次又加水令薄。滴入唾液少许。置四十度温水中。当见紫色渐褪。若注入菲林氏液。即呈蒲陶糖之反应。

五　胃液之卵白消化作用

煮卵白令凝。切作立方形。投人工胃液(取市肆所售沛普旬二五克。加盐酸一〇克。水二五〇〇克即成)中。加温(摄氏三十六、七度)至数十分时。当见立方之角。渐益浑圆。知已成沛普敦。溶解于液。故加密仑氏液。则呈赤色。

六　膵液之糖化作用

取兽膵。置空气中一日。即浸于四十%之酒精中。数日后。滴以无水酒精。则其 steapsin，ptyalin，trypsin 皆沈淀。是名 Pankreatin。可用此试淀粉之糖化。术与第四则同。

七　膵液之脂肪分解作用

用中性脂肪。(用肆中所售之阿列布油。加重土水。煮之令沸。逮冷。即浸诸以脱。数日以后。以脱中已函中性脂肪。可蒸发以脱而得之。若普通之脂肪。则其中已函脂酸。故不堪用。)加 Panpreatin。并插入青色试纸。则脂肪分解。成格里舍林及脂酸。故试纸转为赤色。

八　血之固体及液体成分

用新血入波黎管中。外围以水(马血则不需此)。靖立良久。血汁及血轮二者。即渐离析。

九　⺈素

用新血入皿中。急搅以箸。则纤素渐多。绕于箸耑。所余者为血清。不能凝固。纤素虽作赤色。以水涤之。即成纯白。

十　血轮

（一）赤血轮　作〇・六五％之食盐水。滴于左手无名指背侧之耑。取锐针贯水刺之。则血出即入水中。不触空气。乃置玻黎片上。以显微镜检之。当见其浮游液中。均作镜状。次加水令淡。则展为板状。加盐令浓。则收缩如荔支。

（二）白血轮　用极细波黎管。吸入新血。吹酒镫之火。封其两耑。就显镜检之。

十一　血之循环

用薄板或原纸一枚。大如掌。一侧作一小孔。次以 Chloroform 醉蛙（须二十分时。或用针破其小脑亦可）。令卧于板。剖腹展其肠间膜。蒙于孔上。四围固定以针。（或树刺）。令不皱缩。乃就显镜视之。可见循环之状。赤血轮在中央。白血轮则循管壁。倘历时久。则宜略润以水。俾勿干。

十二　呼出之气内含炭酸

用新制石灰水。（旧者不可用。制法为浸生石灰于水。少顷。取上部之澄明者纳瓶中。加盖待用。）置器中。又取波黎管一。一耑入水。一耑衔于口吹之。则澄明之水。即变白如乳。成炭酸石灰。[$(HO)_2Ca+CO_2 = CO_3Ca+H_2O$]

十三　生物失空气则死

取鼠或小鸟入排气钟内。去其空气验之。

十四　脑及脊髓之作用

用以脱醉蛙。取锯切开头骨。去其大脑。置半身于水。察其举止。当见姿势不失。此他器官。亦无障碍。而意志已亡。任置何处。决不自动。惟反其身。令腹向上。或直接加撄。乃运动耳。

次去其小脑及延髓。则姿势顿失。呼吸亦止。然以脊髓尚在。故取火焚其足。则举足以避。或用醋酸滴于肤。亦举足欲除去之。此其反射作用也。

次更以针纵贯脊髓。则上述作用。一切俱亡。(然因神经及肌肉未能即死。故直接加撄。亦尚呈反应。特甚微耳。)

小说史大略

本书为鲁迅1920年8月起在北京大学、北京高等师范学校(后称北京师范大学)、世界语专门学校、北京女子高等师范学校(后改称北京女子师范大学)等校讲授中国小说史课程时的讲义,共17篇,当时为油印本,由北京大学国文系教授会印发,是《中国小说史略》的雏形。作者后来的《中国小说史大略》和《中国小说史略》就是在这个基础上完成的。本书据1981年4月陕西人民出版社出版的《鲁迅小说史大略》排印。

史家对于小说之论录　小说史大略一

汉孝武建藏书之策，置写官，诏刘向校经传、诸子、诗赋，向辄条其篇目，撮其指意，录而奏之。向卒，哀帝复使其子歆卒父业。歆于是总群书而奏其《七略》。《七略》今亡，班固作《汉书》，删其要为《艺文志》。《汉书·艺文志》所录小说，有十五家：

《伊尹说》二十七篇。（其语浅薄，似依托也。）

《鬻子说》十九篇。（后世所加。）

《周考》七十六篇。（考周事也。）

《青史子》五十七篇。（古史官记事也。）

《师旷》六篇。（见《春秋》，言其浅薄，本与此同，似因托之。）

《务成子》十一篇。（称尧问，非古语。）

《宋子》十八篇。（孙卿道："宋子，其言黄老意。"）

《天乙》三篇。（天乙谓汤，其言者殷时，皆依托也。）

《黄帝说》四十篇。（迂诞依托。）

《封禅方说》十八篇。（武帝时。）

《待诏臣饶心术》二十五篇。（武帝时。师古曰，刘向《别录》云："饶，齐人也，不知其姓，武帝时待诏，作书，名曰《心术》。"）

《待诏臣安成未央术》一篇。（应劭曰，道家也，好养生事，为未央之术。）

《臣寿周纪》七篇。（项国圉人，宣帝时。）

《虞初周说》九百四十三篇。（河南人，武帝时以方士侍郎，号黄车使者。应劭曰：其说以《周书》为本。师古曰，《史记》云："虞初，洛阳人。"即张衡《西京赋》"小说九百，本自虞初"者也。）

《百家》百三十九卷。

右小说十五家，千三百八十篇。

小说家者流，盖出于稗官，（如淳曰："稗，音锻家排九章，细米为稗，街谈巷说，甚细碎之言也。王者欲知闾巷风俗，故立稗官，使称之。今世亦谓偶语为稗。"师古曰："稗音稊稗之稗，不与锻排同也，稗官小官。汉名臣奏，唐林请省置吏，公卿大夫，至都官、稗官，各减什三是也。"）街谈巷语，道听途说者之所造也。孔子曰："虽小道，必有可观者焉，致远恐泥，是以君子弗为也。"然亦弗灭也，闾里小知者之所及，亦使缀而不忘，如或一言可采，此亦刍荛狂夫之议也。

《汉书》所录十五家，至梁仅存《青史子》一卷。及隋，《青史子》亦佚尽。唐修《隋书》，小说之著录于《经籍志》者，《燕丹子》而外，无晋以前书，而所论列仍袭班固之说。

《燕丹子》一卷。（丹，燕王喜太子，梁有《青史子》一卷。又《宋玉子》一卷，《录》一卷，楚大夫宋玉撰。《群英论》一卷，郭颁撰。《语林》十卷，东晋处士裴启撰，亡。）

《杂语》五卷。

《郭子》三卷。（东晋中郎郭澄之撰。）

《杂对语》三卷。

《要用语对》四卷。

《文对》三卷。

《琐语》一卷。（梁金紫光禄大夫顾协撰。）

《笑林》三卷。（后汉给事中邯郸淳撰。）

《笑苑》四卷。

《解颐》二卷。（杨松玢撰。）

《世说》八卷。（宋临川王刘义庆撰。）

《世说》十卷。（刘孝标注，梁有《俗说》一卷，亡。）

《小说》十卷。（梁武帝勅安右长史殷芸撰梁目三十卷。）

《小说》五卷。

《迩说》一卷。（梁南台治书伏倕撰。）

《辩林》二十卷。（萧贲撰。）

《辩林》二卷。（席希采撰。）

《琼林》七卷。（周兽门学士阴颢撰。）。

《古今艺术》二十卷。

《杂书钞》十三卷。

《座右方》八卷。（庾元威撰。）

《座右法》一卷。

《鲁史欹器图》一卷。（仪同刘徽注。）

《器准图》三卷。（后魏丞相士曹行参军信都芳撰。）

《水饰》一卷。

右二十五部，合一百五十五卷。

小说者，街谈巷语之说也，《传》载舆人之诵，《诗》美询于刍荛，古者圣人在上，史为书，瞽为诗，工诵箴谏，大夫规诲，士传言而庶人谤；孟春，徇木铎以求歌谣，巡省，观人诗以知风俗，过则正之，失则改之，道听途说，靡不毕纪，周官诵训掌道方志以诏观事，道方慝以诏避忌，以知地俗，而职方氏掌道四方之政事与其上下之志，诵四方之传道而观其衣物是也。孔子曰：“虽小道，必有可观者焉，致远恐泥。”

宋刘昫等修《唐书》，其《经籍志》，以唐之《古今书录》为本，与《隋书·经籍志》无甚异。

《鬻子》一卷。（鬻熊撰。）

《燕丹子》一卷。（燕太子撰。）

《笑林》三卷。（邯郸淳撰。）

《博物志》十卷。（张华撰。）

《郭子》三卷。（郭澄之撰贾泉注。）

《世说》八卷。（刘义庆撰。）

《续世说》十卷。（刘孝标撰。）

《小说》十卷。（刘义庆撰。）

《小说》十卷。（殷芸撰。）

《释俗语》八卷。（刘齐撰。）

《辨林》二十卷。（萧贲撰。）

《酒孝经》一卷。（刘炫定撰。）

《座右方》三卷。（庾元威撰。）

《启颜录》十卷。（侯白撰。）

欧阳修等修《唐书·艺文志》中小说一类，六朝人之著作大增。此诸小说者，《隋书》及刘昫《唐书》多在史部杂传类，至是乃以虚妄而黜之。

《燕丹子》一卷。（燕太子。）

邯郸淳《笑林》三卷。

裴子野《类林》三卷。

张华《博物志》十卷。（《隋志》在子部杂家。）

又《列异传》一卷。(《隋志》《旧唐志》作，魏文帝撰，在杂传。)

贾泉注《郭子》三卷。(郭澄之。)

刘义庆《世说》八卷，又《小说》十卷。

刘孝标《续世说》十卷。

殷芸《小说》十卷。

刘齐《释俗语》八卷。

萧贲《辨林》二十卷。

刘炫《酒孝经》一卷。

庾元威《座右方》三卷。

侯白《启颜录》十卷。

《杂语》五卷。

戴祚《甄异传》三卷。

袁王寿《古异传》三卷。

祖冲之《述异记》十卷。

刘质《近异录》二卷。

干宝《搜神记》三十卷。

刘之遴《神录》五卷。

梁元旁《妍神记》十卷。

祖台之《志怪》四卷。

孔氏《志怪》四卷。

荀氏《灵鬼志》三卷。(以上十部，《隋志》《旧唐志》并在史部杂传。)

谢氏《鬼神列传》二卷。(《旧唐志》在杂传。)

刘义庆《幽明录》三十卷。

东阳无疑《齐谐记》七卷。

吴筠《续齐谐记》一卷。(以上三部《隋志》《旧唐志》皆在史部杂传。)

王延秀《感应传》八卷。

陆果《系应验记》一卷。(以上二部《隋志》在子部杂家,《旧唐志》在史部杂传。)

王琰《冥祥记》十卷。

王曼颖《续冥祥记》十一卷。(以上二部《隋志》《旧唐志》并在史部杂传。)

刘沫《因果记》十卷。(《旧唐志》在杂传。)

颜之推《冤魂志》三卷。(《隋志》《旧唐志》俱在杂传。)

又《集灵记》十卷。

《征应集》二卷。(此二部《旧唐志》在杂传。)

侯君素《旌异记》十五卷。(《隋志》《旧唐志》俱在史部杂传。下略)

清乾隆中,撰《四库全书总目提要》分小说为三派。

(上略)迹其流别,凡有三派:其一、叙述杂事;其一、记录异闻;其一、缀缉琐语也。唐宋而后,作者弥繁,中间诬谩失真,妖妄荧听者,固为不少;然寓劝戒,广见闻,资考证者,亦错出其中。(中略)今甄录其近雅驯者,以广见闻,惟猥鄙荒诞,徒乱耳目者,则黜不载焉。

《西京杂记》六卷。《世说新语》三卷。(后略)

右小说家类杂事之属。

《山海经》十八卷。(晋郭璞注。)

《穆天子传》六卷。(晋郭璞注。)

《神异经》一卷。(旧本题汉东方朔撰。)

《海内十洲记》一卷。(同上。)

《汉武故事》一卷。(旧本题汉班固撰。)

《汉武帝内传》一卷。(同上。)

《汉武洞冥记》四卷。(旧本题后汉郭宪撰。)

《拾遗记》十卷。(秦王嘉撰。)

《搜神记》二十卷。(旧本题晋干宝撰。)(中略)

《还冤志》三卷。(隋颜之推撰。)(后略)

右小说家类异闻之属。

《博物志》十卷。(旧本题晋张华撰。)

《述异记》二卷。(旧本题梁任昉撰。)(后略)

右小说家类琐语之属。

《山海经》旧皆隶史部地理。《穆天子传》隶起居注。至是又以神怪恍忽而黜之,其说云:

书中(指《山海经》)序述山水,多参以神怪。(中略)按以耳目所及,百不一真,诸家并以为地理书之冠,(中略)实则小说之最古者尔。

《穆天子传》旧皆入《起居注》类,徒以编年纪月,叙西游之事,体近乎《起居注》耳。实则恍忽无征,又非《逸周书》之比,以为古书而存之可也,以为信史而录之,则史体杂,史例破矣。今退置于小说家,义求其当,无庸以变古为嫌也。

至于唐之传奇体记传,宋以来之诨词小说,史志皆不取,盖俱以猥鄙荒诞而见黜也。

神话与传说　小说史大略二

凡民族，当草昧之时，皆有神话。神话言天地之所由创成与神祇之情状，即原始宗教信仰矣。而天地创成，则为神话之根基。

> 天地混沌如鸡子，盘古生其〔中〕，万八千岁。天地开辟，阳清为天，阴浊为地，盘古在其中，一日九变，神于天，圣于地。天日高一丈，地日厚一丈，盘古日长一丈，如此万八千岁，天数极高，地数极深，盘古极长。后乃有三皇。（《艺文类聚》一引徐整《三五历纪》）

> 天地，亦物也。物有不足，故昔者女娲氏练五色石以补其阙，断鳌之足以立四极。其后共工氏与颛顼争为帝，怒而触不周之山，折天柱，绝地维，故天倾西北，日月星辰就焉；地不满东南，故百川水潦归焉。（《列子·汤问》）

神话稍演进，乃渐近于人间，谓之传说。传说或言神性之人，或言英雄殊异之事。

> 尧之时，十日并出，草木焦枯。尧命羿仰射十日，中其九，乌皆死，堕羽翼。（《淮南子》）

> 羿请不死之药于西王母，垣娥窃之奔月宫。（同上）昔尧殛鲧于羽山，其神化为黄熊，以入于羽渊。（《春秋·左氏传》）

中国之神话与传说，散见于古籍，而《山海经》中特多。《山海经》今所传者十八卷，记山川异物及祭祀所宜，实古巫书也，然秦汉人亦有增益。其最广知于世者,为昆仑与西王母。

昆仑之丘,是实惟帝之下都,神陆吾司之,其神状虎身而九尾,人面而虎爪。是神也,司天之九部及帝之囿时。(《西山经》)

玉山,是西王母所居也。西王母其状如人,豹尾虎齿而善啸,蓬发戴胜,是司天之厉及五残。(同上)

洞庭之山,……帝之二女居之,是常游于江渊,澧沅之风,交潇湘之渊。是在九江之间,出入必以飘风暴雨。(《中山经》)

昆仑之墟方八百里,高万仞;上有木禾,长五寻,大五围,面有九井,以玉为槛;面有九门,门有开明兽守之。百神之所在。在八隅之岩,赤水之际,非仁羿莫能上。(《海内西经》)

西王母梯几而戴胜杖,其南有三青鸟,为西王母取食,在昆仑墟北。(《海内北经》)

大荒之中有山,名曰丰沮玉门,日月所入。有灵山,巫咸、巫即、巫朌、巫彭、巫姑、巫真、巫礼、巫抵、巫谢、巫罗,十巫从此升降,百药爰在。(《大荒西经》)

西海之南,流沙之滨,赤水之后,黑水之前,有大山,名曰昆仑之丘。有神人面虎身有尾皆白处之。其下有弱水之渊环之。其外有炎火之山,投物辄然。有人戴胜虎齿,有豹尾,穴处,名曰西王母。此山万物尽有。(同上)

西南海之外,赤水之南,流沙之西,有人珥两青蛇,乘两龙,名曰夏后开。开上三嫔于天,得《九辩》与《九歌》以下。(同上)

晋太康二年，汲县民不准盗发魏襄王冢，得竹书《穆天子传》五篇，又杂书十九篇。《穆天子传》今存，凡六卷；前五卷，记周穆王驾六骏而西征之事，后一卷记盛姬卒于涂次以至反葬，盖杂书之一也。传亦言见西王母。

> 吉日甲子，天子宾于西王母，乃执白圭玄璧以见西王母。好献锦组百纯，□组三百纯，西王母再拜受之。□乙丑。天子觞西王母于瑶池之上。西王母为天子谣，曰："白云在天，山陎自出，道里悠远，山川间之，将子无死，尚能复来。"天子答之曰，"予归东土，和治诸夏，万民平均，吾愿见汝，比及三年，将复而野。"天子遂驱升于弇山，乃纪丌迹于弇山之石，而树之槐，眉曰西王母之山。（卷三）

> 有虎在乎葭中。天子将至。七萃之士高奔戎请生捕虎，必全之，乃生捕虎而献之。天子命之为柙而畜之东虞，是为虎牢。天子赐奔戎畋马十驷，归之太牢，奔戎再拜𩒨首。（卷五）

《周书》虽为虞初小说所本，而今本《逸周书》中，惟《克殷》《世俘》《王会》《太子晋》四篇，记述颇近夸饰，类于传说。汲冢所出周杂书，惟《吕望表》引数句，甚似小说，然他文佚散，无以定之。

> 文王梦天帝服玄禳以立于令狐之津。帝曰，"昌，赐汝望。"文王再拜稽首，太公于后亦再拜稽首。文王梦之之夜，太公梦之亦然。其后文王见太公而训之曰，"而名为望乎？"答曰，"唯，（义按以上二十二字，原脱，据《史略》补。）为望。"文王曰，"吾如有所见于汝。"太公言其年月与其日，且尽道其言，

“臣以此得见也。”文王曰，“有之，有之。”遂与之归，以为卿士。（晋立《太公吕望表》石刻，以东魏立《吕望表》补。）

屈原《天问》中，亦多神话传说。

“夜光何德，死则又育？厥利惟何，而顾菟在腹？”“鲧何所（“所”字原脱，据《史略》补）营？禹何所成？康回凭怒，地何故以东南倾？”“昆仑县圃，其尻安在？增城九重，其高几里？”“鲮鱼何所？鬿堆焉处？羿焉彃日？乌焉解羽？”“启棘宾商，九辩九歌，何勤子屠母，而死分竟地？”

王逸曰，“屈原放逐，彷徨山泽，见楚有先王之庙及公卿祠堂，图画天地山川神灵琦玮诡佹及古圣贤怪物行事，……因书其壁，何而问之。”是知传说不特流传人口，且用以为文饰矣。其流风至汉不绝，墟墓间犹有神祇怪物之图。晋得汲冢书，郭璞注其《穆天子传》，又注《山海经》作赞，然则知神异之说，亦甚风行。然自古以来，终无荟萃为巨作，如希腊史诗者。

故中国之神话与传说，至今仅有丛残之文。说者谓此其故有二：一、华夏之民，先居黄河流域，颇乏天惠，其生也勤，故重实际而非玄想，不能集古传以成大文；二、孔子出，以修身齐家治国等实用为教，不欲言鬼神，太古荒唐之说，俱为儒者所不道，故其后不特无所光大，而又有散亡。

然按其实，或当在神鬼之不别。天神地祇人鬼，古者虽若有辨，而人鬼亦能为神祇。人神淆杂，则原始信仰无由蜕尽，原始信仰存，则类于传说之言，日出而不已，而旧有者于是如故，亦于是散亡。

吴王夫差杀伍子胥，煮之于镬，盛以囊投之江，子胥恚

恨，临水为涛溺杀人。(《论衡》)

蒋子文，广陵人也，嗜酒好色，佻挞无度；常自谓骨青，死当为神。汉末为秣陵尉，逐贼至锺山下，贼击伤额，因解绶缚之，有顷遂死。及吴先主之初，其故吏见文于道……谓曰："我当为此土地神，以福尔下民，尔可宣告百姓，为我立庙；不尔，将有大咎。"是岁夏，大疫，百姓辄相恐动，颇有窃祠之者也。(《搜神记》)

世有紫姑神，古来相传，云是人家妾，为大妇所嫉，每以秽事相次役，正月十五日感激而死。故世人以其日作其形，夜于厕间或猪栏边迎之。(《异苑》)

汉艺文志所录小说　小说史大略三

《汉志》所录小说十五家，依名推案，假托古人者七，记事者二，皆不言何时作，明著汉代者四家，《未央术》与《百家》虽亦不云何时人作，而依其次第，当为汉人。

《汉志》道家有《伊尹》五十一篇，今佚。《伊尹说》无遗文。《吕氏春秋·本味篇》述伊尹以至味说汤，语颇浅薄，或出于小说。

《汉志》道家有《鬻子》二十一篇，今仅存一卷，从《群书治要》写出也。他书所引逸文，有一事与今本《鬻子》颇不类，或非道家书。

> 武王率兵车以伐纣，纣虎旅百万，阵于商郊，起自黄鸟，至于赤斧，走如疾风，声如振霆。三军之士，靡不失色。武王乃命太公把白旄以麾之，纣军反走。（《文选》李善注及《太平御览》三百一）

青史子不知何时人，其书在隋已佚。《史通》云："《青史》由缀于街谈"者，盖意测也。遗文今存三事。

> 古者胎教，王后腹之七月而就宴室，太史持铜而御户左，太宰持斗而御户右，太卜持蓍龟而御堂下，诸官皆以其职御于门内。……太子生而泣，太史吹铜曰，"声中某律。"太宰曰，"滋味上某。"太卜曰，"命云某。"然后为王太子悬弧之礼义。……（《大戴礼记·保付篇》，《贾谊新书·胎教十事》）

古者年八岁而出就外傅(舍),……束发而就大学,……居则习礼文,行则鸣佩玉,升车则闻和鸾之声,是以非僻之心无自入也。……(《大戴礼记·保付篇》)

鸡者,东方之牲(畜)也,岁终更始,辨秩东作,万物触户而出,故以鸡祀祭也。(《风俗通义》八)

《虞初周说》几及千篇,而今皆不传。晋唐人书引《周书》者,有三事与今《逸周书》不类,朱右曾疑是《虞初说》。

岎山,神蓐收居之。是山也,西望日之所入,其气圆,神经光之所司也。(《太平御览》三)

天狗所止地尽倾,余光烛天为流星,长十数丈,其疾如风,其声如雷,其光如电。(《山海经》注十六)

穆王田,有黑鸟若鸠,翩飞而跱于衡,御者毙之以策,马佚,不克止之,蹶于乘,伤帝左股。(《文选》李善注十四)

其他皆不可考。唯宋子名钘,亦见《庄子》,《孟子》作宋牼,《荀子》引子宋子曰,“明见侮之不辱,使人不斗”,则“黄老意”也。

《隋志》之《燕丹子》今尚存。虽不见于《汉志》,而审其文词,当是汉以前书。其书三篇,记太子丹质于秦以至荆轲刺秦王不中而止。孙星衍以为略与《左氏》《国策》相似,学在从横小说之间也。

燕太子丹质于秦,秦王遇之无礼,欲求归,秦王不听,缪言:“令乌白头,马生角,乃可许耳。”丹仰天叹,乌即白头,马生角。秦王不得已而遣之,为机发之桥,欲陷丹,丹过之,桥为不发,夜到关,关门未开,丹为鸡鸣,众鸡皆鸣,遂得逃归。……

暨樊将军得罪于秦，秦求之急，乃来归太子。太子为置酒华阳之台，酒中，太子出美人能琴者，轲曰："好手，琴者。"太子即进之。轲曰："但爱其手耳。"太子即断其手，盛于玉槃奉之。……

秦王发图，图穷而匕首出，轲左手把秦王袖，右手椹其胸，数之曰："足下负燕日久"云云。秦王曰："今日之事，从子计耳，乞听琴声而死。"召姬人鼓琴，琴声曰："罗縠单衣，可掣而绝；八尺屏风，可超而越；鹿卢之剑，可负而拔。"轲不解音，秦王从琴声，负剑拔之，于是奋袖超屏风而走。轲拔匕首擿之，决秦王耳；入铜柱，火出然。秦王还断轲两手，轲因倚柱而笑，箕踞而骂，曰："吾坐轻易，为竖子所欺，燕国之不报，我事之不立哉！"

今所见汉小说　小说史大略四

今所谓汉人小说中，称东方朔撰者二。

（一）《神异经》一卷，大略仿《山海经》，惟略于山川道里而详于异物，间有嘲讽之辞。其文有重复者，盖尝散佚，后人抄类书复作之。

> 南方有肝𪎊之林，其高百丈，围三尺八寸，促节，多汁，甜如蜜。咋啮其汁，令人润泽，可以节蚘虫。人腹中蚘虫，其状如蚓，此消谷虫也，多则伤人，少则谷不消。是甘蔗能灭多益少，凡蔗亦然。（《南荒经》）
>
> 西南荒中出讹兽，其状若菟，人面能言，常欺人，言东而西，言恶而善。其肉美，食之，言不真矣。（言食其肉，则其人言不诚。）一名诞。（《西南荒经》）
>
> 西北有兽焉，状似虎，有翼能飞，便剿食人，知人言语，闻人斗辄食直者；闻人忠信辄食其鼻；闻人恶逆不善辄杀兽往馈之，名曰穷奇，亦食诸禽兽也。（《西北荒经》）
>
> 昆仑之山有铜柱焉，其高入天，所谓天柱也，围三千里，周圆如削。下有回屋，方百丈，仙人九府治之。上有大鸟，名曰希有，南向，张左翼覆东王公，右翼覆西王母；背上小处无羽，一万九千里，西王母岁登翼上，会东王公也。（《中荒经》）

（二）《十洲记》一卷，记汉武帝闻祖洲、瀛洲、玄洲、炎洲、长洲、元洲、流洲、生洲、凤麟洲、聚窟洲等十洲于西王母，乃延东方朔问其所在及所有之物名，亦颇仿《山海经》。

玄洲在北海之中，戌亥之地，方七千二百里，去南岸三十六万里。上有太玄都，仙伯真公所治。多丘山，又有风山，声响如雷电，对天西北门。上多太玄仙官宫室，宫室各异。饶金芝玉草。乃是三天君下治之处，甚肃肃也。

征和三年，武帝幸安定。西胡月支献香四两，大如雀卵，黑如桑椹。帝以香非中国所有，以付外库。……到后元元年，长安城内病者数百，亡者大半。帝试取月支神香烧之于城内，其死未三月者皆活，芳气经三月不歇，于是信知其神物也，乃更秘录余香，后一旦又失之。……明年，帝崩于五柞宫，已亡月支国人鸟山震檀却死等香也。向使厚待使者，帝崩之时，何缘不得灵香之用耶？自合殒命矣！

《汉书·朔传》赞云，“朔之诙谐逢占射覆，其事浮浅，行于众庶，儿童牧竖，莫不眩耀，而后世好事者因取奇言怪语附著之朔。”则汉世于朔，已多坿会之谈。二书文词华丽，盖出伪托，而《隋志》已著录，齐梁文人亦引为故实。则造作当在晋宋时。《神异经》虽多神仙家言，然文思较深茂，或是文人所为。《十洲记》浅薄，观其记月支反生香，及篇首云，“方朔云：臣，学仙者也，非得道之人，以国家之盛美，将招名儒墨于文教之内，抑绝俗之道于虚诡之迹，臣故韬隐逸而赴王庭，藏养生而侍朱阙。”则方士藉以震眩流俗，且自解嘲之作而已。称班固撰者二：

（一）《汉武帝故事》一卷，记孝武生于猗兰殿至崩葬茂陵杂事，且下及成帝时。时有神仙怪异之言。《隋志》著录二卷，不云班固作,晁公武《郡斋读书志》说:“唐张柬之书《洞冥记》后云,《汉武故事》,王俭造也。”

帝以乙酉年七月七日生于猗兰殿,年四岁,立为胶东王。数岁,长公主抱置膝上,问曰,“儿欲得妇不?”胶东王曰,“欲得妇。”长主指左右长御百余人,皆云不用。末指其女问曰,“阿娇好不?”于是乃笑对曰,“好。若得阿娇,当作金屋贮之也。”长主大悦,乃苦要上,遂成婚焉。

上尝辇至郎署,见一老翁,须鬓皓白,衣服不整。上问曰,“公何时为郎? 何其老也?”对曰,“臣姓颜名驷,江都人也,以文帝时为郎。”上问曰,“何其老而不遇也?”驷曰,“文帝好文而臣好武,景帝好老而臣尚少,陛下好少而臣已老:是以三世不遇。”上感其言,擢拜会稽都尉。

七月七日,上于承华殿斋,日正中,忽见有青鸟从西方来。上问东方朔,朔对曰,“西王母暮必降尊像上。”……是夜漏七刻,空中无云,隐如雷声,竟天紫色。有顷,王母至,乘紫车,玉女夹驭;戴七胜;青气如云;有二青鸟,夹侍母旁。下车,上迎拜,延母坐,请不死之药。母曰,“……帝滞情不遣,欲心尚多,不死之药,未可致也。”因出桃七枚,母自啖二枚,与帝五枚。帝留核著前。王母问曰,“用此何为?”上曰,“此桃美,欲种之。”母笑(曰),“此桃三千年一著子,非下土植也。”留至五更,谈语世事而不肯言鬼神,肃然便去。东方朔于朱鸟牖中窥母。母曰,“此儿好作罪过,疏妄无赖,久被斥退,不得还天,然原心无恶,寻当(得)还,帝善遇之!”母既去,上惆怅良久。

(二)《汉武帝内传》一卷，亦记孝武初生至崩葬事，而于王母降特详。文辞虽繁丽而浅薄，事则本《十洲记》及《汉武故事》，可知造作更在二书之后矣。

> 到夜二更之后，忽见西南如白云起，郁然直来，径趋宫庭，须臾转近。闻云中箫鼓之声，人马之响。半食顷，王母至也。县投殿前，有似鸟集，或驾龙虎，或乘白麟，或乘白鹤，或乘轩车，或乘天马，群仙数千，光耀庭宇。既至，从官不复知所在，唯见王母乘紫云之辇，驾九色斑龙。别有五十天仙，……咸住殿下。王母唯扶二侍女上殿。侍女年可十六七，服青绫之袿，容眸流盼，神姿清发，真美人也！王母上殿，东向坐，著黄金褡襹，文采鲜明，光仪淑穆，带灵飞大绶，腰佩分景之剑，头上太华髻，戴太真晨婴之冠，履玄璚凤文之舄，视之可年三十许，修短得中，天姿掩蔼，容颜绝世，真灵人也！
>
> 王母自设天厨，珍妙非常，丰珍上果，芳华百味，紫芝萎蕤，芬芳填樏。清香之酒，非地上所有，香气殊绝，帝不能名也。……酒觞数遍，王母乃命诸侍女王子登弹八琅之璈，又命侍女董双成吹云和之笙，石公子击昆庭之金，许飞琼鼓震灵之簧，婉凌华拊五灵之石，范成君击湘阴之磬，段安香作九天之钧，于是众声澈朗，灵音骇空，又命法婴歌玄灵之曲。(《太平广记》卷三所引)

宋时，虽云《汉武故事》"世言班固造。"(晁氏说)而《内传》尚不题撰人。至明始并称班固作，盖以固名重，因依托之。

又有《汉武洞冥记》四卷，题后汉郭宪撰。全书六十则，皆言神仙道术及远方珍异之事。

黄安，代郡人也，为代郡卒，……常服朱砂，举体皆赤，冬不著裘，坐一神龟，广二尺。人问，“子坐此龟几年矣？”对曰，“昔伏羲始造网罟，获此龟以授吾；吾坐龟背已平矣。此虫畏日月之光，二千岁即一出头，吾坐此龟，已见五出头矣。”……（卷二）

天汉二年，帝升苍龙阁，思仙术，召诸方士言远国遐方之事，唯东方朔下席操笔跪而进。帝曰，“大夫为朕言乎？”朔曰，“臣游北极，至种火之山，日月所不照，有青龙衔烛火以照山之四极。亦有园圃池苑，皆植异木异草；有明茎草，夜如金灯，折枝为炬，照见鬼物之形。仙人宁封常服此草，于夜暝时，转见腹光通外，亦名洞冥草。”帝令锉此草为泥，以涂云明之馆，夜坐此馆，不加灯烛；亦名照魅草；以藉足，履水不沉。（卷三）其所以名《洞冥记》者，序云：

汉武帝明俊特异之主，东方朔因滑稽以匡谏，洞心于道教，使冥迹之奥，昭然显著。今籍旧史之所不载者，聊以闻见，撰《洞冥记》四卷，成一家之书，庶明博君子，该而异焉。

此书称郭宪作，始于宋人《目录》，《旧唐书》亦然，则所据之《古今书录》亦如此。然《隋志》但云郭氏，无名。六朝人虚造神仙家书，每好称郭氏，殆以影射郭璞，故有《郭氏洞冥记》、有《郭氏玄中记》。《玄中记》今佚。审其遗文，亦与《神异经》相类。

葛洪《抱朴子·内篇三》云：

故太丘长颍川陈仲弓，笃论士也，撰《异闻记》云，郡人张广定者，遭乱避地，有女年四岁，不能步涉。……村口有古大冢，先有穿穴，以器盛缒之下，此女于冢中以数月许，干饭及水浆与之而舍去。候世平定，其间三年，广定得还乡里。……往视女，故坐冢中，见其父母，犹识之，喜甚。而父母初疑其鬼也，入就之，乃知不死。问从何得食？女言，“粮初尽时，甚饥，见冢角有一物，伸颈吞气，试效之，转不复饥，日月为之，以至于今。”……广定索女所言物，乃是一大龟耳。女出食谷，初小腹痛，呕逆，久许乃习。

陈实未闻撰《异闻记》，此一则又甚似方士常谈，疑亦假托。葛洪虽去汉未远，而溺于神仙，故其言亦不足据。至于杂载人间琐事者，有《西京杂记》，本二卷，今六卷者，宋人所分析也。末有葛洪跋，言“其家有刘歆《汉书》一百卷，考校班固所作，殆是全取刘氏，小有异同，固所不取，不过二万许言。今钞出为二卷，以补《汉书》之阙。”然《隋志》尚不著撰人，至《旧唐书》始云葛洪撰，则此跋或是唐时增益？书之所记，如黄省曾序言：“大约有四：则猥琐可略，闲漫无归，与夫杳昧而难凭，触忌而须讳者。”然文笔可观，段成式《酉阳杂俎·语资篇》云，“庾信作诗，用《西京杂记》事，旋自追改曰，‘此吴均语，恐不足用。’”虽无显证，终为近似矣。

司马相如初与卓文君还成都，居贫愁懑，以所著鹔鹴裘就市人阳昌贳酒，与文君为欢。既而文君抱颈而泣曰，“我平生富足，今乃以衣裘贳酒！”遂相与谋，于成都卖酒。相如亲著犊鼻裈涤器，以耻王孙。王孙果以为病，乃厚给文君，文君遂为富人。文君姣好，眉色如望远山，脸际常若芙蓉，肌肤柔滑如脂，十七而寡，为人放诞风流，故悦长卿之才而越礼焉。……

郭威，字文伟，茂陵人也，好读书，以谓《尔雅》周公所制，而《尔雅》有"张仲孝友"，张仲，宣王时人，非周公之制明矣。余尝以问杨子云，杨子云曰，"孔子门徒游夏之俦所记，以解释六艺者也。"家君以为《外戚传》称"史佚教其子以《尔雅》"，《尔雅》，小学也。又记言"孔子教鲁哀公学《尔雅》"，《尔雅》之出远矣，旧传学者皆云周公所记也，"张仲孝友"之类，后人所足耳。

尉陁献高祖鲛鱼荔枝，高祖报以蒲桃锦四匹。

枚皋文章敏疾，长卿制作淹迟，皆尽一时之誉，而长卿首尾温丽，枚皋时有累句，故知疾行无善迹矣。杨子云曰，"军旅之际，戎马之间，飞书驰檄用枚皋；廊庙之下，朝廷之中，高文典册用相如。"

又有《飞燕外传》一卷，记飞燕姊妹故事，题"汉伶玄撰"，似唐人所为。有汉《杂事秘辛》一卷，记汉桓帝懿德后被选及册立事。杨慎序云，"得于安宁士知州万氏。"沈德符云，"即慎所伪作也。"

六朝之鬼神志怪书(上)　小说史大略五

秦汉以来，神仙之说本盛行，汉末又大行鬼道，而小乘佛教亦流入中国，日益兴盛。凡此，皆张皇鬼神，称述怪异，故汉以后多鬼神志怪之书。

《隋志》有《列异传》三卷，魏文帝撰，今佚。历来文籍颇多称引，故犹得见其遗文，正如《隋志》所言，“以序鬼物奇怪之事”者也。惟中有甘露年间事，在文帝后，或后人有增益，或撰人是假托，皆不可知。新旧《唐志》皆以为张华撰，亦别无显证，然裴松之《三国志注》，郦道元《水经注》皆已引用，则为魏晋人作无疑也。

> 黄帝葬桥山，山崩无尸，惟剑舄存。(《太平御览》六百九十七)
>
> 南阳宗定伯年少时，夜行逢鬼，问曰，“谁?”鬼曰，“鬼也。”鬼曰，“卿复谁?”定伯欺之，言“我亦鬼也。”鬼问，“欲至何所?”答曰，“欲至宛市。”鬼言“我亦欲至宛市。”共行数里，鬼言“步行大亟，可共迭相担也”。定伯曰，“大善。”鬼便先担定伯数里，鬼言，“卿大重，将非鬼也?”定伯言，“我新死，故重耳。”定伯因复担鬼，鬼略无重。如是再三。定伯复言，“我新死，不知鬼悉何所畏忌?”鬼曰，“唯不喜人唾。”……行欲至宛市，定伯便担鬼至头上，急持之。鬼大呼，声咋咋索下。不复听之，径至宛市中，著地化为一羊。便卖之。恐其

便化，乃唾之，得钱千五百。（《太平御览》八百八十四《法苑珠林》六《太平广记》三百二十一）

神仙麻姑降东阳蔡经家，手爪长四寸。经意曰，“此女子实好佳手，愿得以搔背。”麻姑大怒。忽见经顿地，两目流血。（《太平御览》三百七十）

武昌新县北山上有望夫石，状若人立者。（相）传云，昔有贞妇，其夫从役，远赴国难，妇携幼子，饯送此山，立望而形化为石。（《太平御览》八百八十八）

张华在晋世有博闻多识之称，尝“捃采天下遗逸，自书契之始，考验神怪，及世间闾里所说，造《博物志》四百卷，奏于武帝”，（王嘉《拾遗记》卷九说）帝令芟截浮疑，分为十卷。其书今存，记异境奇物及古代琐闻杂说，颇芜陋，盖由后人缀辑，非其原书。今所存汉至隋小说，大抵此类。

新蔡干宝字令升，元帝时，以著作郎领国史，迁散骑侍郎。宝撰《晋记》，又尝感于其父婢死而再生之事，遂撰集古今灵异神祇人物变化之事，作《搜神记》，以“发明神道之不诬”。（自序中语。）今存二十卷，亦非原本，怪异变化之外，亦记神仙五行，又偶有释氏说。

崔文子者，泰山人也，学仙于王子乔。乔化为白蜺而持药与文子。文子惊怪，引戈击蜺，中之，因堕其药。俯而视之，王子乔之尸也。置之室中，覆以敝筐，须臾化为大鸟，开而视之，翻然飞去。（卷一）

汉下邳周式，尝至东海，道逢一吏，持一卷书，求寄载。行十余里，谓式曰，“吾暂有所过，留书寄君船中，慎勿发之！”去后，式盗发视，书皆诸死人录，下条有式名。须臾吏还，式犹视书。吏怒曰，“故以相告，而忽视之！”式叩头流血，良久，吏曰，“感卿远相载，此书不可除卿名，今日已去，还家三年勿出门，可得度也。勿道见吾书！”式还，不出已二年余，家皆怪之。邻人猝亡，父怒，使往吊之，式不得已，适出门，便见此吏。吏曰，“吾令汝三年勿出，而今出门，知复奈何？吾求不见，连累为鞭杖；今已见汝，可复奈何？后三日之中，当相取也。”……至三日日中，果见来取，便死。（卷五）

夏阳卢汾，字士济，梦入蚁穴，见堂宇三间，势甚危豁，题其额曰“审雨堂”。（卷十）

阮瞻字千里，素执无鬼论，物莫能难，每自谓此理足以辨证幽明。忽有客通名诣瞻，寒温毕，聊谈名理，客甚有才辨，瞻与之言良久，及鬼神之事，反复甚苦，客遂屈，乃作色曰，“鬼神古今圣贤所共传，君何得独言无？即仆便是鬼！”于是变为异形，须臾消灭，瞻默然，意色大恶，岁余而卒。（卷十六）

焦湖庙有一玉枕，枕有小坼。时单父县人杨林为贾客，至庙祈求，庙巫谓曰，“君欲好婚否？”林曰，“幸甚。”巫即遣林近枕边，因入坼中，遂见朱楼琼室。有赵太尉在其中，即嫁女与林，生六子，皆为秘书郎。历数十年，并无思归之志，忽如梦觉，犹在枕傍，林怆然久之。（《太平寰宇记》一百二十六引，今本无）

续干宝书者，有《搜神后记》十卷。题陶潜撰，盖托名。皆述异事，如前记，今存。

干宝字令升，其先新蔡人。父莹，有嬖妾。母至妒，宝父葬时，因生推婢著藏中，宝兄弟年小，不之审也。经十年而母丧，开墓，见其妾伏棺上，衣服如生，就视犹暖，舆还家，终日而苏，……数年后方卒。（卷四）

晋中兴后，谯郡周子文家在晋陵，少时喜射猎。常入山，忽山岫间有一人长五六丈，手捉弓箭，箭镝头广二尺许，白如霜雪，忽出声唤曰，“阿鼠。”（子文小字）子文不觉应曰“喏。”此人便牵弓满镝向子文，子文便失魂厌伏。（卷七）

晋时，又有荀氏作《灵鬼志》，西戎主簿戴祚作《甄异传》，祖冲之作《述异记》，（今有梁任昉《述异记》二卷，是唐宋间人伪作。）祖台之作《志怪》，此外作志怪者尚多，有孔氏、殖氏、曹毗等，今俱佚，遗文间有存者。

宋时，彭城刘敬叔作《异苑》，今存者十卷，亦非原书。

吴郡岑渊，为吴郡时，大司农卿碑注在江东湖西。太元中，村人见龟载从田中出，还其先处，萍藻犹著腹下。（卷八）

义熙中，东海徐氏婢兰忽患羸黄，而拂拭异常，共伺察之，见扫帚从壁角来趋婢床，乃取而焚之，婢即平复。（同上）

晋太元十九年，鄱阳桓阐杀犬祭乡里绥山，煮肉不熟，神怒，即下教于巫曰，“桓阐以肉生贻我，当谪令自食也。”其年忽变作虎，作虎之始，见人以斑皮衣之，即能跳跃噬逐。（同上）

东莞刘邕性嗜食疮痂，以为味似鳆鱼。尝诣孟灵休，灵休先患灸疮，痂落在床，邕取食之，灵休大惊，痂未落者悉褫取饴邕。南康国吏二百许人，不问有罪无罪，递与鞭，疮痂落，常以给膳。（卷十）

临川王刘义庆多所著述，有《幽明录》三十卷，见《隋志》。其书今虽不存，而见引甚多，似皆集录他人撰述，非自造也。唐时尝盛行，刘知几谓《晋书》多取之。

宋散骑侍郎东阳无疑有《齐谐记》七卷，见《隋志》，今佚。梁吴均作《续齐谐记》一卷，今尚存，然亦非原本。其文婉曲可观，唐宋文人，多引为典据，阳羡鹅笼之记，尤其奇诡者也。

阳羡许彦于绥安山行，遇一书生，年十七八，卧路侧，云脚痛，求寄鹅笼中。彦以为戏言，书生便入笼，笼亦不更广，书生亦不更小，宛然与双鹅并坐，鹅亦不惊。彦负笼而去，都不觉重。前行息树下。书生乃出笼谓彦曰，“欲为君薄设。”彦曰，“善。”乃口中吐出一铜奁子，奁子中有诸饰馔。……酒数行，谓彦曰，“向将一妇人自随。今欲暂邀之。”彦曰，“善。”又于口中吐一女子，年可十五六，衣服绮丽，容貌殊绝，共坐宴。俄而书生醉卧，此女谓彦曰，“虽与书生结妻，而实怀怨，向亦窃得一男子同行，书生既眠，暂唤之，君幸勿言。”彦曰，“善”。女子于口中吐出一男子，年可二十三四，亦颖悟可爱，乃与彦叙寒温。书生卧欲觉，女子口吐一锦行障遮书生，书生乃留女子共卧。男子谓彦曰，“此女虽有心，情亦不尽，向复窃得一女同行，今欲暂见之，愿君勿泄。”彦曰，“善。”男子又于口中吐一妇人，年可二十许，共酌，戏谈甚久，闻书生动声，男子曰，“二人眠已觉。”因取所吐女人，还纳口中。须臾，书生处女乃出谓彦曰，“书生欲起。”乃吞向男子，独对彦坐。然后书生起谓彦曰，“暂眠遂久，君独坐，当悒悒耶？日又晚，当与君别。”遂吞其女子，诸器皿悉纳口中，留大铜盘可二尺广，与彦别曰，“无以藉君，与君相忆也。”彦大元中为兰台令史，以盘饷侍中张散，散看其铭题，云是永平三年作。

段成式《酉阳杂俎》云“释氏《譬喻经》云，昔梵志作术，吐出一壶，中有女子与屏，处作家室。梵志少息，女复作术，吐出一壶，中有男子与屏，处作家室。梵志少息，女复作术，吐出一壶，中有男子，复与共卧。梵志觉，次第互吞之，柱杖而去。余以吴均尝览此事，讶其说以为至怪也。”（续集卷三《贬误篇》）然荀氏《灵鬼志》，亦记此事，大略相同，知天竺故事，当时流行世间，多影响于著作矣。

太元十二年，有道人外国来，能吞刀吐火，吐珠玉金银，自说其所受师，即白衣，非沙门也。尝行，见一人担担，上有小笼子，可受升余，语担人云，“吾步行疲极，欲寄君担。”担人甚怪之，虑是狂人，便语之云，“自可耳”……即入笼中，笼不更大，其人亦不更小，担之亦不觉重于先。既行数十里，树下住食，担人呼共食，云“我自有食，”不肯出。……食未半，语担人“我欲与妇共食”，即复口吐出女子，年二十许，衣裳容貌甚美，二人便共食。食欲竟，其夫便卧；妇语担人，“我有外夫，欲来共食，夫觉，君勿道之。”妇便口中出一年少丈夫，共食。笼中便有三人，宽急之事，亦复不异。有顷，其夫动，如欲觉，妇便以外夫内口中。夫起，语担人曰，“可去！”即以妇内口中，次及食器物。……（《法苑珠林》六十一卷引）

六朝之鬼神志怪书(下)　小说史大略六

称述神异之书，出于方士者，如《十洲记》、《汉武帝内传》，虽依托古人，不署传者，而文不逮志，伪迹彰著，已具示第四篇，余多散亡不可考。惟(义按"类"原作"群"，据《史略》改。)类书间，有引《神异记》者，为晋道士王浮所作。浮，晋人，即与帛远抗论屡屈，遂改换《西域传》造《明威化胡经》者也。

记有云：

> 陈敏，孙皓之世为江夏太守，自建业赴职，闻宫亭庙验(言灵验)，过乞在任安稳，当上银杖一枚。年限既满，作杖拟以还庙，捶铁以为干，以银涂之。寻征为散骑常侍，往宫亭，送杖于庙中讫，即进路。日晚，降神巫宣教曰，"陈敏许我银杖，今以涂杖见与，便投水中，当送以还之。欺蔑之罪，不可容也!"于是取银杖看之，剖视中见铁干，乃置之湖中。杖浮在水上，其疾如飞，遥到敏舫前，敏舟遂覆也。(《太平御览》七百十)
>
> 丹丘出大茗，服之生羽翼。(《事类赋》注十六)

苻秦时有方士，陇西安阳人王嘉字子年，作《拾遗记》十九卷，二百二十篇，后遂散佚。梁萧绮搜检残遗合为十卷，间加论释，谓之录焉，今尚存。绮序云，"文起羲炎已来，事讫西晋之末。"然前九卷，起庖牺而实及东晋，末一卷则记昆仑等九仙山，与序稍不同。其文虽靡丽可观，而事率夸诞无实，录亦附会，仅助波澜，汉世《虞初周说》等叙述古事之书，今虽不存，以此度之，殆亦类是而已。

少昊以金德王，母曰皇娥，处璇宫而夜织，或乘桴木而昼游，经历穷桑沧茫之浦。时有神童，容貌绝俗，称为白帝之子，即太白之精，降乎水际，与皇娥宴戏，奏便娟之乐，游漾忘归。穷桑者，西海之滨，有孤桑之树，直上千寻，叶红椹紫，万岁一实，食之后天而老。……帝子与皇娥并坐，抚桐峰梓瑟，皇娥倚瑟而清歌曰，“天清地旷浩茫茫，万象回薄化无方，浛天荡荡望沧沧，乘桴轻漾著日傍，当其何所至穷桑，心知和乐悦未央。”俗谓游乐之处为桑中也，《诗·卫风》云“期我乎桑中”，盖类此也。……及皇娥生少昊，号曰穷桑氏，亦曰桑丘氏。至六国时，桑丘子著阴阳书，即其余裔也。……（卷一）

刘向于成帝之末，校书天禄阁，专精覃思。夜，有老人著黄衣，植青藜杖，登阁而进，见向暗中独坐诵书，老父乃吹杖端，烟燃，因以见向，说开辟已前。向因受五行洪范之文，恐辞说繁广忘之，乃裂帛及绅，以记其言，至曙而去。向请问姓名，云“我是太一之精，天帝闻卯金之子有博学者，下而观焉。”乃出怀中竹牒，有天文地图之书，“余略授子焉。”至向子歆，从向授其术。向亦不悟此人焉。（卷六）

洞庭山浮于水上，其下有金堂数百间，玉女居之，四时闻金石丝竹之声，彻于山顶。楚怀王之时，举群才赋诗于水湄。……后怀王好进奸雄，群贤逃越。屈原以忠见斥，隐于沅湘，披蓁茹草，混同禽兽，不交世务，采柏实以和桂膏，用养心神，被王逼逐，乃赴清冷之水，楚人思慕，谓之水仙。其神游于天

河，精灵时降湘浦，楚人为之立祠，汉末犹在。（卷十）

释家辅教之书，《隋志》著录九家，今惟颜之推《冤魂志》存，余并佚。遗文之可考见者，有齐王琰《冥祥记》，隋颜之推《集灵记》，侯白《旌异记》三种，多记经像之显效，明应验之实有。《冥祥记》在《法苑竹林》及《太平广记》中所存最多，其记叙亦最详尽，略引三事，以概其余。

汉明帝梦见神人，形垂二丈，身黄金色，项佩日光。以问群臣，或对曰，“西方有神，其号曰佛，形如陛下所梦，得无是乎？”于是发使天竺，写致经像。表之中夏，自天子王侯，咸敬事之，闻人死精神不灭，莫不惧然自失。初，使者蔡愔将西域沙门迦叶摩腾等赍优填王画释迦佛像，帝重之，如梦所见也，乃遣画工图之数本，于南宫清凉台及高阳门显节寿陵上供养。又于白马寺壁画千乘万骑绕塔三匝之像，如诸传备载。（《珠林》十三）

晋谢敷字庆绪，会稽山阴人也。……少有高操，隐于东山，笃信大法，精勤不倦，手写《首楞严经》，当在都白马寺中，寺为灾火所延，什物余经，并成煨烬，而此经止烧纸头界外而已，文字悉存，无所毁失。敷死时，友人疑其得道，及闻此经，弥复惊异。……（《珠林》十八）

晋赵泰字文和，清河贝邱人也。……年三十五时，尝卒心痛，须臾而死。下尸于地，心暖不已，屈伸随人。留尸十日，平旦，喉中有声如雨，俄而苏活。说初死之时，梦有一人来近心下，复有二人乘黄马，从者二人，扶泰腋径将东行，不知可几里，至一大城，崔嵬高峻，城色青黑。将泰向城（门）

入，经两重门，有瓦屋可数千间，男女大小亦数千人，行列而立。吏著皂衣，有五六人，条疏姓字，云“当以科呈府君。”泰名在三十，须臾，将泰与数千人男女一时俱进。府君西向坐，简视名簿讫，复遣泰南入黑门。有人著绛衣坐大屋下，以次呼名，问“生时所事？作何孽罪？行何福善？谛汝等辞，以实言也！此恒遣六部使者常在人间，疏记善恶，具有条状，不可得虚。”泰答（亦不犯恶云云）。乃遣泰为水官将作……后转泰水官都督知诸狱事，给泰兵马，令案行地狱。所至诸狱，楚毒各殊：或针贯其舌，流血竟体；或被头露发，裸形徒跣，相牵而行，有持大杖，从后催促，铁床铜柱，烧之洞然，驱迫此人，抱卧其上，赴即焦烂，寻复还生；……或剑树高广，不知限量，根茎枝叶，皆剑为之，人众相訾，自登自攀，若有欣竞，而身首割截，尺寸离断。泰见祖父母及二弟在此狱中，相见涕泣。泰出狱门，见有二人赍文书，来语狱吏，言有三人，其家为其于塔寺中悬旛烧香，救解其罪，可出福舍。俄见三人自狱而出，已有自然衣服，完整在身，南诣一门，云名开光大舍。……泰案（行）毕，还水官处。……主者曰，“卿无罪过，故相使为水官都督，不尔，与地狱中人无以异也。”泰问主者曰，“人有何行，死得乐报？”主者唯（言）“奉法弟子精进持戒，得乐报，无有谪罚也。”泰复问曰，“人未事法时所行罪过，事法之后，得以除不？”答曰，“皆除也。”语毕，主者开縢箧检泰年纪，尚有余算三十年在，乃遣泰还。……时晋太始五年七月十三日也。……（《珠林》七《广记》三百七十七）

世说新语与其前后　小说史大略七

晋人言论，崇尚玄虚，举止亦贵旷达。渡江而后，此风弥盛。操觚之士，遂有著述，或者掇拾旧闻，或者记叙并世，清言畸行，为世所赏。最先东晋处士裴启撰《裴子语林》十卷，今亡。审其遗文，则上起汉代，迄于同时者也。

娄护字君卿，历游五侯之门，每旦，五侯家各遗饷之，君卿口厌滋味，乃试合五侯所饷之鲭而食，甚美。世所谓“五侯鲭”，君卿所致。(《广记》二百三十四)

魏武云，“我眠中不可妄近，近辄斫人不觉。左右宜慎之！”后乃阳冻眠，所幸小儿窃以被复之，因便斫杀，自尔莫敢近。(《御览》七百七)

锺士季尝向人道，“吾年少时一纸书，人云是阮步兵书，皆字字生义，既知是吾，不复道也。”(《续谈助》四)

祖士言与锺雅语相调，锺语祖曰，“我汝颍之士利如锥，卿燕代之士钝如槌。”祖曰，“以我钝槌，打尔利锥。”锺曰，“自有神锥，不可得打。”祖曰，“既有神锥，必有神槌。”锺遂屈。(《御览》四百六十六)

王子猷尝暂寄人空宅住，使令种竹。或问暂住何烦尔？啸咏良久，直指竹曰，“何可一日无此君。”(《御览》三百八十九)

晋又有《郭子》三卷，中郎郭澄之撰，贾泉注，今亦亡。

审其遗文，盖与《语林》相类。

宋临川王刘义庆，夙好文翰，多所述作，有《世说新书》八卷，今存者三卷，分三十八门，上起后汉，下逮东晋，皆名隽之言，奇特之行，足资谈助者。然间或与裴郭二家书所记相同，盖亦采拾故书，排比而成者也。梁刘孝标作注，征引浩博，而所引群籍，今多不存，故好古者愈珍重之。

阮光禄在剡，曾有好车，借者无不皆给。有人葬母，意欲借而不敢言。阮后闻之，叹曰，“吾有车而使人不敢借，何以车为?”遂焚之。(卷上《德行》)

阮宣子有令闻，太尉王夷甫见而问曰，“老庄与圣教同异?”对曰，“将无同。”太尉善其言，辟之为掾，世谓“三语掾。”(卷上《文学》)

祖士少好财，阮遥集好屐，并恒自经营，同是一累，而未判其得失。人有诣祖，见料视财物，客至，屏当未尽，余两小簏，著背后倾身障之，意未能平。或有诣阮，见自吹火蜡屐，因叹曰，“未知一生当著几量屐?”神色闲畅。于是胜负始分。(卷中《雅量》)

世目李元礼“谡谡如劲松下风。”(卷中《赏誉》)

公孙度目邴原:“所谓云中白鹤，非燕雀之网所能罗也。”(同上)

刘伶恒纵酒放达，或脱衣裸形在屋中。人见讥之。伶曰，“我以天地为栋宇，屋室为裈衣，诸君何为入我裈中?”(卷下《任诞》)

石崇每要客燕集，常令美人行酒，客饮酒不尽者，使黄门交斩美人。王丞相与大将军尝共诣崇，丞相素不能饮，辄自勉强，至于沈醉。每至大将军，固不饮以观其变，已斩三人，颜色如故，尚不肯饮，丞相让之，大将军曰，“自杀伊家人，何预卿事？”（卷十《汰侈》）

梁沈约作《俗说》三卷，亦此类，今亡。梁武帝尝敕安右长史殷芸撰《小说》三十卷，至隋仅存十卷。今仅见于《续谈助》及《说郛》中，亦采集群书所作。

孔子尝游于山，使子路取水。逢虎于水所。与共战，揽尾得之，内怀中；取水还。问孔子曰，“上士杀虎如之何？”子曰，“上士杀虎持虎头。”又问曰，“中士杀虎如之何？”子曰，“中士杀虎捉虎耳。”又问，“下士杀虎如之何？”子曰，“下士杀虎捉虎尾。”子路出尾弃之，因恚孔子曰，“夫子知水所有虎，使我取水，是欲死我。”乃怀石盘欲中孔子，又问，“上士杀人如之何？”子曰，“上士杀人使笔端。”又问曰，“中士杀人如之何？”子曰，“中士杀人用舌端。”又问“下士杀人如之何？”子曰，“下士杀人怀石盘。”子路出而弃之，于是心服。（出《冲波传》，原本《说郛》二十五）

鬼谷先生与苏秦张仪书云，“二君足下，功名赫赫，但春华到秋，不得久茂。日数将冬，时讫将老。子独不见河边之树乎？仆御折其枝，波浪激其根；此木非与天下人有仇怨，盖所居者然。子见嵩岱之松柏，华霍之树檀？上叶干青云，下根通三泉，上有猿狖，下有赤豹麒麟，千秋万岁，不逢斧斤之伐：此木非与天下之人有骨肉，亦所居者然。今二子好朝霞之荣，忽长久之功，轻乔松之求延，贵一旦之浮爵，夫‘女爱不极席，男欢不毕轮’，痛夫痛夫，二君二君！”（出《鬼谷先生书》，《说郛》二十五又《续谈助》四）

《隋志》又有《笑林》三卷，后汉给事中邯郸淳撰，今佚。遗文之存者，有二十余事，显非摘谬，亦《世说》之一体也。

鲁有执长竿入城门者，初，竖执之不可入，横执之亦不可入，计无所出。俄有老父至曰，“吾非圣人，但见事多矣，何不以锯中截而入！”遂依而截之。（《广记》二百六十二）

桓帝时，有人辟公府掾者，倩人作奏记文，人不能为作，因语曰，“梁国葛龚先善为记文，自可写用，不烦更作。”遂从人言写记文，不去葛龚名姓，府君大惊，不答而罢。故时人语曰，“作奏虽工，宜去葛龚。”（《御览》四百九十六）

平原陶丘氏取渤海墨台氏女，女色甚美，才甚令，复相敬，已生一男而归。母丁氏年老，进见女婿，女婿既归而遣妇，妇临去请罪，夫曰，“曩见夫人，年德以衰，非昔日比，亦恐新妇老后，必复如此，是以遣，实无他故。”（《御览》四百九十九）

甲与乙争斗，甲啮下乙鼻，官吏欲断之，甲称乙自啮落。吏曰，“夫人鼻高而口低，岂能就啮之乎？”甲曰，“他踏床子就啮之。”（《广记》二百六十二）

《笑林》之后，不乏继作，隋有侯白，唐有何自然，自宋至清，又十余种，或剌取史传，或汇集街谈，多伤猥俗，不足论矣。至于《世说》一流，仿者尤众，其较显者，则宋有王谠《唐语林》，孔平仲《续世说》，明有何良俊《何氏语林》，李绍文《明世说新语》，清有吴肃公《明语林》，章抚功《汉世说》，王晫《今世说》，今亦犹有易宗夔《新世说》也。

唐传奇体传记（上） 小说史大略八

小说亦如诗，至唐而一改进，虽大抵尚不出于搜奇记逸，然叙述宛转，文辞华艳，发达之迹甚明。当时道释二教，侈陈感通；有名位者，又好谈神异，于是方士文人，闻风而作，竞为异记。牛僧孺有《玄怪录》，则李复言有《续玄怪录》，薛渔思有《河东记》（序之续牛僧孺之书），段成式有《酉阳杂俎》，而其友温庭筠有《乾𦠆子》，高骈从事裴铏有《传奇》，皆其例也。

然文人于杂集成书而外，亦撰记传，始末详悉，往往孤行，今颇有存于《太平广记》中者（他丛书所收，多臆题撰人，颠倒时代，不足据），实唐代特有之作也。唐初，已有王度《古镜记》（《广记》二百三十），无名氏《补江总白猿传》（《广记》四百四十四欧阳纥）。其后能文之士，相率有作，如沈既济、元稹、白行简、陈鸿、沈亚之、蒋防等，皆擅长文笔，有名于时，故其传奇，亦多工妙，后之文人，每拾其事，为词曲焉。

按唐人传奇记传之实质，亦不外乎二途：一为异闻；一为逸事。异闻者，或寓意以写牢落之悲，或但弃？翰墨以抒窈窕之思。逸事者，大概记时人情事，或更？外轶闻，已离神怪，而较近于人事矣。今略举其较著者天下。

一，属于异闻之前一类者。

沈既济《枕中记》（《广记》八十二，题《吕翁》，今据《文苑英华》）。

开元七年，道士吕翁行邯郸道中，见旅中少年卢生侘傺叹息，乃探囊中枕授之。生梦娶清河崔氏，举进士，官至陕牧，入为京兆尹，出破戎虏，转吏部侍郎，迁户部尚书兼御史大夫，为时宰所忌，以飞语中之，贬端州刺史。三年，征为常侍，未几，同中书门下平章事。

嘉谟密命，一日三接，献替启沃，号为贤相，同列害之，复诬与边将交结，所图不轨。下制狱。府吏引从至其门而急收之。生惶骇不测，谓妻子曰，“吾家山东，有良田五顷，足以御寒馁，何苦求禄？而今及此。思衣短褐，乘青驹，行邯郸道中，不可得也！”引刃自刎。其妻救之，获免。其罹者皆死，独生为中官保之，减罪死，投驩州。数年，帝知冤，复追为中书令，封燕国公，恩旨殊异。生五子，……其姻媾皆天下望族。有孙十余人。……后年渐衰迈，屡乞骸骨，不许。病，中人候问，相踵于道，名医上药，无不至焉。……薨。卢生欠伸而悟，见其身方偃于邸舍，吕翁坐其傍，主人蒸黍未熟：触类如故。生蹶然而兴，曰，“岂其梦寐也？”翁谓主人曰，“人生之适，亦如是矣。”生怃然良久，谢曰，“夫宠辱之道，穷达之运，得丧之理，死生之情，尽知之矣：此先生所以窒吾欲也。敢不受教。”稽首再拜而去。

此类文章，当时亦或病其俳谐，而誉之者，以比韩愈《毛颖传》。既济又有《任氏传》(《广记》四百五十二)，记妖狐幻化，守志殉人，“虽今之妇人有不知者”，亦讽世之作也。李公佐《南柯太守传》(《广记》四百七十五，题淳于棼，今据《唐语林》改正。)

东平淳于棼，吴楚游侠之士。家广陵郡东十里。所居宅南有大古槐一株。贞元七年九月，因沈醉致疾，二友扶生归家，卧于东庑之下。

二友谓生曰，“子其寝矣，余将秣马濯足，俟子小愈而去。”生解巾就枕，昏然忽忽，仿佛若梦。见二紫衣使者，跪拜生曰，“槐安国王遣小臣致命奉邀。”生不觉下榻整衣，随二使至门，见青油小车，驾以四牡，左右从者七八，扶生上车，出户，指古槐穴而去。使者即驱入穴中。生意颇甚异之，不敢致问。忽见山川风候草木道路，与人世甚殊。前行数十里，有郛郭城堞。……又入大城，朱门重楼，楼上有金书，题曰："大槐安国。"

生既至，拜驸马，先就宾宇。

是夕，羔雁币帛，威容仪度，妓乐丝竹，肴膳灯烛，车骑礼物之用，无不咸备。有群女，或称华阳姑，或称青溪姑，或称上仙子，或称下仙子，若是者数辈。皆侍从数十，冠翠凤冠，衣金霞帔，彩碧金钿，目不可视。遨游戏乐，往来其门，争以淳于郎为戏弄。风态妖丽，言词巧艳，生莫能对。

后出为南柯太守，守郡二十载，风化广被，百姓歌谣，建功德碑，立生祠宇。王甚重之。递迁大位。生五男二女。是岁，将兵与檀萝国仗，败绩，公主又薨。生罢郡，而威福日盛，王疑惮之，遂禁生游从，处之私第。已而送归。既醒，见家之僮仆拥篲于庭，二客濯足于榻，斜日未隐于西垣，余樽尚湛于东牖，梦中倏忽，若度一世矣。……公佐辄编录成传，以资好事，虽稽神语怪，事涉非经，而窃位著生，冀将为戒。后之君子，幸以南柯为偶然，无以名位骄于天壤间云。

前华州参军李肇赞曰:贵极禄位,权倾国都,达人视此,蚁聚何殊。

此传及沈既济《枕中记》文意虽繁,而非独创,焦湖庙祝,以玉枕使杨林入梦,及蚁有堂宇题额之事,已见于干宝《搜神记》矣。然明人汤显祖之《邯郸》《南柯》二记则本此二篇。

二,属于异闻之后一类者。

李朝威《柳毅传》(《广记》四百十九)

仪凤中,有儒生柳毅者,下第将还湘滨,先往泾阳,与乡人别于道,见牧羊女子,若有所伺,毅诘之,对曰:妾,洞庭龙君小女也,父母配嫁泾川次子,而夫婿乐逸,为婢仆所惑,日以厌薄,既而将诉于舅姑,舅姑爱其子,不能御。迨诉频切,又得罪舅姑,舅姑毁黜以至此。

言讫,歔欷,托毅寄书洞庭,毅既至,三叩社桔如女教,因得随武夫而入,见洞庭君致具,事达宫中,须臾,宫中皆恸哭。洞庭君惊谓左右,使宫中勿哭,恐为钱塘所知。毅问,“钱塘何人?”曰,“寡人之爱弟也,昔为钱塘长,今致政矣。”毅曰,“何故不使知?”曰,“以其勇过人耳,昔尧遭洪水九年者,此子一怒也。近与天将失意,塞其五山,上帝以寡人有薄德,故宽其同气之罪,而縻系于此。”

语未毕,而大声忽发,天拆地裂,宫殿摆簸,云烟沸涌。俄有赤龙长千余尺,电目血舌,朱鳞火鬣,项掣金锁,锁牵玉柱,千雷万霆,激绕其身,霰雪雨雹,一时皆下。乃擘青天而飞去。毅恐蹶仆地。……因告辞……君曰:“不必如此。其去则然,其来则不然。”……俄而祥风庆云,融融怡怡,幢节玲珑，箫韶以随。红装千万，笑语熙熙，后有一人，自然蛾眉，明珰满身，绡縠参差。迫而视之，乃前寄辞者。然若喜若悲，零泪如丝。须臾，红烟蔽其左，紫气舒其右。香气环旋，入于宫中。君笑谓毅曰："泾水之囚人至矣。"……有顷，……一人披紫裳，执青玉，貌耸神溢，立于君左。君谓毅曰："此钱塘也。"毅起，趋拜之。钱塘亦尽礼相接，……君曰："所杀几何？"曰："六十万。""伤稼乎？"曰："八百里。""无情郎安在？"曰："食之矣。"君怃然曰："顽童之为是心也，诚不可忍。然汝亦太草草。赖上帝显圣，谅其至冤，不然者，吾何辞焉。……"

居数日，毅请归，宫中赠遗甚厚。钱塘君欲以龙女嫁毅，而毅力拒，竟出洞庭适广陵，鬻其所得，未及百一，已大富。遂娶于张氏，亡。娶韩氏，又亡。毅徙家金陵，娶范阳卢氏，则龙女也。毅后居南海，富陵侯伯而精神不衰。开元中，归洞庭，莫知其迹。开元末，其表弟薛嘏，遇毅于洞庭湖中，赠嘏仙药五十丸，此后遂绝影响。

柳毅之事，颇为后人所奇。元尚仲贤据以作《柳毅传书》，今在《元曲选》十一集中。翻案者有《张生煮海》。折衷者有李渔《蜃中楼》。

沈亚之《秦梦记》(《沈下贤集》卷二)

太和初，亚之道经长安，客橐泉邸舍。梦为秦官有功，时弄玉婿萧史先死，因尚公主，自(题)所居(日)"翠微宫"。穆公给遇甚厚。一日，公主忽无疾卒。公不复欲见亚之，遂遣之归。

> 将去，公置酒高会，声秦声，舞秦舞，舞者击髆拊髀呜呜而音有不快，声甚怨。……再拜辞去。公复命至翠微宫，与公主侍人别。重入殿内时，见珠翠遗碎青阶下，窗纱檀点依然。宫人泣对亚之。亚之感咽良久，因题宫门，诗曰："君王多感放东归，从此秦宫不复期。春景自伤秦丧主，落花如雨泪胭脂。"竟别去。……觉卧邸舍。明日，亚之与友人崔九万具道。九万，博陵人，谙古。谓余曰："《皇览》云：'秦穆公葬雍橐泉祈年宫下。'非其神灵凭乎？"亚之更求得秦时地志，说如九万云。呜呼！弄玉既仙矣，恶又死乎？

亚之文有《湘中怨辞》、《异梦录》二篇，亦记华艳恍忽之事，而好言仙鬼之死，与同时文人绝殊。《异梦录》之末有云：

> 姚合曰："吾友王炎者，元和初，夕梦游吴，侍吴王久。闻宫中出辇，鸣笳箫击鼓，言葬西施。王悼悲不止，立诏词客作挽歌。炎遂应教，诗曰：'西望吴王国，云书凤字牌。连江起珠帐，择水葬金钗。满地红心草，三层碧玉阶。春风无处所，凄恨不胜怀。'词进，王甚嘉之。及寤，能记其事。炎，本太原人也。"

唐又有张文成《游仙窟》，中国已佚，惟日本有之。书记文成奉使河源，入神仙之窟，与二仙女（十娘、五嫂）赋诗相酬答，文近骈俪，而时杂俚语，诗亦不佳。与《游仙窟》近似者，有牛僧孺《周秦行记》（《广记》四百八十九）自叙夜遇后妃异事。晁公武（《郡斋读书志》十三）云，贾黄中以为卫瓘所撰，瓘，李德裕门人，以此诬僧孺也。

唐传奇体传记(下)　小说史大略九

属于逸事之前一类者。

蒋防《霍小玉传》(《广记》四百八十七)

大历中,陇西李益,年二十以进士擢第一。明年六月,至长安,思得名妓,久而未谐。有媒鲍十一娘受生托,荐霍小玉,故霍王小女也,方求佳偶,亦知李益名,故约即定。

鲍既去,生便备行计。遂令家僮秋鸿,于从兄京兆参军尚公处假青骊驹,黄金勒。其夕,生浣衣沐浴,修饰容仪,喜跃交并,通夕不寐。迟明,巾帻,引镜自照,惟惧不谐。徘徊之间,至于亭午。

既至,先见霍小玉母,命小玉出。

生即迎拜。但觉一室之中,若琼林玉树,互相照曜,……既而遂坐母侧。母谓曰:“汝尝爱念‘开帘风动竹,疑是故人来’。即此十郎诗也。尔终日吟想,何如一见。”玉乃低鬟微笑,语曰:“见面不如闻名。才子岂能无貌?”生遂连起拜曰:“小娘子爱才,鄙夫重色。两好相映,才貌相兼。”母女相顾而笑。

生遂寓于霍氏,二年,日夜相从。其后年,生授郑县主簿,将至官,坚约婚姻而别。生到任旬日,求假觐亲。则已订婚于卢氏,其母素严,生不敢辞,遂与霍小玉绝。霍久不得生音问，遂卧病。有以生之踪迹告者，小玉招生，生自以愆期负约，女又疾候沈绵，惭耻忍割，终不肯往。一日，生在崇敬寺，有一豪士，衣轻黄纻衫，挟弓弹，揖生与语，请莅其居，已而暂近霍氏家，生欲止，竟被抱持而进。推入车门，锁之，报云，“李十郎至也。”

玉沈绵日久，转侧须人。忽闻生来，欻然自起，更衣而出，恍若有神。遂与生相见，含怒凝视，不复有言。羸质娇姿，如不胜致，时复掩袂，返顾李生。感物伤人，坐皆欷歔。……玉乃侧身转面，斜视生良久，遂举杯酒，酹地曰：“我为女子，薄命如斯。君是丈夫，负心若此。韶颜稚齿，饮恨而终。慈母在堂，不能供养。绮罗弦管，从此永休。征痛黄泉，皆君所致。李君李君，今当永诀！我死之后，必为厉鬼，使君妻妾，终日不安！”乃引左手握其臂，掷杯于地，长恸号哭数声而绝。母乃举尸，置于生怀，令唤之，遂不复苏矣。

生为之缟素，旦夕哭泣甚哀。已而婚于卢氏，伤情感物，郁郁不乐。生即归郑县，忽于帐外见男子，遂疑卢氏，终出之，而猜忌弥甚，至于三娶皆如初。

元稹《莺莺传》(《广记》四百八十八)

贞元中，有张生者，性温貌美，非礼不动，年二十三，未尝近女色。时生游于蒲，寓普救寺。适有崔氏孀妇，将归长安，过蒲，亦寓兹寺。是岁，浑瑊薨。军人因丧大扰蒲人。崔氏甚惧，而生与蒲将之党有善，请吏将护之。十余日后，廉使杜确来治军，军遂戢。崔氏由此甚感张生，因招宴，见其女莺莺，生惑焉。托崔之婢红娘，以春词二首通意。是夕，得彩笺，题其篇曰：《明月三五夜》，其词曰：

待月西厢下，迎风户半开。拂墙花影动，疑是玉人来。

张喜且骇，已而崔至，则端服严容，责其非礼，竟去。张自失者久之。数夕后，崔又至，将晓而去。是后十余日，杳不复知。张因赋《会真诗》三十韵以贻之，遂复来，出入于所谓西厢者几一月。无何，张生往长安，明年文战不胜，遂止于京。贻书于崔，以广其意。崔报之，而张发其书于所知，由是为时人传说。杨巨源为赋《崔娘诗》，元稹亦续生《会真诗》三十韵，张之友闻者皆耸异，而张志亦绝矣。元稹与张厚，问其说。

张曰："大凡天之所命尤物也，不妖其身，必妖于人。使崔氏子遇合富贵，秉娇宠，不为云为雨，则为蛟为螭，吾不知其变化矣。昔殷之辛，周之幽，据万乘之国，其势甚厚。然而一女子败之，溃其众，屠其身，至今为天下僇笑。予之德不足以胜妖孽，是用忍情。"

后岁余，崔已适人，张亦别娶。适过其所居，请以外兄见，崔终不出，张怨念之诚，动于颜色。将行，赋诗一章以绝之云："弃置今何道，当时且自亲。还将旧来意，怜取眼前人。"时人多许张为善补过者。

李霍事迹，世不甚传。惟汤显祖翻案为《紫钗记》。至于张崔，则人多乐道。宋赵德麟已演其事为《蝶恋花》十阕（见《侯鲭录》），其后乃有元人董解元《西厢记》，王实甫《西厢记》，关汉卿续，明人李日华《南西厢记》，陆采《南西厢记》等。其实微之原作，文非上乘，事复卑浅，而自宋迄今，常为戏曲之中枢，有大影响于文学史，则亦文界之异事也。

传奇记传，此外尚多，其显著者，有白行简之《李娃传》(《广记》四百八十四)，记荥阳巨族之子，溺于长安倡女李娃，困顿贫病，后为李娃所拯，擢第授成都府参军。元人取其事为《曲江池》，明人则以作《绣襦记》。有许尧佐之《柳氏传》(《广记》四百八十五)，记诗人韩翃得李生艳姬柳氏。会安禄山反，寄柳氏法灵寺，而自为淄青节度使书记，乱平复来，柳已为蕃将沙吒利所取。淄青诸将中有侠士许虞侯者，劫以还翃。其事亦见孟棨《本事诗》，盖实录也。

唐人杂说中，亦间记豪侠之事，然无专书，别行者，殆惟《虬髯》一传，《太平广记》类为四卷(一百九十三至九十六)，明人别刻之，改名《剑侠传》，妄题段成式作。然亦以此流行世间，如红拂、昆仑、隐娘、红线，明以来即传为美谈者，皆出乎此。

属于逸事之后一类者。

陈鸿有《东城父老传》(《广记》四百八十五)，记贾昌于兵火之后，忆念太平盛事，荣华零落，两厢比照，其语甚悲。又有《长恨歌传》(《广记》四百八十六)，亦于元和间追述开元中，杨妃入宫，以至死蜀本末，法与《贾昌传》同。白居易作歌，故此传特为世间所识，杨妃轶事，唐人本所乐道，然少有条贯，秩然如此传者，宋人乐史作《杨太真外传》二卷，记事较详，而辞意俱逊，清人洪昇取以作传奇，名《长生殿》，亦尝传诵一时。

上文所举之外，此类尚多，如失名之《李卫公别传》，《李林甫外传》，郭湜之《高力士传》等皆是。但作者初意，或本非传奇，第以行文曼衍，拾事又复琐屑，故后人亦常以小说视之。

此种文字，流风至宋不绝，而多托史事，少叙时人。乐史之《太真外传》而外，有秦醇之《赵飞燕别传》(《说郛》)，失名之《绿珠传》(同上)，炀帝《海山记》、《开河记》、《迷楼记》(《古今说海》)、《梅妃传》(《说郛》)等，后之五篇，今每误为唐人作也。

元末，山阳瞿佑作《剪灯新话》四卷，共二十篇，附录一篇。刻于洪武时；永乐中，庐陵李昌祺又作《剪灯余话》五卷，亦二十一篇。皆规抚唐人，而俳气弥甚。然世人叹赏，竞为此种文章，于是为执政所禁止。

清蒲松龄作《聊斋志异》，亦颇学唐人传奇文字，而立意则近于六朝之志怪。其时尠见古书，故读者诧为新颖，盛行于时，至今不绝。河间纪昀身负重望，作《阅微草堂笔记》凡五种，则立意在唐宋以下，而记叙乃如干宝、颜之推，以此为文人所喜也。余书尚多，今不详举。

宋人之话本　小说史大略十

宋太平兴国间，既得诸国图籍，而降王诸臣，皆海内名士，或宣怨言，因悉收用之，使修群书，成《太平御览》一千卷。又以野史传记小说诸家，编成五百卷，分五十五部曰《太平广记》。三年八月表上，六年正月奉旨雕板颁行。当时或言《广记》非后学所急，因收板藏太清楼，见者甚尠。二书至今尚存。晋、唐、五代小说，本书虽散亡，尚得藉《广记》考见涯略，其于后来，为益多矣。宋时名人好言异事者，最先有徐铉，作《稽神录》六卷，已收入《广记》中。后有洪迈作《夷坚志》甲至癸二百卷，支甲至支癸，三甲至三癸，各一百卷，四甲至四乙二十卷，每编有小序，各出新意，时人颇赏之，而卷帙之多，亦为古所未有。然文人著述，终不免规抚晋唐，尠有独创，故宋代小说之当特笔者，初不在此，而为通俗小说之兴起也。

以口语体敷叙故事者，不始于宋。清光绪中，英人斯坦因得敦煌石室书，运至伦敦，内有口语体之散文及韵语小说数种，论者以为唐末五代人所书。其一卷前后并阙，中间仅存，记唐太宗入冥事。

判官憹恶，不敢道名字。帝曰，“卿近前来。”轻道，“姓崔，名子玉。”“朕当识。”言讫，使人引皇帝至院门，使人奏曰，“伏维陛下且立在此，容臣入报判官速来。”言讫，使(来)

者到厅前拜了，“启判官：奉大王处，太宗是生魂到，领判官推勘，见在门外，未敢引。”判官闻言，惊忙起立。（下阙）

又有伍员入吴小说，文体同上，惜多未目睹，无以知其与后来小说之关系。意者口语文体之兴，当由二端：一为劝善；一为娱乐，而皆时为平人而设者也。

据现在宋人通俗小说观之，其源盖出于说话。说话者，唐已有之，段成式《酉阳杂俎》云，“予太和末因弟生日观杂剧，有市人小说，呼扁鹊作褊鹊字，上声。”李商隐《骄儿诗》云，“或谑张飞胡，或笑邓艾吃。”似其时已有述三国故事者，然未详。宋都汴，民物康阜，游乐之事甚繁，说话人至有分科如下：

一、吴自牧《梦粱录》：说话者谓之舌辩，虽有四家数，各有门庭；且“小说”名“银字儿”，如烟粉灵怪传奇公案扑刀杆棒发迹变态之事。……谈论古今，如水之流。“谈经”者，谓演说佛书。

“说参讲”者，谓宾主参禅悟道等事。……又有“说诨经”者。……

“讲史书”者，谓讲说《通鉴》汉唐历代书史文传兴废仗争之事。

“商谜”先用鼓儿贺之，然后聚人猜诗谜字谜戾谜。

二、耐得翁《古杭梦游录》：说话有四家。

一曰小说，谓之“银字儿”，如烟粉灵怪传奇说公案皆是，搏奉提刀赶棒及发迹变态之事，说铁骑儿谓石马金鼓之事。

“说经”谓演说佛书。

“说参”谓参禅。

“说史”者，谓说前代兴废仗争之事。

孟元老《东京梦华录》所举为讲史，小说，说评话，说三分，说五代史等，分科无商谜。周密《武林旧事》所举为演史、说经、诨经、小说、说诨话四科，亦无商谜，且言小说有雄辩社，盖汴都说话已盛行，一般名人甚众，且有集会矣。此种说话，虽各运匠心，而仍有底本。《梦粱录》影戏条下云，“其话本与讲史书者颇同，大抵真假相半。”又小说讲经史条下云，“盖小说者，能讲一朝一代故事，顷刻间捏合，与起今、随今相似，各占一事也。”小说与讲史之外，略可推知而至今有话本流传者，亦惟此二科而已。

甲，讲史

《新编五代(梁、唐、晋、汉、周)史平话》者，讲史之一，盖即孟元老所谓“说《五代史》”之话本。其书每代二卷，各以诗起，次入正文。惟《梁史平话》始于开辟，次略叙历代之事，以至黄巢变乱，朱氏立国，惜今亡其下卷。

> 粤自鸿荒既判，风气始开，伏羲画八卦而文籍生，黄帝垂衣裳而天下治。……那时诸侯皆已顺从，独蚩尤共炎帝侵暴诸侯，不服王化。黄帝乃帅诸侯，兴兵动众，……遂杀死炎帝，活捉蚩尤，万国平定。这黄帝做着个厮杀的头脑，教天下后世习用干戈。……汤伐桀，武王伐纣，皆是以臣弑君，篡夺了夏殷的天下。汤武不合做了这个样子，后来周室衰微，诸侯强大，春秋之世，二百四十年之间，臣弑其君的也有，子弑其父的也有。孔子圣人为见三纲沦，九法斁，秉那直笔，做一卷书，唤做《春秋》，褒奖他善的，贬罚他恶的，故孟子道是“孔子作《春秋》而乱臣贼子惧。”只有汉高祖姓刘字季，他取秦始皇天下不用篡弑之谋，真个是：

手拿三尺龙泉剑，夺却中原四百州。

其后叙说繁简不同。大抵一涉琐事，反多增饰，状以骈俪，证以诗歌，今举一端，以见大概。书叙黄巢下第，与朱温等为盗，将劫侯家庄马评事时途中情景云：

行过一个高岭，名做悬刀峰，自行了半个日头，方得下岭。好座高岭！是：根盘地角，顶接天涯，苍苍老桧拂长空，挺挺孤松侵碧汉。山雉共日鸡齐斗，天河共涧水接流，飞泉飘雨脚廉纤，怪石与云头相轧。怎见得高？

几年攧下一樵夫，至今未曾攧到底。

黄巢四个兄弟，过了这座高岭。望见……庄舍，远不出五里田地，天色正晡，同入个树林中弹了，待晚西却行到那马家门首去。

与《五代史平话》相类者，又有《大宋宣和遗事》四集，虽体裁亦仿平话，而文体不一，似抄撮他书所作，非出于说话人。其书以尧舜始，次历述古来诸帝信用小人，荒淫无度，倾复国家，以引入王安石变法之事；继述天下变乱，徽钦陷虏，而终以高宗之定都临安，其间有梁山泺大略及徽宗微行赴曲中事，文体通俗，殆出于当时之话本。至二帝陷虏情状，则节录《南烬纪闻》窃《愤录》及《续录》而成，今原书俱存。

《大唐三藏取经诗话》者，亦演述故事，而文意甚拙，盖略识文字者所为，惟流派则近于讲史。书共三卷十三章，章必有诗，故曰“诗话”。

入王母池之处第十一

登途行数百里，法师嗟叹。猴行者曰：“我师且行，前去五十里地，乃是西王母池。”……法师曰：“愿今日蟠桃结实，可偷三五个吃。”猴行者曰：“我因八百岁时偷吃十颗，被王母捉下，左肋判八百，右肋判三千铁棒，配在花果山紫云洞，至今肋下尚痛，我今定是不敢偷吃也。”……前去之间，……遥望万丈石壁之中，有数株桃树，……攧下三颗蟠桃入池中去。……师曰：“可去寻取来吃。”猴行者即将金镮杖向盘石上敲三下，乃见一个孩儿，……从地中出。行者问曰：“汝年几岁？”孩曰：“三千岁。”行者曰：“我不用你。”又敲五下，见一孩儿，……曰，“五千岁。”行者曰：“不用你。”又敲数下，偶然一孩儿出来，问曰：“你年多少。”答曰：“七千岁。”行者放下金镮杖，叫取孩儿入手中，问和尚你吃否？和尚闻语，心敬(惊)便走。被行者手中旋数下，孩儿化成一枚乳枣。当时吞入口中，后归东土唐朝，遂吐出于西川，至今此地中生人参是也。空中见有一人，遂吟诗曰：

花果山中一子才，小年曾此作场乖，
而今耳热空中见，前次偷桃客又来。

乙，小说

《京本通俗小说》不知几卷，今存卷十至十六。每卷一篇，各为起讫，与吴自牧所云“各占一篇”者相合。其目为《碾玉观音》、《菩萨蛮》、《西山一窟鬼》、《志诚张主管》、《拗相公》、《错斩崔宁》、《冯玉梅团圆》等，取材多在近时，或采之他种说部。体裁必先以闲话或他事，久乃转入正文。如《碾玉观音》因叙延安郡王游春，而先以诗词十余首，中有云：

(上略)这三首词，都不如王荆公看见花瓣儿片片风吹下地来，原来这春归去是东风断送的。有诗道：

春日春风有时好，春日春风有时恶，
不得春风花不开，花开又被风吹落。

苏东坡道，不是东风断送春归去，是春雨断送春归去。有诗道：

雨前初见花间蕊，雨后全无叶底花，
蜂蝶纷纷过墙去，却疑春色在邻家。（中略）

王岩叟道，也不干风事，也不干雨事，也不干柳絮事，也不干蝴蝶事，也不干黄莺事，也不干杜鹃事，也不干燕子事，是九十日春光已过春归去。曾有诗道：

怨风怨雨两俱非，风雨不来春亦归。
腮边红褪青梅小，口角黄消乳燕飞。
蜀魄健啼花影去，吴蚕强食柘桑稀。
直恼春归无觅处，江湖辜负一蓑衣。

说话的因甚说这春归词？绍兴年间，行在有个关西延州延安府人，本身是三镇节度使咸安郡王，当时怕春归去，将带着许多钧眷游春。（下略）

此种引首，诗词而外，亦用相类之事，名曰“得胜头回”，所以衒示多识，延引时间，与讲史之先叙开辟天地略异。以类事起者，亦取时事，而较有浅深，殆即吴自牧所谓“起今随今”者也。至于文体，与《五代史平话》之铺叙琐事处颇相似，然较详。其《西山一窟鬼》叙吴秀才订婚云：

开学堂后，也有一年之上，也罪过，那街上人家都把孩儿每来与他教训，颇自有些趱足。当日正在学堂里教书，只听得青布帘儿上铃声响，走将一个人入来。吴教授看那入来的人，不是别人，却是十年前搬去的邻舍王婆。原来那婆子是个“撮合山”，专靠作媒为生。……教授问，“婆婆高寿？”婆子道，“老媳妇犬马之年七十有五。教授青春多少？”教授道，“小子二十有二。”婆子道，“教授方才二十有二，却象三十以上人，想教授每日价费多少心神；据我媳妇愚见，也少不得一个小娘子相伴。”教授道，“我这里也几次问人来，却没这般头脑。”婆子道，“这个‘不是冤家不聚会’。好教官人得知，却有一头好亲在这里。……”

宋人说话，似好以对句或七字句标目，现存话本中虽不见，而结末则有之，元曲楔子中亦常有，楔子犹头回也。宋刘斧秀才《青锁高议》二十卷，则以旧记之体，而用七字目，盖设当时好尚，文句虽拙，亦由话本蜕为著作之适例矣。其式如下：

《流红记》　　红叶题诗取韩氏；

《长桥记》　　钱忠长桥遇水仙；

《王幼玉记》　　幼玉思柳富而死；

《曹太守传》　　曹公守节不降贼；

南宋亡，杂剧消歇，说话遂不复行，然话本盖颇有存者，后人目染，仿以为书，虽已非口谈，而犹存曩体。讲史者流，有《东周列国》《两汉》《三国演义》等。小说者流，有《今古奇观》《龙图公案》等。而世间不复严别，第以小说为共名。

元明传来之历史演义　小说史大略十一

宋人杂剧中，其一科为讲史。至于元明话本，盖尚有存者，又经润色，流行民间。郎瑛说："罗贯字本中，杭州人，编撰小说数十种。"今行世之《三国》《水浒》《隋唐》诸演义，尚云罗氏作，盖当时小说名手，而是否亦长讲演，则不可考。贯，或云名本，字贯中（王圻《续文献通考》）；或云越人，生洪武初（周亮工《书影》），为施耐庵门人（胡应麟《庄岳委谈》），大约生于元，至明尚存者也。

三国时多英雄，勇力智计，奇伟动人，而较之春秋战国，易寻端绪，故尤宜于讲说。唐时，已有说三国事者，见前篇。至宋，则"说三分"为徽宗时都下伎艺之一科（孟元老《东京梦华录》），风行民间。亦用以悦小儿，东坡所谓"王彭尝云，涂巷中小儿薄劣，其家所厌苦，辄与钱，令聚坐听说古话。至说《三国》事，闻刘玄德败，频蹙眉，有出涕者；闻曹操败，即喜唱快。以是知君子小人之泽，百世不斩"（《志林》卷六）者。是金元曲目中，亦有《赤壁鏖兵》、《诸葛亮秋风五丈原》、《隔江斗智》、《连环计》等，而今日所扮演者尤多，其为世所乐道可知也。

然宋元之三国话本，今已不传，明刊一本，相传即出罗贯中手，体例如话本，然亦无由测其有所传受，抑出于模拟也。清毛宗岗改订之，是为今通行本，而古本反不传。但就其凡例，尚足见两本违异大略，其所谓俗本者实原本，谓古本者实改本，倒置事实，盖以圣叹之 改《水浒》为师资。至于润色之处，则一者修正文词，二者整饬回目，三者增删琐事，四者改易诗文，如是而已。

《三国演义》百二十回，起自汉三杰桃园结义，而终以孙皓之降。排比陈寿《三国志》与裴松之注，间采稗史，而文杂以臆说。以旧史为本据，则难于抒写，偶杂以虚造，则易滋混淆，故谢肇淛病其"太实而近腐"(《五杂俎》)，章学诚訾其"七实三虚，惑乱观者"(《丙辰札记》)也。而况描写贤奸，颇失分际，以致玄德似伪，孔明近诈，而奸雄孟德，反多率真而近情，胡应麟以为"绝浅鄙可嗤"，固非溢恶之论矣。

又有《隋唐演义》者，据褚人获序亦云贯中旧本。其书多取宋人所作《海山》《迷楼》《开河》三记及唐人杂说，间杂以无稽之谈，与《三国演义》同。今褚本分为二书，名上半部曰《隋炀艳史》。

宋人讲史，不限于全史，其敷叙一时或一人故事者，亦隶此科。故吴自牧《梦粱录》讲史条下云："有王六大夫，于咸淳年间，敷演《复华篇》及《中兴名将传》，听者纷纷。"其类之至今犹存者为《水浒传》。

《水浒传》为南宋初年以来相传之故事，宋江亦实有其人，见于《宋史》。徽宗宣和三年，"淮南盗宋江等犯淮阳军，遣将讨捕，又犯京东江北，入楚海州界，命知州张叔夜招降之。"(卷二十二)至于降后之事，则史无明文，而稗史谓其讨方腊有功，封节度使。然擒腊者实韩世忠，与江等无与，惟《宋史·侯蒙传》有云："宋江寇京东，蒙上书，言宋江以三十六人横行齐魏，官军数万，无敢抗者，其才必过人，今青溪盗起，不若赦江，使讨方腊以自赎。"(卷三百五十一)然当时虽有此议而实未行,小说家则因以附会。洪迈《夷坚乙志》云:“宣和七年,户部侍郎蔡居厚罢,知青州,以病不赴,归金陵,疽发于背,卒。未几,其所亲王生亡而复苏,见蔡受冥谴,以告其妻,云,(‘今只是理会郓州事。’)夫人恸哭曰,‘侍郎去年帅郓时,有梁山泊贼五百人受降,既而悉诛之,吾屡谏,不听也。’”《乙志》成于乾道二年,去宣和不过四十余年,耳目甚近,冥谴固小说家言,杀降则不容臆造,山泊终局,如此而已。

然宋江等(啸)聚梁山泊时,其势甚盛,《宋史》亦言:“转略十郡,官军莫敢撄其锋”(卷三百五十三)。意者当时必有奇闻故事,流传民间,辗转繁变,以成巷语,复经文人掇拾粉饰,而文籍以出。宋末遗民龚圣与作《宋江三十六人赞》,自序已云:“宋江事见于街谈巷语,不足采著,虽有高如李嵩辈传写,士大夫亦不见黜”(周密《癸辛杂识》续集上)。今高李所作虽散失,而足知宋末已有传写之书。《宣和遗事》前集中,亦有梁山泊始末,遗事乃节取他书所为,则宋江事亦必别有本据,惟不知为何人所作耳。其目如下:

杨志等押花石纲阻雪违限　杨志途贫卖刀杀人刺配卫州　孙立等夺杨志往太行山落草　石碣村晁盖伙劫生辰纲　宋江通信晁盖等脱逃　宋江杀阎婆惜题诗于壁　宋江得天书有三十六将姓名　宋江奔梁山泊寻晁盖　宋江三十六将共反　宋江朝东岳赛还心愿　张叔夜招宋江三十六将降　宋江收方腊有功封节度使

元人剧曲,亦多取梁山泊故事为资材,而性情节目,间与今本《水浒传》殊异。意者此种故事,载在人口者甚多,虽已有书本，而失之简略，于是又复有人起而荟萃取舍之，缀为巨帙，使较有条贯，可观览，是为今存之《水浒传》。其缀集者，或曰罗贯中（王圻郎瑛说），或曰施耐庵（胡应麟说），或曰施耐庵作罗贯中续（金人瑞说）。

今存之《水浒传》有三本：

一、《忠义水浒传》一百十五回，题"东原罗贯史编辑"。其书始于洪太尉误走妖魔，而次以百八人之渐聚山泊，已而受招安，破辽，平田虎王庆方腊，与《宣和遗事》所载者略同，后来则智深坐化于六和，宋江服毒而自尽，累显灵应，终为神明。惟文辞芜拙，体例纷纭，中间诗歌，亦俱鄙倍，定为元明间书，正合度量，今名之曰原本。王圻郎瑛云，"罗贯中作"者，殆据此本也。

二、《忠义水浒传》一百二十回，题"施耐庵集撰，罗贯中纂修"。中国已罕见，今所见者，惟日本翻刻本十回，亦始于误走妖魔，而继以鲁达林冲事迹，与原本同，余虽未见，然第五回结末于鲁达有"直教名驰塞北三千里，证果江南第一州"之语，即指六和坐化，则其余当亦与原本同也。惟于文辞，则增删润色，几乎改观。尽削恶诗，颇增骈语，描写亦愈入细微，周亮工《书影》所谓"故老传闻罗氏《水浒传》一百回，各以妖异语冠其首，嘉靖时，郭武定重刻其书，削其致语，独存本传"者，盖即此，今名之曰郭本。此本始以为施撰罗修，胡应麟《庄岳委谈》云："元人武林施某所编《水浒传》特为盛行，世卒以其凿空无据，要不尽原也。余偶阅一小说序，称施某尝入市肆，细阅故书，于敝楮中得宋张叔夜禽贼招语一通，备悉其一百八人所由起，因润色成此编。"则独举施名，其所见为别本，抑即此本，今不可考矣。

三、第五才子书《水浒传》七十回，有自序一篇，题“东都施耐庵撰”，为金人瑞所传。自云得古本，只七十回，于宋江受天书之后，即以卢俊义梦众人俱为嵇叔夜所缚终，而指招安以下为罗贯中续，斥为“恶札”。其书与郭本无大异，第略有增易，而删骈语特多，殆即出圣叹手。田汝成《西湖游览志》云：“此书出宋人笔，近日金圣叹自七十回之后，断为罗所续，极口诋罗，复伪为施序于前，此书遂为他有矣。”其以为宋人作虽误，而云圣叹始断为罗续则近之。故所谓得“古本”，所谓“旧时《水浒传》，贩夫皂隶都看，此本虽不曾增减一字，却与小人没分之书者”，殆皆为激动读者，坚其信仰而设者也。今名之曰金本。若刊落之故，则大半由于历史之关系，胡适说：“圣叹生在流贼遍天下的时代，眼见张献忠、李自成一班强盗流毒全国，故他觉得强盗是不能提倡的，是应该口诛笔伐的。”(《水浒传考证》)

上述三本，大抵愈合者愈细密，而圣叹所叹赏之佳处，殆即圣叹所改定。今举《鲁智深火烧瓦官寺》中之一节，以见大概。

(一)原本	(二)郭本	(三)金本
智深……只见后面有人嘲歌。智深提禅杖出来看时，只见一个道人，	智深只听的外面有人嘲歌。智深洗了手，提了禅杖出来看时，破壁子里，望见一个道人，头戴皂巾，身穿布衫，腰系杂色绦，脚穿麻鞋，挑着一担儿，一头是	智深只听得外面有人嘲歌。智深洗了手，提了禅杖，奔去不及，破壁子里，望见一个道人，头戴皂巾，身穿布衫，腰系杂色绦，脚穿麻鞋，挑着一担儿，一头是个竹篮儿，里面露

手内提着鱼肉酒，口里嘲歌唱道：	一个竹篮儿，里面露些鱼尾，并荷叶托着些肉；一头担着一瓶酒，也是荷叶盖着。口里嘲歌着，唱道：	些鱼尾，并荷叶托着些肉；一头担着一瓶酒，也是荷叶盖着。口里嘲歌着，唱道：
你在东头我在西， 你无男子我无妻。 我无妻时犹自可， 你无夫时好孤栖。	“你在东时我在西， 你无男子我无妻。 我无妻时犹间可， 你无夫时好孤栖。	你在东时我在西， 你无男子我无妻。 我无妻时犹间可， 你无夫时好孤栖。
	那几个老和尚赶出来，指与智深道，“这个道人，便是飞天夜叉丘小乙。”智深见指说了，便提着禅杖随后跟去。	那几个老和尚赶出来，摇着手，悄悄地指与智深道，“这个道人，便是飞天药叉丘小乙。”智深见指说了，便提着禅杖随后跟去。
那道人不知智深在后跟来，只顾走入方丈后去。智深跟到里面看时，见绿阴树下，放着一张桌子，铺着盘馔，当中坐着一个胖和尚。	那道人不知智深在后面跟来，只顾走入方丈后墙里去。智深随即跟到里面看时，见绿槐树下，放着一条桌子，铺着些盘馔，三个盏子，三双箸子，当中坐着一个胖和	那道人不知智深在后面跟去，只顾走入方丈后墙里去。智深随即跟到里面看时，见绿槐树下，放着一条桌子，铺着些盘馔，三个盏子，三双箸子，当中坐着一个胖和尚，生得眉如漆刷，脸似墨装，肐膪的一身

一边厢坐着个年少妇人。那道人把竹篮放下，也去坐着。智深走到面前，和尚吃了一惊。

便曰，“请师兄同吃一盏。”智深曰，“你这两个如何把寺坏了？”那和尚曰，“师兄，听小僧说：

“在先敝寺，田庄广有，僧众也多，只被廊下那几个老和尚饮酒撒泼，把寺废了。”……

尚，生的眉如漆刷，脸似墨装，肐瘩的一身横肉，胸脯下露出黑肚皮来。边箱坐着一个年幼妇人。那道人把竹篮放下，也来坐地。智深走到面前，那和尚吃了一惊，跳起身来，便道，“请师兄坐，同吃一盏。”智深提着禅杖道，“你这两个，如何把寺来废了？”那和尚便道，“师兄请坐，听小僧说。”智深睁着眼道，“你说你说。”那和尚道，“在先敝寺，十分好个去处，（余同右文）

横肉，胸脯下露出黑肚皮来。边厢坐着一个年幼妇人。那道人把竹篮放下来，也坐地。智深走到面前，那和尚吃了一惊，跳起身来，便道，“请师兄坐，同吃一盏。”智深提着禅杖道，“你这两个，如何把寺来废了？”那和尚便道，“师兄请坐，听小僧，……”智深睁着眼道，“你说你说。”“说，……在先敝寺，十分好个去处，田庄又广，僧众极多，只被廊下那几个老和尚吃酒撒泼，将钱养女，长老禁约他们不得，又把长老排告了出去，因此把寺来都废了。……”

今又有《续水浒传》四十九回，亦名《征四寇》（辽，田虎，王庆，方腊），即原本第六十六回以后之文，疑其行世当在金本盛传之后。以文笔论，郭本远胜于旧，而当时盖与金本并行，人所习见，不能截取以补七十回之缺，惟原本较晦，故遂取其后半为续传矣。

清初，有《后水浒传》，明遗民雁宕山樵陈忱作，托名“古宋遗民”刊行。其书叙宋江既死，余人为宋御金，然无功，混江龙李俊遂率众浮海，王于暹罗，所以续郭本。嘉庆中，忽雷道人俞万春又作《荡寇志》，亦名《结水浒》，皆铺叙“当年宋江并没有受招安平方腊的话，只有被张叔夜擒拿正法一句话”之事，所以续金本，且平反《征四寇》与《后水浒》者也。明嘉靖间有《金瓶梅》，取《水浒》中事为种子，又有续集曰《玉娇黎》，则已转入人情小说，与草泽无关，或以为皆王世贞作也。

明之历史的神异小说　小说史大略十二

明人之于讲史，所创作殊无以胜于前人。最显者有《东周列国志》二十七卷一百八回，始于褒姒之生，而终以秦之并六国，大抵以《左传》为根据，又杂采《国语》、《国策》、管、晏诸子、《史记》、《吴越春秋》以补缀之，文笔参差，且多谬误。又有《西汉演义》一百回，《东汉演义》六十四回，亦据《史》《汉》而加以增饰，时有违失，与《列国志》同。此三书舛误而外，又以拘牵史实，袭用陈言，故既拙于遣辞，又颇惮于叙事。蔡奡《列国志读法》云："若说是正经书，却毕竟是小说样子。……但要说他是小说，他却件件从经传上来。"所以美之，而历史演义之弊亦在此。

又有述一时之事，而特置重于豪杰者，例如宋人之讲《中兴名将传》，固讲史之一支，然分析之，则亦可谓之英贤小说。如《英烈传》者，为武定侯郭勋所撰，记明朝开国武烈，而特溢其始祖郭英之美。如《平妖传》者，为城步县民所撰，则记其县令王谦得关帝之助，因平峒苗杨应龙之功。如《龙图公案》者，虽每篇各有起讫，近于宋之公案，而通本并载包拯断狱之神异，实亦英贤小说之流亚也。他如叙唐之薛家（《征东》、《征西》），宋之杨家（《杨家将》）五虎（《五虎平西南》）诸书，则殆以边患渐多，人思将帅，遂有此作，虽不依史事，而文意俱陋，且逊于拘牵故实者矣。

至于取史上之一事或一人，而又不循旧文，出意虚造，以奇幻之思，成神异之谈，则至明始有巨制，其魁杰曰《西游记》。

世多谓《西游记》为元道士邱处机作者，非也。李志常撰《长春真人西游记》二卷，记处机西行事，今尚存，与此名同而书别。山阳丁晏据康熙初之《淮安府志·艺文书目》，谓此为其乡嘉靖中岁贡生官长兴县丞吴承恩所作，且谓记中所述大学士、翰林院、中书科、锦衣卫、兵马司、司礼监，皆明代官制，又多淮郡方言（《冷庐杂识》），则此书为山阳吴承恩撰也。

玄奘求经，由于太宗之入冥，入冥情状，已见于敦煌石窟所出唐人通俗文中，《朝野佥载》亦云："太宗至夜半奄然入定，见一人云，'陛下暂合来，还即去也？'帝问：'君是何人？'对曰：'臣是生人判冥事。'太宗入见判官，问六月四日事，即令还。向见者又送迎引导出。"而玄奘入竺，则载在《唐书·方伎传》，但无诸神异事。惟今所见《大唐三藏取经诗话》，已有猴行者及诸异境。元人院本名目中，亦有《唐三藏》（《辍耕录》），《唐三藏西天取经》（《录鬼簿》）等。似自唐末至宋元，乃渐渐演为神异故事，流播民间。而此种话本及传说，明代或尚有存者。吴承恩犹及闻之，故其书间有与宋人诗话相类者也。

《西游记》一百回。第一至第七回记石猴生于花果山，得道，大闹天宫，以至被压于五行山下之事。第八回记释迦造经之事，与经言阿难结集不合；第九回记玄奘父母遇难及玄奘复仇之事，全非事实，甚诬古人；第十第十一回记太宗入冥诸事，以为因救龙爽约，与《朝野佥载》谓"因问杀太子建成齐王元吉事"者不同；第十二至十四回，记玄奘首途，至猴行者归依之事；第十五至九十九回，皆记入竺途中遇难之事，并第九回之遇难以来共得八十一难；第一百回则东返成真之事也。作者构想之幻，大都在记八十一难中，而火焰山之战，尤为奇恣，其前之猴行者为小圣所服，虽意匠相肖，然雄健不及也。

评议此书者，有清人悟一子《西游真诠》与悟元道人《西游原旨》，皆阐明理法，文词甚繁。实则全书大旨，无非以猿表心，以马表意，以心制马与魔，而又以紧箍制心，心灭魔灭，乃得真知。

谢肇淛云："《西游记》曼衍虚诞，而其纵横变化，以猿为心之神，以猪为意之驰，其始之放纵，上天下地，莫能禁制，而归于紧箍一咒，能使心猿驯伏，至死靡他，盖亦求放心之喻，非浪作也"（《五杂俎》）数语，已足尽之。作者亦自云"众僧们灯下议论佛门定旨，上西天取经的原由，……三藏箝口不言，但以手指自心点头几度，众僧们莫解其意，三藏道，'心生种种魔生，心灭种种魔灭，我弟子曾在化生寺对佛说下誓愿，不由我不尽此心，这一去，定要到西天见佛求经，使我们法轮回转，皇图永固'"（第十三回）也。惟缘明人之言心性，已多混三教为一谈，故释迦与老君同流，真性与元神错出，又以八卦，通之《易经》，而附会于儒术矣。

继《西游记》而作者，有《西游补》，乌程董说撰。说字若雨，黄道周之弟子也。明亡为僧，号月涵。此书记孙悟空梦游事，作于明亡之后，故有"青青世界"及"未来世界""历日先晦后朔"诸语，借稗史以抒隐痛者也。今印本改名《新西游记》。又有《后西游记》者，记三藏及孙悟空等后裔，复入西天求经事，乃惟模仿前记而已。

《封神传》一百回，不提撰人，梁章钜云，"林樾亭先生尝与余谈，《封神传》一书是前明一名宿所撰，意欲与《西游记》《水浒传》

鼎立而三，因偶读《尚书·武成篇》，'唯尔有神，尚克相予'语衍成此传。其封神事，则隐据《六韬》《阴谋》《史记·封禅书》《唐书·礼仪志》各书，铺张俶诡，非尽无本也"(《浪迹续谈》)。然名宿之名未详。其书开篇诗云："商周演义古今传"，盖志在于演史，而侈谈神怪，什九虚造，实不过假商周之争，写一己之幻想，然较《水浒》既失之架空，方《西游》又逊其雄恣，望尘尚遥，遑论鼎足，仅止于神异小说之备员而已。

《史记·封禅书》云："八神将，太公以来作之。"《六韬·金匮》中亦间记太公神术；妲己为九尾狐精，则见于唐李瀚《蒙求》注，是商周神异之谈，相传旧矣。此书起于受辛进香女娲宫，题诗渎神，神因命三妖惑纣以助周。第二至三十四则杂叙商纣暴虐，子牙隐显，西伯脱祸，武成反商，以成殷周交战之局。此后多叙战争，杂出神佛，助周者为道释，助殷者为阐(截)教。阐(截)教不知所指，或以为魔。因《周书·克殷篇》有云"武王遂征四方，凡憝国九十有九国，馘魔亿有十万七千七百七十有九，俘人三亿万有二百三十"也。其战各逞道术，互有丧亡，而阐(截)教终败。遂以纣王自焚，周武入殷，子牙归国封神，武王分封列国终。封国以安功臣，封神以安功鬼，而以人心之死归于劫运。虽间见佛名，偶说名教，混合三教，亦如《西游》，然其根柢，则方士之见也。

《三宝太监西洋记》一百回，题"二南里人编次"。前有万历丁酉菊秋之吉罗懋登叙，罗即撰人。书叙永乐中太监郑和王景宏服外夷三十九国，咸使朝贡事。郑和者，《明史·宦官传》云："云南人，世所谓三保太监者也。永乐三年，命和及其侪王景宏等通使西洋，将士卒二万七千八百余人，多赍金帛，造大舶，……自苏州刘家河泛海至福建，复自福建五虎门扬帆，首达占城，以次遍历诸国，宣天子诏，因给赐其君长，不服则以武慑之。先后七奉使，所历凡三十余国，所取无名宝物不可胜计，而中国耗费亦不赀。自和后，凡将命海表者，莫不盛称和以夸外蕃，故俗传‘三保太监下西洋’为明初盛事云。”盖和在明代，名声赫然，为世人所乐道，而嘉靖以后，倭患甚殷，民间伤今之弱，乃忆国初盛事，而有此作，故自序云：“今者东事倥偬，何如西戎即序，不得比西戎即序，何可令王郑二公见”也。惟序虽如是，书则荒诞离奇，全由臆造。第一至第七回记碧峰长老下生，出家及降魔之事；第八至十四回记碧峰与张天师斗法之事；第十五回以下则郑和挂印，招兵西征，天师及碧峰助之，斩除妖异，诸国入贡，郑和建祠之事也。所述战事，颇窃《封神》，而叙记更为支蔓，盖意在侈陈怪异，专尚荒唐，遂不能与序言之慷慨相应矣。

历史演义之作，宋元以来至今不绝。清人于开辟至明季之事，多有演述，英贤神异之作亦然，在今尤显者，有《镜花缘》，记武后开科录取女子，次及诸女以后之运命，而间以奇士浮海，历游异境，虽多据《山海经》，实亦《西游》之一叶也。其源出英贤小说，而并虚构人物，寄其理想者，有《野叟曝言》，康熙时江阴缪某或云夏某作，记明人文素臣一生之事。文功武烈，萃于一人，学术文章，俱臻绝顶，既能易形，又功内媚，欲研究当时自谓儒者之心理，此实其如实之资料矣，后不暇专论，附记于此。

明之人情小说　小说史大略十三

明人小说之涉及历史者，若非神怪，即为英贤，而又多偏于武勇，故一方复有述才士之书，以补其阙。其所叙述，虽亦英贤，然大率假立姓名，不必实有其人，盖文士之在史策，常无与于显赫之功，而贵人达官之有文名者，又每与风流跌宕不相称，不足为书中主人，故无宁虚造姓名，较便抒写，按其根柢，实亦英贤小说之支流也。

唐人记传中，亦颇有言文人异迹如《游仙窟》《章台柳传》者，然除《莺莺传》而外，殆与后来之此类小说不相关，倘或相同，亦缘人同此心，因而偶合，非必出于仿效矣。惟文翰之士，既无惊人勋业，比拟武人，则所述自不得不以文雅风流功名遇合为主体，以是描写亦渐入于人情。此在唐亦属传奇，宋则隶于小说，又以事迹多始乖而终合，故明人称为佳话，今名之曰“人情小说”。

《玉娇梨》（今或改称《双美奇缘》）二十回，无撰人名氏。叙明正统间有太常卿白玄者，无子，晚年生一女曰红玉，甚有文才，以代父作菊花诗为客所知。御史杨廷诏因求为子妇，玄招其子杨芳试之。

> 吴翰林陪杨芳在轩子边立着。杨芳抬头，忽见上面横着一个扁额，题的是“弗告轩”三字。杨芳自恃认得这三个字，便只管注目而视。吴翰林见杨芳细看，便说道，“此三字

乃是聘君吴与弼所书，点画遒劲，可称名笔。”杨芳要卖弄识字，因答题，“果是名笔，这轩字也还平常，这弗告二字写得入神。”却将告字读了去声，不知弗告二字，盖取《诗经》上“弗谖弗告”之义，这“告”字当读与“谷”字同音，吴翰林听了，心下明白，便模糊答应。……(第二回)

白玄遂不允。杨以为怨，乃荐玄赴乜先营中迎上皇，玄托其女于妻弟吴翰林(珪)而去。吴珪即挈红玉归金陵，偶见苏友白题壁诗，爱其才，欲以红玉嫁之。友白误相新妇，竟不从。珪怒，嘱学官革友白秀才，学官方踌躇，而白玄还朝加官回乡之报适至，即依黜之。友白被黜，将入京就其叔，于途中见数少年苦吟，乃方和白红玉新柳诗；谓有能步韵者，即嫁之也。友白亦和两首，而张轨如窃以献白玄，玄留之为西宾。已而有苏有德者，又冒为友白，请婚于白氏，席上见张，互相攻击，俱败。友白既见新柳诗，甚慕红玉之才，遂渡江而北，欲托吴珪求婚；途中遇盗，舍于李氏，偶遇一少年曰卢梦梨，甚服其才，因以妹之终身相托。友白遂入京纳监应试，中第二名；再访卢氏，则已以避祸远徙，乃大失望。不知卢实白红玉之中表，已赴金陵依白氏也。白玄难于得婿，变姓名游山阴，于禹迹寺见少年姓柳，才识不常，次日往访，许以己女及甥女，归说其故云：

忽遇一个少年，姓柳，也是金陵人。他人物风流，真个是“谢家玉树”。……我看他神清骨秀，学博才高，旦暮间便当飞腾翰苑。……意欲将红玉嫁他，又恐甥女说我偏心；欲要配了甥女，又恐红玉说我矫情。除了柳生，若要再寻一个，却万万不能。我想娥皇女英同事一舜，古圣人已有行之者；我

又见你姊妹二人互相爱慕，不啻良友，我也不忍分开；故当面一口就都许了他，这件事我做的甚是快意。(第十九回)

而二女皆慕友白，闻之甚怏怏。已而柳至白氏，自言实苏友白，盖尔时亦变姓名游山阴也。玄亦告以真姓名，皆大惊喜出望外，遂成婚。而卢梦梨实女子，其先乃改装自托于友白者云。

《平山冷燕》二十回，题云"荻岸山人编次"。叙元朝隆盛时钦天监正堂官奏奎壁流光，散满天下，天子大悦，诏搜求真才，又适见白燕盘旋，乃命百官赋白燕诗，众谢不能，大学士山显仁乃献其女山黛之作，诗云：

夕阳凭吊素心稀，遁入梨花无是非，淡去羞从鸦借色，瘦来只须雪添肥，飞回夜黑还留影，衔尽春红不浣(涴)衣，多少朱门夸富贵，终能容我洁身归。(第一回)

天子即召见，令献箴，称旨，赐以玉尺一条，"以此量天下之才"；金如意一执，"文可以指挥翰墨，武可以捍御强暴，长成择婿，有妄人强求，即以此击其首，击死无论"；又赐御书匾额一方曰"弘文才女"。时黛方十岁；其父筑楼以贮玉尺，谓之玉尺楼，亦即为黛读书之所，于是才女之名大著，求诗文者云集矣。已而黛以诗嘲一贵介子弟，被怨，托人诬以诗文皆非已出，又奉旨令文臣赴玉尺楼与黛较试，文臣不能及，诬者获罪，而黛之名益扬。其时又有村女冷绛雪者，亦幼即能诗，忤山人宋信，信以计陷之，使官买送山氏为侍婢。以途中题诗遇洛阳才人平如衡，然指顾间竟相失；绛雪至山氏，自显其才，大得敬爱，且亦以题诗为天子所知也。平如衡至云间访才士，得燕白颔，家世富贵而有大才，能诗。长官俱荐于朝，二人不欲以荐举出身，乃入都应试，且改姓名求见山黛。黛早见其讥刺诗，因与绛雪易装为青衣，试以诗，唱和再三，二人皆屈，辞去。有张寅者，亦以求婚至山氏，受试于玉尺楼下，张不能文，大受愚弄，又以奔突登楼，几被如意击死，拜祷得免。张乃嘱礼官奏于朝，谓黛与少年唱和调笑，天子即拘讯；张告发二人即平燕托名，而适榜发，会元为平，会魁为燕，于是天子大喜，谕山显仁择之为婿，遂以山黛嫁燕白颔，以冷绛雪嫁平如衡。成婚之日，凡事无不美满：（据《史略》增此句）

> 二女上轿，随妆侍妾足有上百，一路上火炮与鼓乐喧天，彩旗共花灯夺目，真个是天子赐婚，宰相嫁女，状元探花娶妻：一时富贵，占尽人间之盛。……若非真正有才，安能如此？至今京城中俱传平山冷燕为四才子；闲窗阅史，不胜欣慕而为之立传云。（第二十回）

是书或谓嘉兴张博山十四五时作，其父执某续成之（《柚堂续笔谈》）。然文意陈腐，不类少年手笔。大体颇薄制艺而尚才华，重真才而蚩俗士，然所谓才者，即能诗，而所举佳诗，亦甚俚俗；又凡求婚必经考试，仍亦科举思想之仆隶也。

《好逑传》十八回，一名《侠义风月传》，题云“名教中人编次”。其立意大略如上二书，而文辞较佳，人物之性格亦稍异，所谓“既美且才，美而又侠”者也。秀才铁中玉，北直隶大名府人。

> 生得丰姿俊秀，就像一个美人，因此里中起个诨名，叫做“铁美人”。若论他人品秀美，性格就该温存。不料他人虽生得秀美，性子就似生铁一般，十分执拗；又有几分膂力，有不如意，动不动就要使气动粗；等闲也不轻易见他言笑。……更有一段好处，人若缓急求他，……慨然周济；若是谀

言谄媚，指望邀惠，他却只当不曾听见：所以人都感激他，又都不敢无故亲近他。（第一回）

其父铁英为御史，中玉虑以鲠直得祸，入都谏之。会大夫侯沙利夺朝愿妻，即出智计取以还愿，大得义侠之称。惧祸不敢留都，至山东游学。历城退职兵部侍郎水居一有一女曰冰心，甚美，而才识胜男子。同县有过其祖者，大学士之子，强来求婚，水居一不敢拒，然以侄女易冰心嫁之，婚后始觉。其祖大恨，陷居一复百计图女，而冰心皆以智计获免。过其祖又托县令假传朝旨逼冰心，而中玉适在历城，遇之，斥其伪，计又败。冰心因此甚服铁中玉。值中玉暴病，乃邀寓其家护视，历五日始去。此后过其祖仍再三图娶冰心，皆不得。而中玉卒与冰心成婚，然不合卺，已而过学士托御史万谔奏二氏婚媾，先以"孤男寡女，共处一室，不无暧昧之情，今父母狥私，招摇道路而纵成之，实有伤于名教。"有旨查复。后皇帝知二人虽成礼而未同居，乃召冰心令皇后验试，果为贞女，于是诬蔑者皆被诘责，而誉水铁为"真好逑中出类拔萃者"，令重结花烛，以光名教，且云"汝归宜益懋后德以彰风化"也。

《铁花仙史》二十六回。无撰人名氏。叙钱唐蔡其志与好友王悦共游于祖遗之埋剑园，赏芙蓉，至花落方别。后入都又相遇，已各有儿女在襁褓，乃约为婚姻，往来愈密。王悦子曰儒珍，七岁能诗，与同窗陈秋麟皆以十三四入泮，尝借寓埋剑园，邀友赏花赋诗。秋麟夜遇女子，自称符剑花，后屡至，一夕暴风雨拔去玉芙蓉，乃绝。后王氏衰落，儒珍又不第，蔡嫌其穷困，欲以女改适夏元虚，时秋麟已中解元，急谋于密友苏紫宸，托媒得之，拟临时归儒珍，而蔡女若兰竟逸去，为紫宸之叔诚斋所收养。夏元虚为世家子而无行，怒其妹瑶枝时加讥斥，乃荐之应点选；遥枝被征入都，中途舟破，亦为诚斋所救。诚斋招儒珍为西宾，而蔡其志晚年孤寂，亦屡来迎王，养以为子，亦发解，娶诚斋之女馨如。秋麟求婚夏瑶枝，诚斋未许。一夕夏自来，乃相将逸去。时紫宸已平海寇成神仙，忽贻王陈二人书，言真瑶枝故在苏氏，此女实花妖，教二人以五雷法治之，妖道去，诚斋亦终以真瑶枝许之。一日儒珍至苏氏，忽见若兰旧婢，甚惊；诚斋乃确知所收蔡女，故为儒珍聘妇，亦以归儒珍。后来两家夫妇皆年逾八十，以服紫宸所赠金丹，一夕无疾而终，世以为尸解云。此书作者颇自负，序云："传奇家摹绘才子佳人之悲欢离合，以供人娱目悦心者也。然其成书而命之名也，往往略不加意。如《平山冷燕》则皆才子佳人之姓为颜，而《玉娇梨》者又至各摘其人名之一字以传之，草率若此，非真有心唐突才子佳人，实图便于随意扭捏成书而无所难耳。此书则有特异焉者，……令人以为铁为花为仙者读之，而才子佳人之事掩映乎其间。……"然记事虽较为曲折，实嫌琐碎，且溷入战争及神仙妖异之事，已轶出于纯述人情范围以外矣。

清之人情小说　小说史大略十四

人情小说萌发于唐，迄明略有滋长，然同时坠入迂鄙，以才美为归，以名教自饰。李贽、金喟虽盛称说部，而自无创作，亦无以破世人拘墟之见，但提挈一二传奇演义，出于恒流之上而已。至清有《红楼梦》，乃异军突起，驾一切人情小说而远上之，较之前朝，固与《水浒》《西游》为三绝，以一代言，则三百年中创作之冠冕也。

《红楼梦》一名《石头记》，乾隆中叶，始有钞本，止八十回。乾隆末程伟元以活字印行，计一百二十回为全书。程氏序言，后四十卷之中，二十余卷得于藏书家及故纸堆中，十余卷得于鼓担上，然漫漶不可收拾，乃与友人厘剔，截长补短，抄成全部。审此，则《红楼梦》原止八十回，为未完之书。程伟元得残本，又与友人补缀为之印行，而世间始有全帙者也。

此书作者第一回明言："曹雪芹于悼红轩中披阅十载，增删五次，纂成目录，分出章回，……"则总其成者，为曹雪芹，然此实止前八十回。至于后四十回，程伟元序虽云尝得旧本，稍加厘剔，而其实为刻印者托古欺人之常法。俞樾《小浮梅闲话》云："《船山诗草》有《赠高兰墅鹗同年》一首云：'艳情人自说红楼'。注云：'《红楼梦》八十回以后，俱兰墅所补'。"船山与兰墅同时又同年，当不误，故知后四十回为高鹗续也。

曹雪芹者，不知其名，奉天人，为康熙时通政使司江宁织造镶蓝旗汉军曹寅之孙。寅爱文雅，又富厚，康熙南巡时，四次皆寅为织造，以其署为行宫。此后织造有曹颙、曹頫，似皆寅子侄，其名从页，寅孙名瑮（见章学诚《信摭》），未知是否即雪芹？若不然，则雪芹之名，或亦从玉矣。然雪芹事迹不可考，袁枚言其随园即《红楼梦》中之大观园，得于隋氏。隋赫德为雍正初江宁织造，继曹頫之后，盖得于曹氏。曹方代而即售其园，衰落之速可想。又按之本书，屡言经历梦幻，则雪芹尝见父祖之荣华，而雕零猝至，终于坎坷可知也。

高鹗字兰墅，奉天铁岭人，镶黄旗汉军，乾隆六十年乙卯进士，余未详。其补成《红楼梦》，盖为世人艳称，故张船山自著之诗注，鹗亦似甚自喜，颇不欲埋没补作之勤，故引言第六条云："是书开卷略志数语，非云弁首，实因残缺有年，一旦颠末毕具，大快人心，欣然题名，聊以记成书之幸"也。

《红楼》开场即述本书之由来，谓女娲补天，独留一石未用，石甚自悼叹，俄见一僧一道，以为"形体到也是个灵物了，只是没有实在好处，须得再镌上几个字，使人人见了便知你是件奇物，然后携你到那昌明隆盛之邦，诗礼簪缨之族，花柳繁华之地，温柔富贵之乡，去走一遭。"于是袖之而去。更历不知几劫，有空空道人见此大石，上镌文词，从石之请，钞以问世。从此空空道人遂"因空见色，由色生情，传情入色，自色悟空，遂改名情僧，改《石头记》为《情僧录》；东鲁孔海溪题曰《风月宝鉴》；后因曹雪芹于悼红轩中披阅十载，增删五次，纂成目录，分出章回，又题曰《金陵十二钗》……即此，便是《石头记》的缘起。"

此后叙宁国公、荣国公两贾家之盛衰，为期八年。所见人物，有男子二百三十五人，女子二百十三人，用字九十万。然其主要则在衔玉而生之宝玉，与其周围之金陵十二钗，曰：贾元春、迎春、惜春、探春、林黛玉、薛宝钗、王熙凤、与其女巧姐、李纨、秦可卿、史湘云、尼妙玉。又有副者十二人，皆侍婢也。

贾氏之统系及十二钗与宝玉之关系如下表：

十二钗中，又以林薛与宝玉之关系贯全书。宝玉者，贾政次子，为父所憎，而为祖母所爱，性情甚异，恶男子而尊女人。己酉年(第一年)林黛玉、薛宝钗皆以事寄居贾氏，林与宝玉皆十一岁，薛十二岁，幼时尝从癞和尚得金锁，颇与宝玉之衔玉相应，而宝玉则远薛而慕林。时贾氏方荣盛，元春为妃，以壬子(第四年)省亲，设盛会于府中大观园，极一时游宴之盛。宝玉则终年奔波于女儿间，然与黛玉尤密。黛玉素羸弱，终于卧病，而宝玉亦忽失其通灵玉，状如失神。会贾政将赴外任，决欲于启程之前为宝玉完娶，以黛玉荏弱，遂定宝钗。姻事以王熙凤之谋画，运行甚秘，而卒为黛玉所知，咯血病日甚，至宝玉成礼之日遂卒，时为乙卯(第七年)春，年十七。宝玉自以为娶黛玉，欣然临席，比见新妇为宝钗，乃悲叹复病。是时贾氏渐衰落，元妃先薨，贾母寻亡，而宝玉病亦日甚，一日将死，忽有一僧持玉来，宝玉遂苏，见僧复气绝，梦游幻境，见黛玉不能近，见迎春等忽又化为鬼怪，又为僧所救，而醒，乃忽改行，发愤欲振家声。丙辰(第八年)应乡试，中第七名，宝钗亦有孕，而宝玉忽亡去。贾政既葬母于金陵，将归就京师，雪夜泊舟毗陵驿，见一人光头赤足，向之四拜，审视知为宝玉，方欲就语，忽来一僧一道，挟之俱去，且作歌，贾政追之，竟不复见。

《红楼梦》本事，揣测者最多，去其不足齿数者，如以为刺和珅（《谭瀛室笔记》），言谶纬（《寄蜗残赘》），说易象（《金玉缘评》）而外，得分为四类如下：

一、清世祖与董妃故事说。王梦阮沈瓶庵合著之《红楼梦索隐》说如此。其提要云："盖尝闻之京师故老云，是书全为清世祖与董鄂妃而作，兼及当时诸名王奇女也。"而又以董鄂妃为即冒辟疆之妾董小宛，不幸早死，帝乃遁五台而为僧，孟莼孙作《董小宛考》（见《石头记索隐》附录），辟此说甚力。且董鄂乃满洲复姓，清世祖有妃传；非小宛甚明。

二、康熙时政治状态说。此说大成于蔡孑民之《石头记索隐》。卷端即云："《石头记》者，清康熙朝政治小说也。作者持民族主义甚挚，书中本事，在吊明之亡，揭清之失，而尤于汉族名士仕清者寓痛惜之意。"故一一排比，求其相符，以"红"为影"朱"；以"石头"为指"金陵"；以"贾"为斥伪朝；以"金陵十二钗"为拟清初江南之学者；征引繁富，用力甚勤。胡适之作《红楼梦考证》则云："但我总觉得蔡先生这么多的心力都是白白浪费了，因为我总觉得他这部书到底还只是一种很牵强的附会。"

三、纳兰容若家事说。世之信此说者最多。陈康祺作《郎潜纪闻》已云："先师徐柳泉先生云，'小说《红楼》一书，即记明珠家事；金钗十二，皆纳兰侍御所奉为上客者也。'……"俞樾《小浮梅闲话》云："《红楼梦》一书，世传为明珠之子而作，……明珠子名成德，字容若。……恭读乾隆五十一年二月二十九日上谕云：'成德于康熙十一年壬子科中武举人，十二年癸丑科中式进士，年甫十六岁。’然则其中举人止十五岁，于书中所述颇合也。”然容若与宝玉亦惟中举之年略合，余皆不符；或以悼亡诗举证，尤为附会。

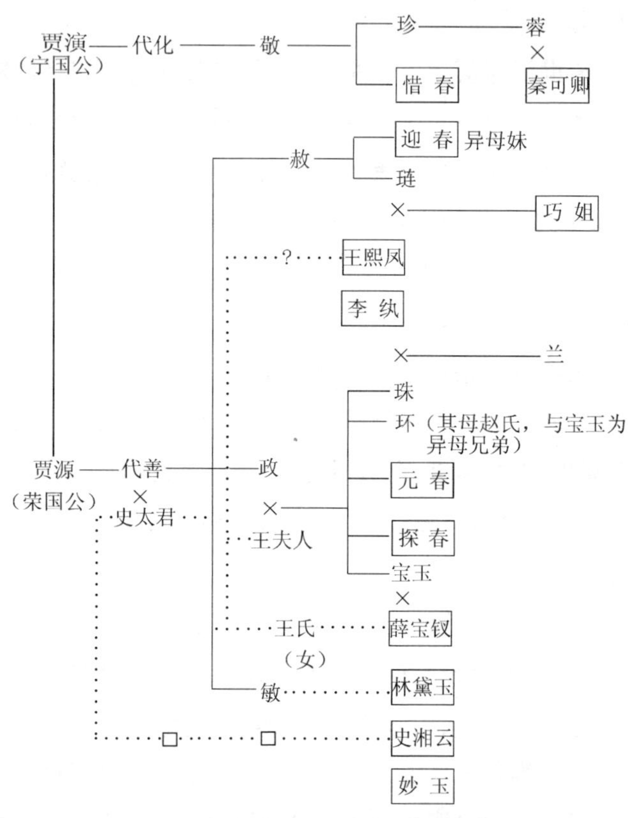

四、作者自叙说。袁枚《随园诗话》云：“康熙年间，曹练亭为江宁织造，……其子雪芹，撰《红楼梦》一书，备记风月繁华之盛。……当时红楼有女校书某尤艳，雪芹赠诗云：‘病容憔悴似桃花，午汗潮回热转加，犹恐意中人看出，强言今日校差些。’”又云：

“中有所谓大观园者，即余之随园。”已显言雪芹所记为金陵事。胡适《红楼梦考证》更证实其事。盖当时金陵权贵，无逾曹氏，则凡有煊赫繁华之事，自舍曹氏莫属，而雪芹为寅孙，故托之石头，缀半世亲见亲闻之事为说部也。

以上四类，合之更可为二：一叙人；一自叙也。然世间信后说者特少，如王国维《静庵文集》言“所谓亲见亲闻者，亦可自旁观者之口言之，未必躬为剧中之人物”即是。盖读者狃于习惯，以为文人涉笔，必有美刺，据此推究，遂或疑其关涉国事，或诬以弹射豪家。其甚者至谓书中无一好人，非叙他人之事不至此。是说之妄，观本书开篇即可知：

> 风尘碌碌，一事无成，乃念及当日所有之女子，一一细考较去，觉其行止见识，皆出于我之上。我堂堂须眉，诚不若彼裙钗（女子）？我实愧则有余，悔又无益，大有无可如何之日也。当此，欲将已往所赖天恩祖德，锦衣纨裤之时，饫甘餍肥之日，背父母教育之恩，负师友规训之德，以致今日一技无成，半生潦倒之罪，编述一集，以告天下（人）。知我之负罪固多，然闺阁中历历有人，万不可因我之不肖，自护己短，一并使其湮灭也。
>
> 我想历来野史的朝代，无非假借汉唐的名色，莫如我《石头记》，不借此套，只按自己的事体情理，反倒新鲜别致。……至于才子佳人等书，则又开口文君，满篇子建，千部一腔，千人一面，……更可厌者，之乎者也，非理即文。大不近情，自相矛盾。竟不如我半世亲见亲闻的这几个女子，虽不敢说强似前代书中所有之人，但观其事迹原委，亦可消愁破

闷。……其间离合悲欢，俱是按迹循踪，不敢稍加穿凿，至失其真。

据此文，则书中故事，为亲见闻，为说真实，为于诸女子无讥贬。说真实，故于文则脱离旧套，于人则并陈美恶，美恶并举而无褒贬，有自愧，则作者盖知人性之深，得忠恕之道，此《红楼梦》在说部中所以为巨制也。

《红楼梦》后四十回题目，是否原书有目无文，抑并无回目，并文皆高鄂续撰，今不可考。凡所补作，校以原作者前文伏线，似亦与原意不甚相违。《续阅微草堂笔记》有一异说云："戴君诚夫曾见一旧时真本，八十回之后，皆与今本不同。荣宁籍没后，皆极萧条。宝钗亦早卒。宝玉无以作家，至沦于击柝之流。史湘云则为乞丐，后乃与宝玉仍成夫妇，故书中回目，有因麒麟伏白首双星之言也。闻吴润生中丞家尚藏有其本。"然此本今未见。

《红楼梦》以文意俱美，故盛行于时；又以摆脱旧套，故为读者所嗛。于是续作蜂起，曰《红楼梦补》，曰《红楼后梦》，曰《红楼复梦》，曰《绮楼圆梦》，曰《红楼续梦》，曰《鬼红楼》，此外尚多，歌咏评骘以及演为传奇，编为散套之书亦甚众。诸书所谈故事，大抵终于美满，照以原书开篇，正皆曹雪芹所唾弃者也。

清之侠义小说与公案　小说史大略十五

清雍正乾隆中,《水浒传》《西游记》《金瓶梅》,其后则《红楼梦》盛行于世,即所谓四大奇书。而别派亦渐起,旨在揄扬勇侠,又不背于忠义。其所以然者,一缘文人或有憾于《红楼》,其代表为《儿女英雄传》;一缘人心已不协于《水浒》,其代表为《七侠五义》。

《儿女英雄传评话》四十回,题"燕北闲人著"。前有雍正十二年"观鉴我斋"序,虽云反《西游》等四书之怪力乱神而正之,然其书开卷即云:"这部评话……初名《金玉缘》;因所传的是首善京都一桩公案,又名《日下新书》。篇中立旨立言,虽然无当于文,却还一洗秽语淫词,不乖于正,因又名《正法眼藏五十三参》,初非释家言也。后经东海之吾了翁重订,题曰《儿女英雄传评话》。"多立异名,已坠《红楼》窠臼,而所写人物,则既务为奇特,又欲不背人情,两事相违,遂入迂远,序以为"格致之书",实未然矣。

所谓"京都一桩公案"者,为有侠女曰何玉凤,本出名门,而奉母避地京师,欲为父报仇。其怨家曰纪献唐,有大功绩,势甚盛。何玉凤急切不能得志,变姓名曰十三妹,往来市井中,颇拓弛玩世;偶遇孝子安骥困厄,因拯救之,以是相识,后渐稔。已而纪献唐为朝廷所诛,玉凤虽未手刃,而父仇已报,遂欲出家,然卒为劝沮者所动,归安骥。骥又有妻曰张金凤,与玉凤各生一子,故此书又名《金玉缘》也。

纪献唐者，蒋瑞藻云："吾之意，以为纪者，年也；献者，《曲礼》云，'犬名羹献'；唐为帝尧年号，合之则年羹尧也。……其事迹与本传所记悉合。"(《小说考证》八)十三妹未详，或并无其人，出于著者造作，缘欲力反《水浒》《红楼》，故描写性情，渐违写实，矫揉过甚，乃违故常，如第四回记安何初遇于旅舍，安恐何入其室，呼人抬石杜门，人不能动，而何反为之运石入室一段，即其例也。

> 那女子把那石头撂倒在平地上，用右手推着一转，找着那个关眼儿，伸进两个指头去勾住了，往上只一悠，就把那二百多斤的石头碌碡，单撒手儿提了起来，向着张三李四说道，"你们两个也别闲着，把这石头上的土给我拂落净了。"两个人屁滚尿流，答应了一声，连忙用手拂落了一阵，说，"净了。"那女子才回过头来，满面含春的向安公子道，"尊客，这石头放在那里?"安公子羞得面红过耳，眼观鼻、鼻观心地答应了一声，说，"有劳，就放在屋里罢。"那女子听了，便一手提了石头，款动一双小脚儿，上了台阶儿，那只手撩起了布帘，跨进门去，轻轻的把那块石头放在屋里南墙根儿底下；回转头来，气不喘，面不红，心不跳。众人伸头探脑的向屋里看了，无不诧异。

此书四十回已完，然又有续集三十回，记安骥在官事，亦云有二续，今未见。

《七侠五义》者，"石玉昆述"，今本题"曲园居士重编"，有一百二十回，借因于明人所撰之《龙图公案》，以包拯贯全书。凡所断案，亦大抵采自他人，至于取及乾隆时事。书中所谓最大案

“狸猫换子”亦与拯无干，其余细故，不根可想。曲园居士在卷首颇加辨正，可谓“既爱臆造之谈，又不忘考据之习”者矣。书于记包拯明察之外，又纬以五鼠卢方、韩彰、徐庆、蒋平、白玉堂为五义，南侠展昭，北侠欧阳春等七人为七侠。五鼠生于《龙图公案》之“五鼠闹东京”；七侠无所本，实皆无其人。此十二人者，大抵性情豪放，又擅技击，游戏人间，而无不佐助大吏。其后襄阳王赵珏谋反，匿盟书于冲霄楼，白玉堂往盗之，陷铜网阵中而死。宋仁宗时无藩镇之祸，此殆取明之宸濠事而影响附会之也。

《小五义》一百二十四回，虽续前书而又以白玉堂盗盟书起，略当前书之百一回。通过以襄阳王谋反，豪杰之士竞谋探其隐事为主旨。其时五鼠之中，白玉堂早被害，余以渐衰老，而后辈继起，皆有父风。卢方之子珍，韩彰之子天锦，徐庆之子良，白玉堂无子，有侄曰白芸生，皆意外凑聚于客舍，益以小侠艾虎，遂结为兄弟。诸人奔走道路，颇诛横暴，终集武昌，共破铜网阵，未陷而书毕。《续小五义》一百二十四回，即继此而作，铜网先破，叛王遂逃，而诸侠仍在江湖间诛锄盗贼。已而襄阳王成擒，天子论功，侠义之士，皆受封赏，于是全书完。

此种小说兴起时，盖在清人全取中国之后，威力甚盛，歌颂者众，故社会间虽以旧来习惯，未能忘情于草野之英雄，然久服羁轭，习于顺从，至已不生反则之心。故凡侠义之士，又必以为大臣之隶卒为荣宠。其所记健者性情，在民间每极粗豪，有《水浒》群雄余韵，而一见天子或僚吏，则媚兹一人，不胜其可怜之形，卑下之气，溢于纸上，此非奢服多年，以致乐为臣仆之时不辨也。

三书非出一手。《七侠五义》以经曲园居士润色，敷叙较为可观。后二者文颇率略，事迹亦往往相肖，似近于复重。今举数节，以见大概。

> 话说天子见那徐庆鲁莽非常，因问他如何穿山。徐庆道，“只因我……”蒋平在后面悄悄拉他，提拨道，“罪民罪民。”徐庆听了，才说道，“我罪民在陷空岛连钻十八孔，故此人人叫我罪民穿山鼠。”圣上道，“朕这万寿山，也有小窟，你可穿得过去么？”徐庆道，“只要通的，就钻的过去。”圣上又派了陈林，将徐庆领至万寿山下。徐庆脱去罪衣罪裙，……到半山之间，见个山窟，把身一顺，就不见了，足有两盏茶时，不见出来。陈林着急道，“徐庆你往那里去了？”忽见徐庆站在南山尖之上，应道，“唔，俺在这里。”只一声，连圣上与群臣俱各听见了，卢方在一旁跪着，暗暗着急，恐圣上见怪。……陈林仍把他带上丹墀，跪在一旁。（《七侠五义》四十九回）

> 徐庆把桌子一扳，哗喇一声，碗盏皆碎。钟雄是泥人，还有个土性情，拿住了你们，好眼相看，摆酒款待，你倒如此，难怪他发怒。指着三爷道，“你这是怎样了？”三爷说，“这是好的哪。”寨主说，“不好便当怎样？”三爷说，“打你，”话言未了，就是一拳。钟雄就用指尖往三爷肋下一点，“哎哟！”噗咚！三爷就躺于地下。焉知晓钟寨主用的是（“十二支讲关法”又叫）“闭血法”，俗语就叫“点穴”。三爷心里明白，不能动转。钟雄拿脚一踢，吩咐绑起来。三爷周身才活动，又叫人捆上了五花大绑。展南侠自己把二臂往后一背，说，“你们把我捆上！”众人有些不肯，又不能不捆。钟雄传

令，推在丹凤桥枭首。内中有人嚷道，“杀不得。”（“刀下留人。”）（《小五义》十七回））

黑妖狐智化与小诸葛沈中元二人，暗地商议，独出己见，要去上王府盗取盟单。……（智化）爬伏在悬龛之上，晃千里火照明：下面是一个方匣子，……上头有一个长方的硬木匣子，两边有个如意金环。伸手揪住两个金环，往怀中一带，只听见上面嗑叹一声，下来了一口月牙式铡刀。智爷（化）把眼睛一闭，也不敢往前窜，也不敢往后缩，正在腰脊骨中呇啷的一声。智爷（化）以为是腰断两截，慢慢睁眼一看，却不觉着疼痛，就是不能动转。列公，这是什么原故？皆因他是个月牙式样；若要是铡草的铡刀，那可就把人铡为两段。此刀当中有一个过陇儿，也不至于甚大，又对着智爷的腰细；又对着解了百宝囊，底下没有东西垫着；又有背后背着这一口刀，连皮（鞘）带刀尖，正把腰脊骨护住。……总而言之，智化命不当绝。可把沈中元吓了个胆裂魂飞。（《续小五义》第一回）

审其文体，似亦犹宋人之说话，尝讲演此种故事，以悦群众，后乃笔之于书，或仿之为书，惟亦无明证。与《七侠五义》同类之书尚多。有《七剑十八义》，有《英雄大八义》，有《圣朝鼎盛万年青》。大部者有《彭公案》四集，三百二十五回，领全书者，为康熙时四川驻防旗人彭定求。有《施公案》十集，五百二十四回，领全书者，为康熙时汉军旗人施纶。其结构皆类《七侠五义》，而事迹则大抵拾里巷传说而联缀之。造作时代未详。盖多在洪杨乱后，以其时乡曲莽夫，每能送一大吏，由行伍而得荣显，于是社会惊耸羡慕，甚乐道此辈事矣。

清之狭邪小说　小说史大略十六

唐人登科之后，多作冶游，习而不察，反成佳话。故曲中故事，文人亦往往著之篇章。其至今尚存者，有崔令钦之《教坊记》，孙棨之《北里志》，然皆缀辑琐碎，并无条贯，清之《板桥杂记》、《扬州画舫录》，实其苗裔矣。宋人杂说中，今唯存《李师师传》一种，专记一人，与前举二书复别。《宣和遗事》中，亦有李师师事。则偶然波及而已。其以记注狭邪为全书线索者，在今所见，盖起于清咸丰末年而泛滥于光绪末以至宣统初年者也。

清代士大夫挟妓有禁，然不云禁招优人，故达官名士，多因规避禁令，渐致伶人以侑酒，已而弥益猥劣，谓之“像姑”，流品比于倡女矣。《品花宝鉴》者，出于道光末年，共六十回，即以叙述北京优人为专职，以为伶人有邪正，狎客亦有雅俗，故所描写虽多侧艳之事，亦杂鄙倍之辞，自谓并陈妍媸，以见邪正，实则与凡有秽书，托辞于劝惩者同科而已。

《品花宝鉴》写名士与名伶，与写才子佳人无别，此殆当时习俗。著者染而不知，故研究世变，固足为强有力之资材，而绳以人情，则茂拟当时人士，皆得狂疾，展观生厌，无当于艺文矣。书中人物，除梅子玉、杜琴言而外，大抵实有其人，隐藏姓名，推之可得，其曰高品者，即作者自寓，乃常州人陈森书也。

却说琴言到梅宅，……走到子玉房里。见帘帏不卷，几案生尘，一张小楠木床挂了轻绡帐。云儿先把帐子掀开，叫声“少爷，琴言来看你了。”子玉正在梦中，模模糊糊应了两声。琴言就坐在床沿，见那子玉面庞黄瘦，憔悴不堪。琴言凑在枕边，低低叫了一声，不觉泪涌下来，滴在子玉的脸上。只见子玉忽然呵呵一笑道：

“七月七日长生殿，夜半无人私语时。”

子玉吟了之后，又接连笑了两笑。琴言见他梦魔如此，十分难忍，在子玉身上掀了两掀。因想夫人在外，不好高叫，改口叫声“少爷”。子玉……一时难醒。又见他大笑一会，又吟道：

“我道是黄泉碧落两难寻。”

歌罢，翻身向内睡着。琴言看他昏到如此，泪越多了，……。

书末则名士与名旦会于九香园，画伶人小像为花神，诸名士为赞；诸伶又书诸名士长生禄位，各为赞，皆刻石供养九香楼下。时诸伶已脱梨园，乃“当着众名士之前”，熔化钗钿，焚弃衣裙，将烬时，“忽然一阵香风，将那灰烬吹上半空，飘飘点点，映着一轮红日，像无数的花朵与蝴蝶飞舞，金迷纸醉，香气扑鼻，越旋越高，到了半天，成了万点金光，一闪不见。”

写名士佳人而佳人为倡女者，有《青楼梦》，计六十四回，题“厘峰慕真山人著”，前有光绪三十一年序，疑成书当更在前也。书言金挹香字企真，苏州府长洲县人，幼即能文，长更慧美，然“当世滔滔，斯人谁与？竟使一介寒儒，怀才不遇，公卿大夫竟无一识我之人，反不若青楼女子，竟有慧眼识英雄于未遇时也。”

（本书《提纲》中语）故挹香游狭邪，特受伎人爱重，然亦终“掇巍科”，纳五妓，一妻四妾，又为养亲计，捐职仕余杭，即迁知府，而父母皆在府衙中跨鹤仙去，挹香亦悟道，羽化于天台山，归家度其妻妾，于是“金氏门中一百日两代升天”。其子早抡元，其友人亦以挹香汲引，皆仙去；而往时所识三十六伎，亦一一“归班”，缘此辈皆“散花苑主座下司花的仙女，因为偶触思凡之念，所以谪降红尘，如今尘缘已满，应该再入仙班”也。

据序，作者为俞吟香，行实未详，而其思想，则观金挹香本末可见。所述之地为上海，至于倡家情状，盖多凭理想以立言，并非当时实录，而文思俱拙，且大逊《品花宝鉴》，仅足考见清季一部分人士之怀抱而已。其文章略如下：

> （挹香等三人及十二妓女）至轩中，三人重复观玩，见其中修饰，别有巧思。轩外名花绮丽，草木精神。正中摆了筵席，月素定了位次，三人居中，众美人亦序次而坐：
>
> 第一位鸳鸯馆散人褚爱芳　第二位烟柳山人王湘云　第三位铁笛仙袁巧云　第四位爱雏女史朱素卿　第五位惜花春起早使者陆丽春　第六位探梅女士郑素卿……
>
> 末了护芳楼主人自己坐了；两旁四对侍儿斟酒。众美人传杯弄盏，极尽绸缪。挹香向慧琼道，“今日如此佳会，宜举一觞令，庶不负此良辰。”月素道，“君言诚是，即请赐令。”……挹香被推不过，只得说道，“有占了。”众美人道，“令官必须先饮门面杯起令，才是。”于是十二位美人俱各斟一杯酒，奉与挹香；挹香俱一饮而尽，乃启口道，“酒令胜于军令，违者罚酒三巨觥。”众美人唯唯听命。（第五回）

一日，挹香至留香阁，爱卿适发胃（气），饮食不进。挹香十分不舍，忽想着过青田著有《医门宝》四卷，尚在馆中书架内，其中胃气丹方颇多，遂到馆取而复至，查到"香郁散"，最宜，令侍儿配了回来，亲侍药炉茶灶，了解了几天馆，朝夕在留香阁陪伴。爱卿更加感激，乃口占一绝，以报挹香。（第二十一回）

挹香……心中思想道，"我欲勘破红尘，不能明告他们知道，只得一个私自瞒了他们，踱了出去的了。"次日写了三封信，寄与拜林、梦仙、仲英，无非与他们留书志别的事情。又嘱拜林早日代吟梅完其姻事。过了几天，挹香又带了几十两银子，自己去带办了道袍、道服、草帽、凉鞋，寄于人家，复回家中来。又到梅花馆来，恰巧五美皆在，挹香见他们不识不知，仍然笑吟吟的在那里，挹香心中似有些对他们不住的念头。因想了一回，叹道，"既破情关，有何恋恋。"（第六十回）

写伎家情形而暴其奸谲，与《青楼梦》正相反者，有《海上花列传》计六十四回，题"云间花也怜侬著"，不知出于何时，大约在光绪戊戌之后，或略先于《青楼梦》也。著者虽自云以"过来人现身说法"，使冶游子弟，发其深省，而寻索隐伏，似亦攻讦怨家之书。其中人物，大都实有，盖近来假文墨以济私之先导，而亦上海烟花小说之权舆矣。全书述勾阑情景，著其诡谲反复之事，而目光始终不离赵朴斋，几以赵为全书线索。赵朴斋者，以访母舅至沪上，遂游青楼，久而事露被遣归。挈母妹又至上海，渐渐沦落，至拉洋车，后其妹赵二宝乃为娼，书尽于此，完否未可知，而作者意在蔑赵已甚显。或云"花也怜侬"即松江韩子云，善奕棋，嗜雅片，旅沪甚久，曾为报馆编辑，习于冶游，故言倡寮事独切至也。

其书所摘发者，即“当前媚于西子，背后泼于夜叉，今日密于糟糠，他年毒于蛇蝎”。然此在宇内，本伎家之常情，执以为罪，盖责善于非所矣。惟其描写，颇近真实，较《青楼梦》之迂曲则远胜之，且记事以通用语，记言以吴语，亦为后来此类小说所仿效也。

> 王阿二……立起身来，剔亮了灯台；问朴斋尊姓；又自头至足，细细打量。朴斋别转脸去，装做看单条。……王阿二靠在小村身傍烧起烟来，见朴斋独自坐着，便说，“榻床浪来躺躺哩。”朴斋巴不得一声，随向烟榻下手躺下，看着王阿二烧好一口烟，装在枪上，授于小村，飕飗飗的直吸到底。又烧了一口，小村也吸了。至第三口，小村说，“覅吃哉。”王阿二调过枪来，授与朴斋。朴斋吸不惯，不到半口，斗门噎住。王阿二接过枪去，打了一签，再吸再噎。王阿二嗤的一笑，……将签子打通烟眼，替他把火。朴斋趁势捏他手腕，王阿二夺过手，把朴斋腿膀尽力搽了一把，搽得朴斋又痠又痛又爽快。朴斋吸完烟，却偷眼去看小村，见小村闭着眼，朦朦胧胧，似睡非睡光景，朴斋低声叫“小村哥。”连叫两声，小村只摇手，不答应。王阿二道，“烟迷呀，随俚去罢。”朴斋便不叫了。（第二回）
>
> 文君改装登场，尚未开口。一个（赖公子的）门客凑趣，先喊声“好。”不料接接连连，你也喊好，我也喊好，一片声嚷得天崩地塌，海搅江翻。……只有赖公子捧腹大笑，极其得意。唱过半出，就令当差的放赏。那当差的将一卷洋钱散

放巴斗内，呈赖公子过目，望台上只一撒，但闻索郎一声响，便见许多晶莹焜耀的东西满台乱滚，台下这些帮闲门客又齐声一号。文君揣知赖公子其欲逐逐，心上一急，倒急出个计较来，当场依然用心的唱，唱罢落场，……含笑入席。不提防赖公子一手将文君拦入怀中。文君慌的推开起立，佯作怒色，却又爬在赖公子肩膀，悄悄的附耳说了几句。赖公子连连点头道，“晓得哉。”(第四十四回)

此外有虽不全写倡家、而颇复相关者，为《花月痕》五十二回，题“眠鹤主人编次”。记韦痴珠韩荷生皆隽才硕学，出入狭邪，各有眷爱。其后韦与所眷伎俱抑郁困穷，死于寂寞，而韩独以功名显。上半部填塞诗歌，入后又杂以妖异。事多违实，殊非佳书。卷首符兆伦评语云：“词赋名家，却非说部当行，其淋漓尽致处，亦是从词赋中发泄出来，哀感顽艳。”盖切中其失矣。书有咸丰戊午(八年)序，而行世乃在光绪时。“眠鹤主人”者，即闽县魏子安，少游四方，喜冶游，好作诗词骈俪，中年以后，改治程朱之学，又不忍弃去旧作，遂悉纳之小说中为《花月痕》也。

《孽海花》一卷未完，作者自称“东亚病夫”，未知实何人。《孽海花》者，谓北京名妓赛金花也。赛金花本名傅彩云，侍郎洪钧使英国，挈之去，号为夫人，生一女。后钧死，乃复至上海为妓，又转之天津，仍曰赛金花，名甚噪。《孽海花》专叙洪傅佚事，而清末琐闻亦错出其中，且写当时名士习气，颇极刻露，盖已甚有掊击社会之意矣。

清之谴责小说　小说史大略十七

文人于当时政治状态或社会现象有不满，摹绘以文章，且专著其缺失，则所成就者，常含有攻击政俗之精神，今名之曰“谴责小说”。此类著作，早有成书，如《儒林外史》作于乾隆初，而中间忽无嗣响。《绿野仙踪》《镜花缘》虽于人事间有讥弹，然不过偶尔牵连，主旨固不在此。逮光绪末，积弱呈露，人心渐不平，抉剔弊窦之风顿起，于是谴责小说亦忽而日盛矣。

然中国之谴责小说有通病，即作者虽亦时人之一，而本身决不在谴责之中。倘置身局内，则大抵为善士，犹他书中之英雄；若在书外，则当然为旁观者，更与所叙弊恶不相涉，于是“嘻笑怒骂”之情多，而共同忏悔之心少，文意不真挚，感人之力亦遂微矣。

《儒林外史》原书五十五回，全椒吴敬梓作，成于乾隆初，而印于嘉庆末，其印本妄增一回，今本有增为六十回者，尤缪。敬梓有隽才雅操，雍正乙卯举鸿词科不赴，移家金陵，集同志筑先贤祠，祀泰伯以下二百三十人，晚岁困顿而卒。其时去明亡不甚远，士绅盖尚有明季余风，与后来小有殊异。《儒林外史》所描写者，即为此曹，多据作者所目睹，故烛幽发伏，物无遁形，当时之官绅，名士，儒者，山人，间亦有市井细民，无不生动于纸上也。其记范进因中举而疯，众因乞其妻父胡屠户批颊以疗之，及进丁忧时，谒县官诸节，皆深刻隽妙；此外写社会平常状态者亦多佳。

胡屠户……进门见了老太太,……外边人一片声请胡老爹说话,那胡屠户……走了出来。众人如此这般同他商议。胡屠户作难道,“虽然是我女婿,如今却做了老爷,就是天上的星宿,天上的星宿是打不得的。我听得斋公们说,‘打了天上的星宿,阎王就要拿去打一百铁棍,发在十八层地狱’,永不得翻身,”……报录的人道,“……胡老爹,这个事须是这般。你没奈何,权变一权变。”屠户被众人屈不过。只得连斟两碗酒喝了壮一壮胆,……走上集去。众邻居五六个都跟着走。老太太赶出来叫道,“亲家你只可吓他一吓,却不要把他打伤了。”众邻居道,“这个自然,何消吩咐。”说着一直去了。来到集上,见范进在一个庙门口站着,……兀自拍着掌,口里叫道,“中了!中了!”胡屠户凶神一般走到跟前说道,“该死的畜生,你中了甚么?”一个嘴巴打将去。……范进因这一个嘴巴,……昏倒在地。众邻居齐上前替他抹胸捶背,舞了半日,渐渐喘息过来,眼睛明亮,不疯了。众人扶起,借庙门口一个外科郎中跳驼子板凳上坐着。胡屠户站在一边,不觉那只手隐隐的疼将起来。自己看时,把个巴掌仰着,再也弯不过来。自己心里懊恼道,“果然天上文曲星是打不得的,而今菩萨计较起来了。”想一想,更疼的很了,连忙向郎中讨了个膏药贴着。(第三回)

知县安了席坐下,用的都是银镶杯箸。范进退前缩后的不举杯箸,知县不解其故。静斋笑道,“世先生因遵制,想是不用这个杯箸。”知县忙叫换去。换了一个磁杯,一双象牙箸来,范进又不肯举动。静斋道,“这个箸也不用。”随即

> 换了一双白颜色竹子的来，方才罢了。知县疑惑"他居丧如此尽礼，倘或不用荤酒，却是不曾备办。"落后看见他在燕窝碗里拣了一个大虾圆子送在嘴里，方才放心。（第四回）

《老残游记》二十章，题"洪都百炼生著"，实丹徒刘铁云作也。铁云名鹗，精算术，究治河，后以主张开山西矿，世称之为汉奸。联军入京，铁云以贱值购仓粟赈饥民，事平以为盗买，流新疆死。其书借铁英即号老残者之游行，而历记其闻见言论，笔墨虽远逊《儒林外史》，且多叙作者之信仰，而攻击官吏之处亦多。如第十六章记刚弼误认魏氏父女为谋毙一家十三命重犯，魏氏管家行贿图免，而刚弼即以此证实之。摘发所谓清官者之可恨，虽作者亦甚自憙，以为"赃官可恨，人人知之；清官尤可恨，人多不知。盖赃官自知有病，不敢公然为非；清官则自以为不要钱，何所不可，刚愎自用，小则杀人，大则误国，吾人亲目所睹，不知凡几矣。试观徐桐、李秉衡，其显然者也。……历来小说皆揭赃官之恶。有揭清官之恶者，自《老残游记》始"也。前有光绪丙午（三十二年）序。

> 那衙役们早将魏家父女带到，却都是死了一半的样子。两人跪到堂上，刚弼便从怀里摸出那个一千两银票并那五千五百两凭据，……叫差人送与他父女们看。他父女回说"不懂，这是甚么缘故?"……刚弼哈哈大笑说，"你不知道，等我来告诉你，你就知道了。昨儿有个胡举人来拜我，先送一千两银子，说，你们这案，叫我设法儿开脱；又说，如果开脱，银子再要多些也肯。……我再详细告诉你，倘若人命不是你谋害的，你家为甚么肯拿几千两银子出来打点呢？这

是第一据。……倘人不是你害的，我告诉他，‘照五百两一条命计算，也应该六千五百两，’你那管事就应该说，‘人命实不是我家害的，如蒙委员代为昭雪，七千八千俱可，六千五百两的数目，却不敢答应。’怎么他毫无疑义，就照五百两一条命算帐呢？这是第二据。我劝你们早迟总得招认，免得饶上许多刑具的苦楚。”那父女两个连连叩头说，“青天大老爷，实在是冤枉。”刚弼把桌子一拍大怒道，“我这样开导，你们还是不招？再替我夹拶起来！”底下差役……刚要动刑。刚弼又道，“慢着，行刑的差役上来，我对你说，……你们伎俩，我全知道。你看那案子是不要紧的呢，你们得了钱，用刑就轻，让犯人不甚吃苦；你们看那案情重大，是翻不过来的了，你们得了钱，就猛一紧，把犯人当堂治死，成全他个整尸首，本官又有个严刑毙命的处分。我是全晓得的。今日替我先拶贾魏氏，只不许拶得他发昏，但看神色不好就松刑，等他回过气来再拶。预备十天工夫，无论你甚么好汉，也不怕你不招。”(第十六章)

当是时，此类小说之出甚盛，读者意见，几以为惟如此作家，始超出于流辈，故弄笔者，尤乐为之。尤著者为南亭亭长(李伯元)之《官场现形记》，初载于上海之《繁华报》，及我佛山人(吴沃尧)之《二十年目睹之怪现状》，初载于横滨之《新小说》，然皆中辍，后以声誉甚盛，乃又渐渐续作成书，故皆篇帙甚多，而内容颇有芜累也。

《官场现形记》者，据其自序似颇不以“捐班”为然，然内容则兼及迎合钻营，又刺士人之热心于服官，与官吏闺中隐事。世多以为据实直书，然其实颇有风影之谈，夸大之事，不为实录，仅足图快意，供谈笑而已。作者本意，虽云深恶官场，惜观察至为浅薄，较之《老残游记》相去尚远，盖第有谴责之心，初无痛切之感，故言多肤泛，与慨然有作者殊科矣。其较为平易近情者如下。

> 目下单说吴赞善。他早把赵温的家私问在肚里，便知道他是朝邑县一个大大的土财主，又是暴发户，早已打算他若来时，这一分贽见，至少亦有二三百两。等到家人拿进手本，这时候，他正是一梦初醒，卧床未起，听见赵温两字，便叫请到书房坐，泡盖碗茶。老人家答应着。幸亏太太仔细，便问，“贽见拿进来没有?”说话间，老家人已把手本连二两头银子，一同交给丫环拿进来了。太太接到手里，掂了一掂，嘴里说了一声“只好有二两。”吴赞善不听则已，听了之时，一磆碌忙从床上跳下，大衣也不及穿，抢过来打开一看，果然只有二两银子，心内好像失落掉一件东西似的，面色登时改变起来，歇了一会，忽然笑道，“不要是他们的门包也拿了进来？那姓赵的很有钱，断不至于只送这一点点。”老家人道，“家人们另外是四吊钱，姓赵的说的明明白白，只有二两银子是贽见。”吴赞善听到这里，便气的不可开交了，嘴里一片声嚷道，“退还给他，我不等他这二两银子买米下锅。回头他，叫他不要来见我!”说着，赌气仍旧爬上床去睡了。老家人无奈，只得出来回复赵温，替主人说到，“乏，今天不见客。”说完了这句，就把手本向桌上一撩，却把那二两头拱了去了。(第二回)

《二十年目睹之怪现状》所叙之范围较大，作者之经历亦较深，故文意亦视《官场现形记》为繁变，惜其叙述过于巧合，亦多附会而已。其书始于童年杂事，而至末无结束，仅就见闻遭遇，缀以成篇。书之开端即谓“只因我出来应世的二十年中，回头想来，所遇见的只有三种东西：第一种是蛇虫鼠蚁；第二种是豺狼虎豹；第三种是魑魅魍魉。”则全书一百八回之主旨，在专刺此类人物可知也。惟以事多异常，故谴责之力每顿减。

> 那老头子低着头哭，只不作声。那符太太（老头子之孙媳）骂得最出奇，说道，“一个人活到五、六十岁，就应该死的了，从来没见过八十多岁的人还活着的。”……符老爷（也）拍桌打凳的大骂。骂了一回，又是一回。……骂彀了一回，老妈子开上酒菜来，摆在当中一张独脚圆桌上。符老爷两口子对坐着喝酒，却是有说有笑的。那老头子坐在底下，只管抽抽咽咽的哭。符老爷喝两杯，骂两句；符太太只管拿骨头来逗着叭儿狗顽。那老头子（哭丧着脸），不知说了一句甚么话。符老爷登时大发雷霆起来，把那独脚桌子一掀，匉訇一声，桌上的东西翻了个满地，大声喝道，“你便吃去！”那老头子也太不要脸，认真就爬在地下拾来吃。符老爷忽的站了起来，提起坐的凳子，对准了那老头子摔去。幸亏旁边站着的老妈子抢着过来接了一接，虽然接不住，却挡去势子不少……只摔破了一点头皮。倘不是那一挡，只怕脑子也磕出来了。（第七十四回）

此外以抉剔社会弊恶为目的而作者尚多，大抵摹仿先出之作，且无以胜于后二书，亦有蔑人而自夸者，气韵尤卑下。又或虽有呵斥之志，而无抒写之才，则遂堕落而为黑幕小说。

集 外 文

本编收录鲁迅的单篇文字，以写作（著录）或发表时间为序，时间不可考者，暂付阙如。

拟购书目*

校邵庐逸笺	三角
泛槎图四本	一元　真板
历代名媛图说二本	七角
梦迹图一本	三角五分
晚笑堂画传二本	二角八分
广陵名胜图一本	一角五分
牧牛图一本	八分
毓秀堂画传四本	一员〔圆〕
劫火纪焚一本	一角五分
任阜长名将图二本	二元
百孝图二本	三角
梅野人草书	八分
沈桐□王维遗事	七分
十五完人墨迹	四角
赵之谦琴旨	一角二分

上海点石斋书局有售

* 本篇据鲁迅手稿抄录,年代不详。

一九〇三年

地质学残稿*

地壳第二

壹　石

地壳构造，在古非繁，惟历时绵长，动变恒起，则遂淆杂有如今日。治理首要，厥惟其材，为之材者曰石。凡石者，不必坚确磊砢之谓，散如沙砾，柔如土壤，咸入斯族选。枉言之，则虽方降之雪，初凝之冰，苟被地表，均得谓之焉。石之区分，因于成就，今约析为三：一曰火成石，二曰水成石，三曰变成石。

一　火成石

石汁之凝者谓之。状若块，故亦称块石。其类有二：一凝地表，一在地中，名甲曰卤成石，乙曰蕴成石。识别甲乙，当察厥状。甲之凝骤，故结精率不全，内含矿质，亦复如是，名之曰斑精，其石曰石基。乙蕴地中，凝定以渐，故石与所含矿结晶，大氐具足，审视石理，作粒状也。

所以成石者为矿物，或成于一，或成于数。如垩石及大理石，选自方解石，而安兑斯石成自慈铁矿 Feldspor 及辉石，花刚石成自长石、云母及石英。凡此群矿，各为成分之主，故见其一，即知为花刚或安兑斯石矣。

火成石之成，凝自石汁，故所含质，可以了然，非若水成，曾经繁变，盖其造就，实原始耳。以是一因，则识别矿物之事，遂尤要于水成者。是石成就，如制波黎，石汁未坚，亦作流状，设令急冷，不暇结精，乃澄澈可以透视，如地囱波黎及黑曜石。假其凝冷较徐，则略作精态，有如微晶。载使更徐，乃结晶亦愈巨，是名斑精，其尚作波黎状者，则石基也。徐益甚，而石基亦成微晶，为微晶质，蕴成石中。花刚之凝极缓，故石英、长石、云母之品，得结晶时，圆满具足，互相句联，为状若一焉。

主要之石

一、花刚石。是为蕴成石。石英、云母及正长石，其主分也。

二、石英斑石。此古之囱成石，石基缜密，有石英及正长石之斑晶丽之。

三、流文石。此新囱成石，第三纪时所喷薄者也，合分如上。

右列之种，含矽酸至七〇％……十，故亦谓之酸性石。

四、闪黑石。此为蕴成，主分则角闪石与正长石，惟不含石英，与花刚异，满洲有之。

五、甲错石。此为囱成，合分如上，第三纪以后之喷薄物也。

六、闪绿石。此为蕴成，状类花刚，而主分为斜长石与角闪石。

七、小彩石。此为古之囱成，合分如上。

八、安兑斯石。新囱成石，此最常见，微晶或潜晶之石基中，有斜长石及辉石之斑晶丽之。

右列五种，为中性石，含矽酸约六〇%，什四五为酸性，六七为盐基性。

九、飞白石。此由蕴成，主分为斜长石及异制石。

十、辉绿石。此由囱成，主分为斜长石及辉石。

十一、玄武石。此为新囱成石，合分如前，斜长石富盐基性，又有慈铁矿及橄榄石蕴之。

二　水成石

地壳之石，复遇外力，剥落破碎，沉著水中而成者谓之。故地见斯石，古必在水，且其初就，必与水平。审核石理，可见层累，故亦称层石，而层累则谓之地层。水之为用有几：变其形一，变其质二。受甲力者为沙石、砾石等，受乙力者为垩石、矽石等。

主要之石

甲、精质石或非贞屑石：

一、冰。

二、石盐。此为大层，介水成石之内。

三、垩石。垩质之物，沉积海底，则集合为垩石。状或缜密，或结晶。名甲曰缜密垩石，乙曰大理石。

四、矽石。石英之集合也。

五、石炭。古之植物，堙埋地中，酸素既饶，遂炭化为石炭。

右列五种，成为质变之石。

乙、贞屑石：

一、沙砾。

二、沙石。沙受埴垩，及矽石之粘联者谓之。

三、砾石。石质破碎，水去其觚，复受粘质所合者谓之。

四、觚石。觚棱小石之所合也。

五、埴。

六、叶石。此为埴之固者，可叶叶离析之。

七、埴石。此亦埴之固者，而理至缜密，且亦坚贞。

右列七种，咸为形变之石。

三　变成石

变成石亦名剥石，状具层叠，有如水成，顾含精质，复与火成石似。核其成因，为说有几：一曰古石在继生石下，历年特久，温度压力之来也大，于是巨块糜碎，屑末乃溶，而结精爰复成就；二曰地壳收缩，生横压力，转化为热，促之质变，遂分解以成结精；三曰地下之水，每函矿物，此假地中蕴热暨其压力，逞质学之力，以使石质易常，为变成石。总此三说，谊各相殊，顾根寻归结，则压力、温度，其宗主也。

主要之石

一、片麻石。此为地壳最古之石，世界广有，成自长石、石英、云母三。因有剥性，可与花刚石别。言成因者有二：一谓最初凝定之石，为地壳权舆；一谓初尝沉着于尔时热海中，厥后乃质变而为此。

二、精质剥石。

三、辉石。贲屑结晶状石也。

四、千叶石。为微精或潜精质，石理作片状，至为具足，故名。云母、绿泥石、长石及石英小片造之。

贰　地壳之构造

石层　水成石与火成石，缘起既异，为状遂殊。成于火者，如块如枝。成于水者，若累板，若叠叶，且因沉积，故作水平，相其累层，嫠然可析。是为地层，其居上者，常新于下。殆皆平行，以与他层相接，名接处曰地层面，自上至下曰层厚率，一以上之层曰累层。

变位　层之方成，大氐平坦，顾久而蒙地心之力，遂易其常，或隆陷为襞积，或中绝成断层，是名变位。变位之起，古者为多，在新者则较尠。

地层　偏倚，有词表之：其与水平面相切之向，谓之层向；层所偏至，即与层向之线相交作直角之方，谓之偏。所以计之之器曰偏至计。

襞积　地层襞积，巨者为山，如阿尔布，如喜马拉牙，皆成于此。为类有二：一曰正襞，一曰覆襞。或石二部自左右而下中央，或自中央而倾左右。名甲曰向邪部，或曰层盘；乙曰背邪部，或曰层鞍。其直立者曰直层，下上颠倒者曰倒层。又因其形而为之名，则曰单斜，曰扇，曰倒扇。通观地形与层之构造，每多相反，层盘为山，层鞍为谷，往往有之，此足注目者。

断层　地层之中绝者谓之。若其厚率渐减，终乃就无，则谓之锐灭。地中横压，胜石层弹力，是生断层，在变位层见之。地壳隆陷，是生锐灭，在海滨见之。

地层面上，所见裂纹之向，谓之断层线。其断面曰断层面。

面与层向平行者，曰层向断层；与偏倚之向平行者，曰偏至断层；其否者，曰邪断层。又因其形而为之名，则曰阶，曰渠，曰梁，曰釜。

整合　累层各面，略以平行相累者谓之；否者曰不整合。甲之所示，为地层成就时，绵不间隔，亦且平安；乙则示二层成就之间，尝经大年，受大变。故识别此二，而辨地层之时代，察地质之构造，犹观火焉。

二　气

气之为用，甚类于水，可别之为数事。

质变　质变者，风化之谓。如颢气成分，淡素而外，则有酸素及碳酸水气，遘会石质，能令变易，露处之。故石，久经风雨，则内外色泽，截然相殊，而渐致析分，终于成植者亦有之。

形变　前言水挟沙砾，相磋益细，惟风益然。当其飞扬，必互相抵，诸沙交砺，终如微尘。若击石质，尤能侵蚀其表，令日减损。如海滨之近沙碛者，可见三角石，足为显证。一石犹尔，大山可知。故戈壁及其它沙漠，山石每受磨砻，爰成圆穴。而埃及与阿拉伯古字，亦多为所湮没，或形状蒙龙，仅能辨认焉。

若山为层石，有软有坚，风沙搏击而后，软者先损，如乱叠书。盖地在沙漠，山石多露，故直受颢气之用，使其上披泥土，植物遂长，则作用亦以缓。惟滨海之处，波涛所击，大都童然无卉木，则沙为风运，积如丘陵，时或骈为几列，延及数里，其度面风者缓，反风者急，是名沙丘。能埋圃田，使农夫蒙其害，故植松为林，所以御风亦以防此也。

中国陕西、甘肃、山西、直隶、河南五省，地被黄土，细如飞尘，原及数百密。审核其状，异于地层，不得沉积之迹，独借风力，因以致是耳。盖第四纪初，中国北方气候旱干，甚异今日，地则为斯提普，草木不繁。而中亚实有沙漠，西风怒吹，扬沙而东，距离既远，互磨益细，沉着于野，是为今之黄土。故草或动物之僵石，每能得之于斯。黄河之黄，实亦因是。若求例于异域，则如来因及多瑙流域皆然，故不如中国之著。

此他因颢气而形变者，复有垆坶。是本轻石，出于地囱，巨者积聚近处，其细则乘风而荡，沉着于远，日久分解，遂以生成。故在是中，每见轻石小粒，拈以二指，即糜散为垆坶。此亦来自第四纪初，地囱大决之顷，梱无层累，非如埴之可以理析。实其特有之状，故可一见识之。

生物之分布　生物分布亦假于风。有鸟与虫，常冯之以迁下风之地。昆虫在陆，不能逾海，而风能作之辅，俾入孤岛。他如植物之子胞华粉，以至果实，其能年益曼衍，布及大区者，亦因是耳。

三　生物

植物　植物之力，莫若于破石。世所谓致密之石，大抵多孔，根荄节隙，能入其间，初如毫毛，继乃弥巨，渐使判列，如楔子析木也。况当是时，水亦随进，植物之根，则施行代谢，其耑泌分酸类，令石变质。故虽至坚之石，久亦糜碎，是谓之霉蚀。

植物既朽，炭乃独存，故壤土之表，色常较黑。函此腐植，则宜于播种，虽不加人力，而所获丰，足兴农林之业。如俄之南以至西伯利亚西南，爰有大野，被以黑壤，树蓺不假粪溉，以欧洲之太仓称于时。是本黄土，厥后乃生森林，林木枯朽，留炭归，土故色转黑，而地力不就瘠薄。

植物繁生，复有益于地形天候，如调气候，致雨泽，更吸其水，以免洪水之泛滥。覆盖地表，使与风雨不直，遇而迟其解析，凡此皆植物之力也。

若下级植物，则作用之大，有益以奇觚者。如海及薮泽，实生矽藻。矽石为甲、凑会精眇游泳水中，能自运动，死而遗蜕在，水遂沉淀为白色，土厚者至三十尺，是名矽藻土，在磨砻金石时用之。

动物　下级动物，其力亦伟。如珊瑚为物，生热带及次热带澄水中，气候平均得摄氏二十度地，大抵团集成群，造作礁屿，因形锡字，可类为三：一曰缘礁，依陆而生；二曰堡礁，间水迻陆；三曰环礁，则无陆而虚中。达尔文曾核其理，谓三者实相系属，由一转二，次复成之，惟地陷故，乃见此象。故环礁为状，外峻内坦，坦者由于昔之依陆，而水中养分，在外独多，爰益发达而外侧为之加峻云。顾有反其说者，为穆黎氏，谓珊瑚礁经年既多，自能离陆。亚额什支氏亦谓地表隆上之处，亦生珊瑚，然达尔文氏说，则尚不能为其破。

浮游海中者，复有幺么动物：一曰杂娄虫，以垩为甲，大者如粟如钱，细者非显镜不之见；一曰辐射虫，以矽石为甲，赖形素缩伸，成其运动，死而留蜕，渐积为层，故探索海底，大抵如其郛中。若夫泥沙，乃惟近陆之处有之耳。动物之在陆者，首推蚁子，能柔地表，其用如霜，又能造小丹椎形塔，与地囱仿佛。次若獭之群居川畔，乃往往穿凿孔窍，以决堤防。而人类之业、如开山填海，或凿运河，则亦转易地形之著者也。

＊本篇连同鲁迅手稿最初发表于《鲁迅研究月刊》1991年第8期。

一九〇四年

入学志愿书*

学生现志愿参加贵校医学科一年级就读，请予批准。另附学业履历书。特此申请。

明治三十七年六月一日　　　　　　　　清国留学生

仙台医学专门学校长山形仲艺殿

周树人（印）

二十二岁

* 本篇据鲁迅日文手稿翻译。

学业履历书*

一 自光绪二十四年九月至同二十七年九月，入本国南京官立江南陆师学堂学习，普通科毕业。

一 自明治三十五年四月至同三十七年四月，入东京私立弘文学院学习，速成普通科毕业。

明治三十七年六月一日　　　　　　清国留学生

周树人（印）

二十二岁

* 本篇据鲁迅日文手稿翻译。

一九〇六年

拟购德文书目*

H. Hillger Verlag, Berlin W. 9.

H. 希尔格出版社,柏林,西 9 区

Volksbücher—— Br. á. m. 0. 30

大众丛书——

W. Migula: Allgemeine Pflanzenkunde

W. 密古拉:《普通植物学》

R. Gerling: Die Naturheilkunde

R. 格尔林:《自然疗法》

P. Siepert: Grundzüge der Geologie

P. 西佩特:《地质学概要》

W. Haacke: Die Menschenrassen

W. 哈克:《人种》

W. Haacke: Allgemeine Tierkunde

W. 哈克:《普通动物学》

O. Steinel: Allgemeine Erdkunde

O. 斯泰纳尔:《普通地理学》

J. Marcuse：Kleine Gesundheitslehre

J. 马尔库什:《袖珍卫生学》

Der Bau des menschlichen Körpers

J. 马尔库什[①]:《人体结构》

W. Pabst：Mineralogie

W. 帕布斯特:《矿物学》

A. Berg：Allgemeine Völkerkunde

A. 贝尔格:《普通民族学》

G. Kutna：Geschichte der Malerei

G. 库特纳:《绘画史》

K. Teichert：Die Bakterien

K. 泰歇尔特:《细菌》

E. König：Das Wesen des Lebens

E. 柯尼希:《生命的实质》

C. Eckstein：Spezielle Tierkunde

C. 埃克施泰因:《专门动物学》

G. J. Göschen'sche Verlagshandlung，Leipzig

G.J. 格辛出版社，莱比锡

Sammlung Göschen—— Geb. *á*. m. 0. 80

格辛丛书——

M. Diez：Allgemeine Ästhetik Nr. 300[②]

① 鲁迅手迹上有两点，表明作者同《袖珍卫生学》。在鲁迅藏书中，这本书作者署名 Dr. Georg Zehden，是鲁迅笔误还是两个作者写了同一名字的书，待考。

② 丛书的号码，下同。

K. 封·莱因哈特勒特纳:《葡萄牙文学史》

H. Joachim: Römische Literaturgeschichte 52L2/3

H. 约阿希姆:《罗马文学史》 52L2/3

G. Polansky: Russische Literaturgeschichte 166

G. 波兰斯基:《俄国文学史》 166

J. Karásek: Slavische Literaturgeschichte 277—278

L. 卡拉塞克:《斯拉夫文学史》 277—278

R. Beer: Spanische Literaturgeschichte 167—168

R. 贝尔:《西班牙文学史》 167—168

R. Muther: Geschichte der Malerei 107—111

R. 穆特:《绘画史》 107—111

R. Brauns: Mineralogie 29

R. 布劳恩斯:《矿物学》 29

R. Haernes: Paläontologie 95

R. 黑尔纳斯:《古生物学》 95

F. Reicke und W. Migula: Das Pflanzenreich 122

F. 赖克、W. 密古拉:《植物界》 122

M. Wentscher: Einführung in die Philosophie 281

M. 文策尔:《哲学引论》 281

G. F. Lipps: Grundriβ der Psychophysik 96

G. F. 李普斯:《精神物理学概述》 96

H. Steuding: Griechische und römische Mythologie 27

H. 施托丁:《希腊罗马神话》 27

F. V. Wagner: Tierkunde 60

F. 封·瓦格纳:《动物学》 60

K. Lampert u. a.: Das Tierreich 282,……

K. 兰佩特等:《动物界》 282,……

M. Haernes: Urgeschichte der Menschheit 42

M. 黑尔纳斯:《人类远古史》 42

K. Borinski: Deutsche Poetik 40

K. 伯林斯基:《德国诗学》 40

M. Haberlandt: Völkerkunde 73

M. 哈贝兰特:《民族学》 73

W. Bruhns: Kristallographie 210

W. 布鲁恩斯:《结晶学》 210

A. Legahn: Physiologische Chemie 240—241

A. 勒冈:《生理化学》 240—241

B. G. Teubner, Leipzig, Poststraße 3

B. G. 托伊布纳出版社,莱比锡邮局大街3号

Aus Natur-und Geisteswelt—— Geb. á. m. 1. 25

自然世界和精神世界——

L. Burgerstein: Schulhygiene Nr. 96

L. 布格斯坦因:《学校卫生》 Nr. 96

R. Richter: Einführung in die Philosophie

R. 里希特:《哲学引论》

H. Richert: Einführung in die wissenschaftliche Philosophie

H. 里歇特:《科学哲学引论》

L. Busse: Die Weltanschauungen der großen Philosophen 56

L. 布什:《大哲学家的世界观》 56

W. Löb: Grundlagen der Chemie

W. 勒布:《化学基础》

H. Miehe: Die Erscheinungen des Lebens

H. 米赫:《生命现象》

R. Hesse: Abstammungslehre und Darwinismus 193

R. 黑塞:《进化论和达尔文主义》 193

P. Giseveus: Werden und Vergehen der Pflanzen

P. 吉泽伏斯:《植物生长与枯萎》

E. Küster: Vermehrung und Sexualität bei den Pflanzen

E. 屈斯特尔:《植物繁殖与性态》

E. Reukauf: Die Pflanzenwelt des Mikroskops

E. 罗依考夫:《显微植物界》

R. Goldschmidt: Die Tierwelt des Mikroskops

R. 哥特施密特:《显微动物界》

K. Kraepelin: Die Beziehungen der Tiere zueinander und zur Pflanzenwelt

K. 克雷普林:《动物相互关系及其与植物界的关系》

E. Henning: Tierkunde

E. 亨宁:《动物学》

R. Goldschmidt: Die Fortpflanzung der Tiere

R. 哥特施密特:《动物繁殖》

E. Gutzeit: Die Bakterien

E. 古特蔡特:《细菌》

Lampert：Die Welt der Organismen

兰普特:《有机物世界》

B. Weinstein：Die Entstehung der Welt und der Erde nach Sage und Wissenschaft

B. 魏因施泰因:《从传说和科学谈世界和地球的起源》

K. V. Badeleben：Die menschliche Anatomie

K. 封·巴德莱本:《人体解剖学》

Dänhardt：Das Märchen

登哈尔特:《童话》

Dipp：Die Hygiene des täglichen Lebens

迪普:《日常生活的卫生》

Haguenin：Hauptströmungen der französischen Literatur

哈古埃宁:《法国文学主潮》

R. M. Meyer：Neuzeitliche Meister der Weltliteratur

R. M. 迈尔:《近代世界文学著名作家》

Zur Strassen：Seelenleben der Tiere

楚尔·施特拉森:《动物的精神生活》

Lansberg：Biologie

兰斯贝克:《生物学》

Müller：Methoden der Physiologie

缪勒:《生理学方法》

Solmsen：Die russische Literatur des 19. Jahrhunderts

佐尔姆森:《十九世纪俄国文学》

B. Kahle：Ibsen，Björnson und ihre Zeitgenossen 193

B. 卡勒:《易卜生,般生和他们同时代人》 193

M. Verworn: Mechanik des Geisteslebens

M. 弗伏尔恩:《精神生活动力学》

Birnacki: Die moderne Heilwissenschaft

毕尔纳基:《现代医学科学》

H. Sachs: Bau und Tätigkeit des menschlichen Körpers

H. 萨克斯:《人体构造和活动》

H. Buchner: Acht Vorträge aus der Gesundheitslehre

H. 布赫纳:《卫生学报告论文八篇》

R. Zander: Die Leibesübungen

R. 山德尔:《体操》

Otto Hendel, Halle a/S

奥托·亨德尔出版社,哈勒(萨尔河畔)

Bibliothek der Gesamt-Literatur des In-und Auslandes——

á. Nr. m. 0. 25; geb. á. m. 0. 25

国内外文学丛书——

Aho: Junggesellenliebe und andere Novellen Nr. 3

阿荷:《青年之恋及其他小说》 Nr. 3

Andrejew: Der Abgrund und andere Novellen 3

安德烈耶夫:《深渊及其他小说》 3

Apulejus: Amor und Psyche 1

阿普莱尤斯:《爱神与赛基》 1

Balz: Hellenische Erzählungen 2

巴尔茨:《希腊小说集》 2

Multatuli：Zeige mir den Platz	3
穆尔塔图里:《指给我那地方》	3
Multatuli：Ideen und Skizzen	3
穆尔塔图里:《思想和随笔》	3
Novalis：Heinrich von Ofterdingen	2
诺伐里斯:《亨利希·封·奥夫特丁根》	2
Von Haeck：Ungarisches Novellenbuch	3
黑克:《匈牙利中篇小说集》	3
Von A. Weiss：Polnisches Novellenbuch	13
A. 魏斯:《波兰中篇小说集》	13
Rydberg：Der letzte Athener	6
里特贝格:《最后一个雅典人》	6
Haeck：Ungarische Lyrik	3
黑克:《匈牙利抒情诗》	3
Slowacki：Erzählende und lyrische Gedichte	2
斯洛瓦基:《叙事诗与抒情诗》	2
Slowacki：Lilia Weneda	1
斯洛瓦基:《莉拉·文纳达》	1
Thoresen：Norwegisches Novellenbuch	3
托莱森:《挪威中篇小说集》	3
Ujejski：Biblische Melodien	1
乌叶斯基:《圣经的旋律》	1
Vörösmarty：Zalans Frucht	1
弗洛斯玛蒂:《察兰的硕果》	1

Weiss：Polnische Dichtung 2

魏斯:《波兰诗歌》 2

Zeyer：Heimet 1

蔡耶:《故乡》 1

Tschechow：Ein Zweikampf 2

契诃夫:《决斗》 2

Tschechow：Die Hexe und andere Novellen 4

契诃夫:《女巫及其他中篇小说》 4

Quelle und Meyer，Leipzig

克维勒和迈耶出版社,莱比锡

Wissenschaft und Bildung—— Br. *á*. m. 1. 00

科学和教育——

Von Luschan：Einführung in die Anthropologie

封・卢桑:《人类学引论》

Fr. Drevermann：Die Entwicklung der Tierwelt im Laufe der Erdgeschichte

Fr. 德莱弗曼:《地质史上动物的发展》

L. von Graff：Parasitismus im Tierreich

L. 封・格拉夫:《动物界的寄生物》

O. Taschenberg：Giftige Tiere

O. 塔辛贝格:《有毒动物》

H. Miehe：Bacterien und ihre Bedeutung

H. 米赫:《细菌及其意义》

H. Grück：Pflanzenkunde

H. 格吕克:《植物学》

K. Geisenhagen: Befruchtung und Vererbung im Pflanzenreich

K. 盖森哈根:《植物界的受精和遗传》

Gilg: Pfanerogamenkunde

吉尔格:《显花植物学》

M. Moebius: Kryptogamenkunde

M. 默比乌斯:《隐花植物学》

K. Keilhack: Erdgeschichte

K. 凯尔哈克:《地质史》

H. Immendorf: Grundzüge der Chemie

H. 伊门道夫:《化学概要》

Bermbach: Einführung in die Elektrochemie

贝姆巴赫:《电化学引论》

F. B. Ahrens: Lebensfragen

F. B. 阿伦斯:《生活问题》

P. Schuster: Das Nervensystem und die Schädlichkeiten des täglichen Lebens

P. 舒斯特尔:《神经系统和日常生活中的有害影响》

* 本篇最初刊载于《鲁迅研究资料》(4),天津人民出版社 1980 年版,韩耀成译。

一九〇九年

绍兴八县乡人著作书目*

读易详说十卷　宋　李光　上

儿易内仪十六卷外仪十五卷　明　倪元璐　上

尚书说七卷　宋　黄度　新

三家诗拾遗十卷　范家相　会

诗渖二十卷　同

夏小正戴氏传四卷　宋　傅嵩卿　山

中庸辑略二卷　宋　石𡼖　新

大学中庸集说启蒙二卷　元　景新　余

埤雅二十卷　宋　陆佃　山

六书本义十二卷　明　赵㧑谦　余

元史续编十六卷　明　胡粹中　山

入蜀记六卷　宋　陆游　山

吴越春秋十卷

越绝书十五卷

南唐书二十八卷音释一卷　宋　陆游　山

剡录十卷　宋　高似孙　余

嘉泰会稽志二十卷宝应续志八卷

会稽三赋三卷

子略四卷目录一卷　宋　高似孙　余

唐碑帖跋四卷　明　周锡珪　会

言子三卷　宋　王爚　编　新

太极辨三卷　元　孙自强　会

西郇省己录二卷　明　顾谅　上

余山遗书十卷　劳史　余

玉机微义五十卷　明　徐用诚　会

类经三十二卷　明　张介宾　山

景岳全书六十四卷　同

奕律一卷　明　王思任　山

砚笺四卷　宋　高似孙　余

云林石谱三卷　宋　杜绾　山

百菊集谱六卷菊史补遗一卷　宋　史铸　山

蟹谱二卷　宋　傅肱　会

蟹略四卷　宋　高似孙

天彭牡丹谱一卷　宋　陆游

西溪丛语三卷　宋　姚宽　嵊

纬略十二卷　宋　高似孙

老学庵笔记十卷续二卷　宋　陆游

蟫精隽十六卷　明　徐伯龄　嵊

金罍子四十四卷　明　陈绛　上

古今评录四卷　明　商维濬　会

经史慧解六卷　蔡含生　萧

文苑英华钞四卷　宋　高似孙

学范二卷　明　赵㧑谦

经史典奥六十七卷　明　来斯行　萧

黎州野乘　明　舒缨　余

解庄十二卷　明　陶望龄　会

南华简钞四卷　徐廷槐　会

参同契注二卷　陈兆成　上

得一参五七卷　姜中贞　会

唐英歌诗三卷　唐　吴融　山

陶山集十四卷　宋　陆佃　山

云溪居士集三十卷　宋　华镇　会

烛湖集二十卷附编二卷　宋　孙应时　余

信天巢遗稿一卷　宋　高翥　余

冷然斋集八卷　宋　苏泂　山

榜栳山人集三卷　元　岑安卿　余

玉笥集十卷　元　张宪　山

东维子集三十卷附录一卷　元　杨维桢

铁崖古乐府十卷乐府补六卷　同

复古诗集六卷　同

丽则遗音四卷　同

庸庵集十四卷　元　宋禧　余

密庵集八卷　明　谢肃　上

临安集六卷　明　钱宰　会

考古文集二卷　明　赵㧑谦　余

竹斋集三卷续一卷附一卷　元　王冕　诸

唐愚士集二卷会稽怀古诗二卷　明　唐之淳　山

归田稿八卷　明　谢迁　余

青霞集十一卷年谱一卷　明　沈炼　会

倪文贞集十七卷续三卷奏疏十二卷讲编四卷诗集四卷　明　倪元璐

风雅翼十四卷　元　刘履　编　上

元诗体要十四卷　明　宋绪　编　余

文选句图一卷　宋　高似孙

海钓遗风集四卷　明　萧鸣凤　山

竹屋痴语一卷　宋　高观国　山

梅花百咏一卷　元　韦珪　山

铁崖赋稿二卷　元　杨维桢

尔雅新义二十卷　宋　陆佃

* 原载《鲁迅研究资料》(4),天津人民出版社 1980 年版。据周作人考证,此书目约写于鲁迅从日本回国之后民国之前。八县指绍兴府所辖山阴、会稽、上虞、余姚、萧山、诸暨、嵊县、新昌八县,鲁迅分别以"山、会、上、余、萧、诸、嵊、新"代之。

一九一二年

补绘《於越三不朽图》附记*

於越有明三不朽图赞

古剑老人之甥陈仲谋刻

乾隆乙卯皋邨余氏重刻

嘉庆庚辰松山朱氏补刻

光绪戊子山阴陈氏重刻

陈氏本有序如次：

古剑老人原序，许景仁序，陈仲谋序，余烜序，朱文然跋，陈绵序，傅鼎乾跋。家藏本缺四页，今依陈本补。

* 本篇据鲁迅手稿抄录，原无句读、标点。

《百喻经·痴人说饼》语译*

有一位赶路的痴人,急急忙忙走了许多路,肚子里慢慢觉得饿了。勉强再走一程,经过一个小小市镇,抬头看见一个烧饼摊,便停了步,放下担子,伸手向衣袋里摸出钱来,买烧饼吃。第一个烧饼吃下肚,不济事;再买一个烧饼吃,依旧不济事;连买第三四五六个烧饼吃,仍旧不济事;可是第七个烧饼到了手,刚才吃得半个,忽然肚子饱了,再也吃不下了。这痴人便觉得懊悔起来,伸起手便打自己,说道:“我现在吃了很饱,全仗这半个烧饼。以前所买的六个烧饼,白白化了许多钱,一点不济事。假使我眼力好,早早晓得这第七个烧饼有这么大的作用,半个便吃得饱肚子,应当一开首就买这一个烧饼啦!”

* 本篇原载1912年《越铎日报》,后转载于1947年《论语》(半月刊)120期。

《天觉报》创刊祝词*

敬祝《天觉》出版自由

北京周树人　祝

*本篇原载1912年11月1日绍兴《天觉报》创刊号第三版祝电栏。

《谢氏后汉书补逸五卷》跋*

壬子四月假江南图书馆藏本写出。初五日起，初九日讫，凡五日。

*本篇据鲁迅手稿抄录，原无句读、标点。

《谢承后汉书》考*

侯康《补三国艺文志三·正史类》:谢承后汉书一百三十卷(元帝纪。(承)字伟平吴武陵太守)承事见《吴志·妃嫔传》及注引《会稽典录》。《匡谬正俗》卷五云云(已见辑本)。《史通·书志篇》云:百官舆服,谢拾孟坚之遗。《烦省篇》云:谢承尤悉江左景洛事,缺于三吴。《杂说下》云:谢承汉书,偏党吴越。又云:姜诗赵壹身止计吏而谢书有传。傅山曰:谢承书某家有之永乐间扬州刊本。初,郃阳《曹全碑》出,曾以谢书考证,多所裨益,大胜范书,以寇乱亡失,惜哉。姚之骃曰:谢伟平书所载忠义名卿及通贤逸士,其芳言懿矩,半为范书所遗。康案:谢书自晁陈马氏以来,俱不著录。傅青主所言扬州刊本,当亦如姚氏辑本之类耳。姚本阙漏尚多,近有胡□□□□辑本,未见。洪亮吉曰:谢承书最有名,又最先出,而其纰缪非一端。试举一二言之:范史《周嘉传》高祖父燕曰:我本王之后正公玄孙。注引谢承书曰云云,今考云云。(案已散入辑本水条之下,今不复录。)又《三国志·陶谦传》:广陵太守琅邪赵昱徐方,名士也。注引承书曰"昱迁广陵太守"至"见害",今考云云。又承又云:"谦初辟昱别驾从事"至"吴范宣旨"云云,考云云。他如《范史·隗嚣传》,更始执金吾卿晔注引承书云云。前汉既无南乡之名。又《胡广传》注引承书"李咸以灵帝"至"为太尉",今考云云。是承书于邑里官爵,皆率意妄书。其他好为异说，以贻误后人者，又比比也。康案：此条于谢书力加讥弹，然迁固著史，尚多舛误，不能摘其一二事，遽毁全书。又况谢书久亡，他书转引，不免鲁鱼之讹，尤未可以是定谢范二字优劣也。姚之骃谓谢书极博，蔚宗过为删除，其说甚当，盖谢之胜范在此，而其不及范之精严亦即在此矣。

孙志祖《读书脞录三》：谢承《后汉书》已久佚，阳曲傅徵君自言其家有此书，为永乐时雕本，恐妄也。全谢山先生云：即果有之，亦伪书而已。志祖案：《隋书·经籍志》云：《谢承后汉书一百三十卷》，无帝纪，则谢书无本纪也。《北堂书钞》引封告事云：出《谢承后汉书·风教传》，则谢书有《风教传》也。《太平御览》引腊日祭祀事云：出谢书《东夷传》，则谢书有《东夷传》也。《史通·书志篇》云：百官舆服，谢拾孟坚之遗训，则谢书有《百官舆服志》也。《杂说篇》云：姜诗赵壹身止计吏，而谢书有传，则谢书有《姜诗赵壹传》也（《范书》姜诗事载其妻《庞氏传》中）。又《论赞篇》云：谢承曰：诠与诸史不同，则谢书《易论赞》而为诠也。又《杂说篇》云：谢承汉书偏党吴越。《烦省篇》云：谢承尤悉江左京洛事，缺于三吴，盖伟平为孙吴贵戚，容有偏私也。世有作伪者当以此数事证之。乡先辈姚荃园之骃撰《后汉书补逸》中有谢书。予憾其阙略，广为搜辑，得五卷，视姚本几倍之矣。

* 本篇据鲁迅手稿抄录，原无句读、标点。

《洛阳花木记》抄校本题记*

以明抄《说郛》原本校。此在第廿六卷，注云一卷，全抄。宋周叙。

* 本篇据鲁迅手稿抄录，原无句读、标点。

《金漳兰谱》抄校本题记*

以明抄《说郛》校。原注云一卷，全。

* 本篇据鲁迅手稿抄录，原无句读、标点。

《桐谱》抄校本题记*

见明抄《说郛》原本卷廿五，注云一卷，全抄。又陈翥下注云：号铜陵逸民，字子翔。

* 本篇据鲁迅手稿抄录，原无句读、标点。

《竹谱》抄校本题记*

明抄《说郛》原本中此篇在卷六十六，注多省略，又不云何人撰。

* 本篇据鲁迅手稿抄录，原无句读、标点。

《桂海虞衡志》抄校本题记*

明弘治间所抄原本。《说郛》中有此书，因取校一过，颇有佳胜者。

* 本篇据鲁迅手稿抄录，原无句读、标点。

《式训堂丛书目录》题记*

会稽章贞编。光绪间刊本，后吴县朱记荣得其版，没章氏名，改题《校经山房丛书》。

* 本篇据鲁迅手稿抄录，原无句读、标点。

《小说钩沉》目录*

第一集一种二叶

青史子二叶

第二集六种九十七叶

语林二十七叶

郭子十四叶

笑林七叶

俗说十叶

小说三十三叶

水饰六叶

第三集十三种一百六十一叶

列异传十五叶

古异传一叶

甄异传七叶

述异记三十叶

灵鬼志八叶

祖台之志怪六叶

孔氏志怪六叶

神录二叶

齐谐记六叶

幽明录八十七叶

鬼神列传一叶

志怪记一叶

集灵记一叶

第四集二种二十六叶

汉武帝故事二十二叶

妒记四叶

第五集九种四十四叶

异闻记二叶

玄中记十叶

异林一叶

曹毗志怪一叶

集异记三叶

神异记三叶

续异记四叶

录异传十叶

杂鬼神志怪十一叶

都三百三十叶,约十三万言。

* 本篇据鲁迅手稿抄录。

一九一三年

《山东画像石》说明*

洪福寺一石(甲)。刘家村三石之一,见《访碑录》。

七日山圣寿寺一石(乙)。《访碑录》云七日山二石。

隋家庄关庙二石(丙丁)。《访碑录》云二石当即此。

嘉祥上华林邨真武庙一石(戊)。《访碑录》云华林邨二石。

又吴家庄观音堂一石(己)。

又郗家庄弍石(庚)。

又不知所出一石,旧在城小学堂(辛)。

又洪家庙一石(壬)。

又商邨一石(癸),打碑人记之吕村。

以上十石在山东图书馆,尚有十七石在学宫。前十石胡梦乐自山东来,以拓本见予。

*鲁迅1913年9月11日日记:“胡梦乐贻山东画像石刻拓本十枚。”本篇据鲁迅手稿抄录。

《李夫人墓门画象》说明*

高一尺九寸二分。阙左小半存,广四尺五寸。右方上下有缘,中伏鹿形。左方隶书三行云:汉廿八将佐命功 苗东藩琴亭国李 夫人灵第之门。行七字。在山东蓬莱张氏。

*本篇据鲁迅手稿抄录。

《食堂画像》说明*

高一尺七寸，广一尺二寸。上右有缘，画一人坐右向。别石高一尺四寸，广七寸，刻记四行隶书：

永建五年大岁在庚午二月廿

三日　立此食堂

当　居　意

立学　阝何意被天灾　蚤离父

母　并

右下有题额二行。下方记十四行，行书。左下方释文五行，记六行，正书。

永建五年刻石　集《天玺纪功碑》字

道光廿一年四月知济宁直隶州事南通州徐宗榦迻置明伦堂

* 本篇据鲁迅手稿抄录。

《新泰师旷墓前画像》说明*

新泰师旷墓前画象四石

第一石高五尺四寸，广二尺八寸。三层。上层连泉（线）。次二层车马，大半漫灭。

第二石高五尺九寸，广二尺八寸。四层。上层连泉（线）。第二层漫灭，刻一□形，后人所作。第三层右上方一马，下方一车可辨，又刻一□形，亦后人作。第四层存上半，俱漫灭。

第三石高广同第一石，三层俱漫灭，石裂为三。

第四石高广同前，三层。上二层俱漫灭，下层车马。

在山东新泰东北四十里。

* 本篇据鲁迅手稿抄录。

《武氏祠新出土画像》(第一石)说明*

武氏祠新出土画象第一石,有阴

高广为三尺。二层。上层题字三榜:“楚将”、“王陵母”、“汉使者”。

下层题字四榜赞二行:

门亭长　范赎

宣孟晋卿铺辄翳桑。灵公凭怒,伏甲嗾獒。车右

提明超犬绝,桓灵辄桑盾,爰发甲中。

灵公　赵宣孟

隶书一列刻上缘:

新出士石与左室第一石连,庚辰,增人。(补勤志)碑阴鱼二鸟一。

* 本篇据鲁迅手稿抄录。

《武氏祠新出土画像》(第二石)说明*

武氏祠新出土画象第二石

高三尺广二尺三寸。二层。上层题字二榜,赞二行:

孔子　何馈

何□枚人,养性守真。子路从后,问见夫子。□□勤体,煞鸡为黍。仲由拱立,无辞□□。

下层题字二榜赞二行:

柳惠

程婴杵臼,赵朔家臣。下宫之难,赵武始娠。屠颜购孤,诈抱他人。臼与并殪,婴辅武存。

许臼

隶书十一行刻上缘:

新出土第二石为轩辕华所藏,光绪庚辰四月丁菩江增人、陈锦志。

* 本篇据鲁迅手稿抄录。

《更封画像》说明*

更封

平刻。高三尺二寸四分，广三尺三寸五分，厚五寸。四缘□文，中央二重屋形，并二立木。上侧存题字二，隶书：“更封。”上泐。旧在山东兖州，归汉军许氏，满州托活洛氏。七年售出。

* 本篇据鲁迅手稿抄录。

《李家楼画像》说明*

李家楼

平刻。高二尺五寸，广三尺三寸。左右□缘，中分二区。左兽环，右一人拱立右向。无字。

* 本篇据鲁迅手稿抄录。

《戴氏画象题字》说明*

石高二尺七寸八分，广三尺七寸八分。画象两旁各题字一行，字径三四分不等，分书。

“戴目孔道建石。宣五千，□苞二千五百五，戴□、戴□、伍著、承超、阳勋、蒴卿、张年并九千五百。以永初七年闰月十八日始立成。”以上题字一行，在画象右郭。

“戴掾君寿九十三，薄命以永初四年六月十七日庚午病卒。戴母年九十二，以永初五年八月廿九日病卒。父母天蚕云门。”以上题字一行，在画象左郭。

*本篇据鲁迅手稿抄录。

《文叔阳食堂画象题字》说明*

石高二尺六寸微强，广二尺一寸。左下斜缺约三寸。六行。八分书：

建康元年八月乙丑十九日丁未寿

里文村阳食堂村阳故曹史行

亭市掾乡啬夫掾功曹府文学

掾　立子三入女宁男弟村明女弟

思村明蚤春秋长子道士

丘　钱万七故曹史市掾

*本篇据鲁迅手稿抄录。

《食斋祠园画象》说明*

石高二尺二寸四分，宽一尺二寸捌分。四角经磨蚀，略作椭图形。象高一尺六寸五分，字径一寸五分。分书："食斋祠园"四字，在象左侧。

*本篇据鲁迅手稿抄录。

《武氏后石室画象》说明*

右武氏后石室画象，在嘉祥县武氏祠。凡十石，题字俱漫漶，有石柱题"武家林"三字。黄小松司马谓边幅隐隐八分书"中平"等字，谛视之，尚可辨。

*本篇据鲁迅手稿抄录。

《武氏石室新出画象》说明*

石武氏石室新出画象，凡九石。一石上下俱漫泐，中有“武氏祠”三大字，八分书。一石上有兽首，口衔大环。与射阳石门画象同。一石上层二人骑马前后行，下层漫泐，中层似有题字五行，不可辨。余俱作人马宫室形，无题字。

* 本篇据鲁迅手稿抄录。

《文叔阳食堂画象题字》说明*

石高三尺三寸六分，阙左缘存，广二尺七寸。中央右方，二人对坐，上乙飞鸟。右方左题字六行，行十一至十四字不等。隶书。在满州托活洛氏。

故南武阳功曹乡啬夫　文学掾平邑

郎之阙

朝廷　君

以为

章和元所十一月十六日

乡高

伯

*本篇据鲁迅手稿抄录。

《阳三老石堂画象题字》说明*

石高一尺六寸，广六寸七八分。面全剥落，字刻左边。下方高一尺零二分，广一寸四分，三行。

首行二十八字，次行二十四字，末行存二十一字。又“阳三老”三字居中，在次行之上，式如碑额，分书。

* 本篇据鲁迅手稿抄录。

汉画像目录*

石阙

石阙一

南武阳平邑皇圣卿阙。西阙。四面画象。南面左方有题字。分书。元和二年八月。在山东费县平邑集。

南武阳功曹乡啬夫府文学掾平邑□郎阙。南(阙)。画象四面。西面左方题字,分书:章和元年二月十六日。

南武阳功曹东阙。东(阙)。画象四面。西面题字。分书。无年月。

兖州刺史雒阳令王稚子阙。在四川新都北十二里官道西墓前。中岳太室阳城嵩高阙。

少室神道阙。

开母庙神道阙。

孝子武始公等造石阙。东西。

石阙二

益州太守武阴令上计史孝廉从事高颐阙。阙阳画象一石。题字二石,分书,无年月。阙阴画象一石,无年月。

阙左侧画象一石。无题字。四川雅安。

益州太守阴平都尉武阳令北府丞孝廉高贯光阙:阙阳画象十石。题字二石,分书,无年月。阙阴画象七石。左侧五石,右侧五石,并无题字。阙掾首题字二十四方。

上庸长司马孟台神道阙。分书。画象二段。无年月。四川德阳黄许镇。

尚书侍郎河南京令豫州幽州刺史冯焕阙。上下画象。分书。四川渠道。

谒者北屯司马左都侯沈府君神道阙。分书。上下画象。阙左侧象。四川渠县。

新丰令交阯都尉沈府君神道阙。分书。上下画象。阙右侧画象,在同上。

蜀侍中杨公阙画象。

丁房阙画象。二石。四川忠州。

食堂

□□食堂画象。题字分书。永建五年大岁在庚午二月廿三日。山东济宁州学。

寿贵里文叔阳食堂画象。题字分书:建康元年八月乙丑朔十九日丁未。山东济宁。

永元食堂画象。“永元八年二月戊戌记。”石裂为二。在山东鱼台马氏。

石室

武氏祠石室画象。

郭巨石室画象。

朱鲔墓石室画象。

师旷墓石室画象。

摩厓

黾池五瑞画象。八分书。

凤皇画象。八分书。在山东沂水西南鲍宅山。

杂

孔子见老子画象。

食斋祠园画象。

* 本篇据鲁迅手稿抄录。

《济宁杂画象》目录*

晋阳山七石。俗名匡山,原六石,新出一石。城西北三十五里慈云寺大佛前。

高庙三石。城西北三十五里真武庙内。

普照方法一石。城内,现移入鱼山书院内。

李家楼二石。佚。

两城山十八石,济宁东南八十里。

康王城十一石。城西南六十里张古屯东南漫地墓内。

* 本篇据鲁迅手稿抄录。

《嘉祥杂画象》目录*

圣庙二石。大殿前壁间。

轩辕氏家藏二石。大隅首路东墙上。

曾氏家藏一石。曾翰博宅月台上。

高氏家藏一石。署西高家店壁间。

宋氏门前一石。南门里壁埋土中。

当铺墙上一石。

大隅首西路南墙上，壹石。

以上城内共九石。

嘉祥村三石。城南五里庄南王年山城地内。

纸坊二石。城南二十五里纸坊集关帝庙壁间。一石存，一石碎。又一枚从别店买得，亦恐纸坊集。

随家庄四石。城南十五里关帝庙壁间三石，又西南漫地内一石。

洪家山一石。城东廿五里天齐庙壁间。

黄家冈七石。重出一石实六石。城西五里曾氏薪茔内三石。南山城内四石。

程家村二石。城南二十里杏园内井上。一石存。

吕村三石。重出一枚，实二枚。城南十里圩内北门里卧地上。

华林村二石。城南十五里桥上一石。东庄元帝庙一石。

七日山二石。城南四十里圣寿寺壁间。

焦城二石。重出一枚,实一枚。原四石,二石存,二石佚。八分书。城南拾伍里观音堂壁间。

刘村洪福寺三石。城南二十五里,在院内平卧地上。

郭庄一石。城北三里墙上一石。井槽一石。

郗家庄一石。城南五十里庄南桥上。

戴家店一石。城南三十里。已佚。

北杜庄二石。城北四里街中路南杜氏门前。

鲁寨郭家庄四石。城东南八里庄后山墓上。

秋胡山一石。城南六十里。

郗王墓一石。城南十里灯台寨。已佚。

竹园一石。城北八里朱氏闲园,卧地上。

骆驼村一石。城南五十里庄内,街东路南冯福云门东。光绪十五年夏月尚存,秋后已佚。

孙家庄一石。城东南八里庄东南井上,距鲁寨一里。

杨桥二石。城南八里桥上。

汤家山即汤阴山。已佚。

武宅山(即紫云山)四石。光绪十二年出土,已移入武梁祠石屋内,在祠前坑内刨出。

武宅山新出土十二石。光绪十四年在祠前坑内刨出,尚未移置。共□(六十九石)。

附

晋阳山(俗名匡山)七石。原六石。济宁西北三十五里慈云寺大佛殿前。嘉祥城东北二十里。

高庙三石。济宁西北三十五里真武庙内。平卧地上。

普照寺。济宁城内。现移鱼山书院内。

李家楼二石。济宁。已佚。

两城山十六石又二石。济宁东南八十里。

康王城大小十一石。未出土尚多。济宁西南六十里张古屯东南漫地墓内。门向南开,有三间屋大。东西各两门,未开。又有两胡同。离嘉祥七十里。光绪十三年新出土。

朱鲔石室十七石。金乡城西三里台间。未出土尚多。

* 本篇据鲁迅手稿抄录。

石刻目录*

谒者北屯司马沈君神道右阙。无年月。在四川渠县。

新丰令交阯都尉沈君神道左阙。无年月。在四川渠县。

沈君神道右阙右侧画象。

沈君神道左阙右侧画象。

白杨杨邨画象题字四。旧在山东邹县。今藏满州托活洛氏。

武氏祠新出画象二石之一。题字九榜又二行，与左室第一石画象相属。山东嘉祥出土。今在满州托活洛氏。

武氏祠新出画象二石之二。题字四榜又四行。在山东嘉祥。

以上帖签望托老三于暇日写之，汝校一过而带来之。

阳三老石堂画象题字。延平元年十二月十□日毕成。在满州托活洛氏。

戴掾君石堂画象题字。永初七年闰月十八日成。在满州托活洛氏。

寿贵里文叔阳食堂画象题字。建康元年八月十九日。在满州托活洛氏。

梧台里石社碑阴画象。

汉侍御李业阙。无年月。会稽赵之谦云东汉初。四川梓潼李公祠。

白杨郙画象。无年月。在满州托活洛氏。

蜀侍中杨公阙。无年月。东武刘喜海考为蜀李成时人杨发。在四川梓潼。

蜀中书令贾公阙。无年月。左方旧有乾道六年向口题记,考为贾夜宇。李雄时拜行西将□□□部尚书。今泐。在四川梓潼。

寿贵里文叔阳食堂画象。建康元年八月十九日。在满州托活洛氏。

阳三老食堂画象残石。延平元年十二月十□日毕成。在满州托活洛氏。

重屋画象。无题字。在满州托活洛氏。

南武阳平邑皇圣卿阙题字。元和元年十二月廿八日。在山东费县平邑集。

南武阳功曹乡啬夫乡文学掾平邑□郎阙题字。章和元年十一月十六日。在山东费县平邑集。

中岳泰室阳城崇高阙铭。元初五年四月吕常造。有额。在河南登封中岳庙前。

泰室阙额。

少室神道阙铭。三月三日。案王澍《竹云题跋》以为延光二年。有额。在河南登封邢家铺。

少室阙额。

少室阙铭上层残字。

颖川太守杨君泰室阙铭。延光四年。

少室阙江孟等题名。无年月。

开母庙神道阙铭。堂谿协作。延光二年。在河南登封崇福观。

孔子见老子象。

少室神道西阙下。伊字。

* 本篇据鲁迅手稿抄录。

《石刻杂件》目录*

嘉祥志一

钓鱼山。县南十五里，山之西北有晁错墓，《鸡肋集》作鱼山。

洪山。石壁镌洪水诗，字迹甚古。

焦氏山。县西南十八里，左有□三城。

商村山。县西南十二里，山下有商村社。

东卧龙山。县东南五里下有鲁翟村，俗名鲁翟山。

灯台山。县东南七里南麓有晋太尉郗鉴墓。

华林山。在县东南十五里。

塔山。县南二十里，下有紫云洞，又名吕公洞。

范山。在县南二十里，相传范巨卿故里，旧有洪福院。

武翟山。县南二十八里。

土山。县南二十五里，土山集在其西。

紫云山。旧武翟山，山右有汉武梁祠墓。

七日山。县南四十八里，山腰有圣寿寺，寺后有岩穴，中有石佛。

广济桥。县南门外，明成化中曹仅等建。

商村桥。县西南十四里。

李家楼桥。县东五里。

焦城。在青山东。

嘉祥故城。一在山口镇，即今嘉祥村，金皇统七年置。

秋胡庙。在平山顶(县南五十五里)。

秋胡墓。在平山下。

晁错墓。县西南十五里钓鱼山下,予作石马、羊、虎具存,画为晁氏争回者埋其碑。惟焦城新村金竟怀英所铭墓志。今可考。

范式墓。县南二十五里。大鼎山前。今殄没,不知其处者。

武氏墓。县南三十里。

郗鉴墓。县南七里灯台山西。碑没于地,趺尚在。墓前二石台,高约二丈。悉□花卉。其顶斗拱工细,鳞瓦参差,砌石成门,而中断其半。望之如灯擎,故名灯台山云。

新泰志七

周师旷墓。县东北十五里,古碑师旷墓,左籀篆十三行,古奥不可识。

＊本篇据鲁迅手稿抄录。

《金石杂件》目录*

一　用中国纸及墨拓。

二　用整纸拓金石，有边者并拓边。

三　凡有刻文之外，无论字画，悉数拓出。

四　石有数面者，令拓工注明何面。

济南　汉画象一石，在西关外十五殿。

金石保存所所列号数，系照报部目录上抄出。

285 汉画象四石。

286 龙飞一石。

曲阜　汉画象四石。在圣庙大中门。

又　二石。在颜氏乐圃。

又　一石。在衍圣公府后门。

又　一石。在元公庙殿后墙上。

宁海州　汉画象一石。在无染院。

蓬莱　汉画象一石。在泊干村西山墓间。

益都　汉画象三石。在角楼村。

鱼台　汉画象一石。在伏羲庙内。

兰山　汉画象一石。在右军祠。

东平　汉画象一石。在州署。

又　一石。在州学。

郯城　汉画象一石。在西城下。

又　三石。在诛龙桥。

嘉祥　汉画象十七石。在县学明伦堂。

又　二石。在圣庙大殿壁间。

武梁祠石阙　东西两阙，每阙三面，均有画象。又两阙各有翼石，亦三面，有画象共十二面。

又西阙旁仆石一。亦三面画象。

武氏祠画象残石。其数不详，约数十块。

又祠西北墓间画象一石。

费县　南武阳阙。在平邑集。凡西南东三阙，每阙四面，均有刻文，共十二面。

汉画象大小三石。在朱公铺村南。

金乡　朱鲔石室画象。在城西三里。不知几石。市上所有拓本皆只就清晰处零星拓之，今欲得全石整张拓本。

济宁　汉画象二十七石。在东南八十里两城山。

又　十一石。在西南六十里张古屯东南漫地内。

又　七石。在城西北三十五里晋阳山（俗名匡山）慈云寺。

又　七石。在城西北三十五里真武庙内。

又　三石。在城内鱼山书院。

晋阳山　济南西北三十五里。

高庙　西北三十五。

李家楼

两城山　东南八十。

康王城　西南六十张下屯。

伏羲陵　鱼台。

白杨树村　邹。

八角墓　沂水袁家城子。

交良村

泊干　蓬莱。

嘉祥县

嘉祥村　南五里。

纸坊集　南廿五。

随家庄　南十五。

洪家山　东北五。

黄家冈　西五。

程家村　南廿。

吕村　南十。

华林村　南十五。

七日山　南四十。

焦城　南十五。

刘村　南廿五。

郭庄　西南三。

孟庄　北三。

郗家庄　南五十。

戴家店　南卅。

北杜庄　北四。

鲁寨郭庄　东南八。

秋胡山　南六十。

郗王墓　南十灯台寨。

竹园　北八朱氏。

骆驼村　南五十。

孙家庄　东南八,距鲁寨一。

杨桥　南八。

汤家山　即汤阴山。

武宅山

吴家庄

＊本篇据鲁迅手稿抄录。

《嘉祥村画象》考注*

嘉祥村画象石之一，入端氏后列为二，又经妄人刻字。五榜之拓本可备考。

*本篇据鲁迅手稿抄录。

《徐村画象》考注*

此汉画象残石六枚，有字之一枚从河南来（字盖伪刻），他五枚从山东来，不知确出何处。

*本篇据鲁迅手稿抄录。

《晋阳山慈云寺画象》考注*

今拓本于第一层下刻“穆王王母也”，五字横列，此尚是未添刻前拓本。

*本篇据鲁迅手稿抄录。

《白杨店画象》考注*

曲阜白杨店画像，今在颜氏乐圃，其一系旧拓本。

*本篇据鲁迅手稿抄录。

《朱鲔石室画象》考注*

汉《朱鲔画像》，乾隆时二十四张，有字无年月，拓者二十七张，无字，《访碑录》之《金乡县志》著之，石在山东金乡。

*本篇据鲁迅手稿抄录。

《武氏石室新出画象》说明*

右武氏石室新出画象。凡九石。一石上下俱漫泐，中有“武氏祠”三大字，八分书。一石上有兽首，口衔大环。与射阳石门画象同。一石上层二人骑马前后行，下层漫泐，中层似有题字五行，不可辨。余俱作人马宫室形，无题字。

*本篇据鲁迅手稿抄录。

一九一四年

儿歌六首抄注*

一、羊，羊，羊，跳花墙。花墙破，驴推磨。猪挑柴，狗弄火。小猫儿上炕捏饽饽。（北京）

二、小轿车，白马拉，唏哩哗啦（铃铎之声属也，非指人声）回娘家。（又）

三、风来了，雨来了，和尚背了鼓来了。这里藏（问词，犹言哪里藏也），庙里藏，一藏藏了个小儿郎。儿郎儿郎你看家，锅台（灶头也）后头有一个大西瓜。（又。案：此歌当风雨将至时，小儿群集而唱之）

四、棉花桃，满地蹦（踊也，跃也）。姥姥（外祖母也）见了外甥甥（第二甥字不知本字，系动词，谓甚爱也）。（直隶高阳）

五、月光爷爷，保佑娃娃。娃娃长大，上街买菜。（江西南昌。案：此以月为男性也）

六、车水车水，车到杨家嘴。杨奶奶，好白腿。你走你的路，我车我的水，管我白腿不白腿。（安徽。据云下等社会小儿唱之，然不似儿歌也）

*本篇据鲁迅手稿抄录，括号内为鲁迅注文。

虞预《会稽典录》序*

《晋书·虞预传》:预著《会稽典录》二十篇。

《隋书·经籍志·史部杂传篇》:《会稽典录》二十四卷,虞豫撰。

《旧唐书·经籍志·史录杂传类》:《会稽典录》二十四卷,虞预撰。

《新唐书·艺文志·史录杂传记类》:虞预《会稽典录》二十四卷。

《史通·采撰篇·郡国》:谱牒之书,务欲矜其州里,夸其士族。如江东五儁,始自《会稽典录》;颍川八龙,出于荀氏家传。苟不别加研覆,何以详其是非。又《杂述篇》:若圈称《陈留耆旧》,周斐《汝南先贤》,陈寿《益部耆旧》,虞预《会稽典录》,此之谓郡书者也。

*本篇据鲁迅手稿抄录,原无句读、标点。

谢承《会稽先贤传》序*

《隋书·经籍志·史部杂传篇》:《会稽先贤传》七卷,谢承撰。

《旧唐书·经籍志·史录杂传类》:《会稽先贤传》五卷,谢承撰。

《新唐书·艺文志·史录杂传记类》:谢承《会稽先贤传》七卷。

侯康《补三国艺文志三·杂传类》:谢承《会稽先贤传》七卷,《御览》屡引之。所记凡阚泽、沈勋、茅开、淳于长、陈业、董昆、严遵诸人事,多史传之佚文。严遵二条,足补《后汉书》本传之阙。陈业二条,足以证《吴志·虞翻传》注。吉光片羽,皆可宝也。

* 本篇据鲁迅手稿抄录,原无句读、标点。

钟离岫《会稽后贤传记》序*

《隋书·经籍志·史部杂传篇》:《会稽后贤传记》二卷,钟离岫撰。

《旧唐书·经籍志·史录杂传类》:《会稽后贤传》三卷,钟离岫撰。

《新唐书·艺文志·史录杂传记类》:钟离岫《会稽后贤传》三卷。

《元和郡县志》:钟离岫撰《会稽后贤传》。

《通志·氏族略》曰:钟离岫,楚人。案:《元和姓纂》云:汉有钟离昧,楚人。钟离岫撰《会稽后贤传》。恐楚人当属上读。《通志》误耳。

* 本篇据鲁迅手稿抄录,原无句读、标点。

贺氏《会稽先贤像赞》序*

《隋书·经籍志·史部杂传篇》:《会稽先贤像赞》,五卷。

《旧唐书·经籍志·史录杂传类》:《会稽先贤像赞》,四卷,贺氏撰。又《集录·总集类》:《会稽先贤赞》,四卷,贺氏撰。

《新唐书·艺文志·史录杂传记类》:贺氏《会稽先贤传像赞》,四卷。

*本篇据鲁迅手稿抄录,原无句读、标点。

众家《会稽记》序 *

《隋书·经籍志·史部地理篇》:《会稽土地记》一卷,朱育撰。《会稽记》一卷,贺循撰。

《旧唐书·经籍志·史录杂传类》:《会稽记》四卷,朱育撰。

《新唐书·艺文志·史录杂传记类》:朱育《会稽记》,四卷。

侯康《补三国艺文志·地理类三》:朱育《会稽土地记》,一卷。《世说》注引云云。此书《隋志》入地理类,《唐志》删“土地”二字入杂传记类。今从《隋志》、《通志·艺文略》两收之,似复矣。

* 本篇据鲁迅手稿抄录,原无句读、标点。

朱育《会稽土地志》序*

《隋书·经籍志·史部地理篇》:《会稽土地志》,一卷,朱育撰。新、旧《唐志》并作四卷。又称删"土地"二字入杂传记类。《世说新语》注引《土地志》二条,不题撰人,并言地理,似《唐志》失之者。(育)字嗣卿,山阴人,吴侍中。见《会稽典录》。

* 本篇据鲁迅手稿抄录,原无句读、标点。

贺循《会稽记》序*

《隋志》:《会稽记》,一卷,贺循撰。《唐志》不载。循字……《晋书》有传。

* 本篇据鲁迅手稿抄录,原无句读、标点。

夏侯曾先《会稽志》序*

《隋志》、《唐志》皆不著录。曾先事迹亦无可考见。唐时著述已引其书,而语涉梁武,当是陈、隋间人。

*本篇据鲁迅手稿抄录,原无句读、标点。

《说郛录要》目录*

《说郛录要》二册，辛亥三月写成。

《说郛录要》目次上

第一册

阙名《魏王花木志》一卷

王方庆《园林草木疏》一卷

谢翱《楚辞芳草谱》一卷

周氏《洛阳花木记》一卷

李翱《何首乌录》一卷

杨天惠《彰明附子记》一卷

赵时庚《金漳兰谱》一卷

王贵学《王氏兰谱》一卷

范成大《菊谱》一卷

史正志《菊谱》一卷

欧阳修《洛阳牡丹记》一卷

周氏《洛阳牡丹记》一卷

张邦基《陈州牡丹记》一卷

陆游《天彭牡丹谱》一卷

王观《扬州芍药谱》一卷

范成大《梅谱》一卷

《说郛录要》目次下

第二册

陈翥《桐谱》一卷

蔡襄《荔枝谱》一卷

韩彦直《橘录》三卷

戴凯之《竹谱》一卷

释赞宁《笋谱》二卷

陈仁玉《菌谱》一卷

潘之恒《广菌谱》一卷

滑浩《野菜谱》一卷

傅肱《蟹谱》二卷

* 本篇据鲁迅手稿抄录。

明刻本《嵇中散集》题记*

明刻本《嵇中散集》一卷。半页十行，(行)二十八字。首《琴赋》一首，次诗，并与此本同。有季振宜藏书印，朱文长印。蒋抑卮寄来，乙卯七月十五日校。

*本篇据鲁迅手稿抄录，原无句读、标点。

一九一五年

《嘉祥嘉祥村画象》说明*

嘉祥嘉祥村画象三石

打碑人手记云:“在城南五里庄南,王年山坡地内。”

一高三尺五寸,广二尺六寸。上半三层,上二层西王母及禽兽乐舞,下层车马二;下半田猎。石后裂为二,又经妄人刻“吴王”、“二侍郎”、“齐桓公”、“门下功曹”、“管仲”等五榜。入满洲托活洛,七年二月后出,不知所往。

一高一尺八寸,广三尺。上层乐人六,下层庖厨。

一高一尺八寸,广一尺三寸。裂为二,上小半不辨何象;下大半悬三弩,下一人冯几坐,一人跪于前,侍者在后。

*本篇据鲁迅手稿抄录,原无句读、标点。

《嘉祥孙家庄画象》说明*

嘉祥孙家庄画象一石

打碑人手记云：在城东南八里，庄东井上，距鲁寨一里。

高一尺八寸，广四尺七寸。右半二人立，一人博虎；右半上方一羊首甚，下方残阙，惟一人坐一人跽可辨。

* 本篇据鲁迅手稿抄录，原无句读、标点。

《射阳聚石门画象》说明 *

射阳聚石门画象一石

高五尺，广二尺，三层。上层朱鸟，中层兽环，下层人持剑盾。

阴四周有缘，中分三层。上层孔子见老子象，题字三榜：曰老子，曰孔子，曰弟子，隶书。中层建鼓、虎，二人击之，下二人舞。下层庖厨。

有包世臣题额一列，七字，行书。并记二行，亦行书：

“汉射阳石门画象额　石门旧在宝应县射阳故城，乾隆五十年，江都拔贡生汪中舁归。道光十年夏，其子户部员外喜孙移置宝应学宫，泾包世臣、仪征刘文淇、吴廷旸、泾包慎言、江都梅植之同观。世臣记。”

* 本篇据鲁迅手稿抄录，原无句读、标点。

《肥城孝堂山新出画象》说明*

肥城孝堂山新出画象一石

高四尺二寸，广五尺二寸，三层。上层车二乘二骑导之，又一骑在车后，榜一曰“督邮车”，三人迎于前，榜一曰“亭长”；第二层石醮享之事，童子中坐，旁男女各六人，有侍者，左廪；下层右廪并巨甖二，左楼阁上下坐者各二人，侍者五。

在山东肥城孝堂山郭巨石室。

* 本篇据鲁迅手稿抄录，原无句读、标点。

一九一六年

《寰宇贞石图》编目*

《寰宇贞石图》五册

第一册

周一种　　秦一种

汉卅九种

第二册

魏九种　　吴二种

晋五种　　前秦一种

宋二种　　梁二种

北魏廿八种

第三册

东魏十四种　　北齐十种

北周五种　　隋廿二种

郑一种

第四册

唐五十二种

第五册

唐卅种　　　　金一种

高丽三种　　　日本三种

右总计二百卅一种，宜都杨守敬之所印也。乙卯春得于京师，大小四十余纸，又目录三纸，极草率。后见他本，又颇有出入，其目录亦时时改刻，莫可究竟。明代书估刻丛，每好变幻其目，以眩买者，此盖似之。入冬无事，即尽就所有，略加次第，帖为五册。审碑额、阴、侧，往往不具，又时杂翻刻本，殊不足凭信；以世有此书，亦聊复存之云尔。

《寰宇贞石图》第一册目录

周

石鼓文　十石。在京师国子监。

秦

琅邪台刻石　李斯书。在山东诸城。

汉

莱子侯封田刻石　始建国天凤三年二月十三日。在山东邹县孟庙。

鄐君部掾开通褒余道记　永平九年四月。在陕西褒城石门摩厓。

昆弟六人买地造冢刻石　建初元年。在浙江会稽乌石山摩厓。

常山相冯巡祀三公山碑　□初四年，翁方纲考为元初四年。在直隶元氏县学。

少室神道阙铭　有额。三月三日，王澍考为延光二年。在河南登封嵩山。

开母庙神道阙铭　延光二年。在同上。

益州太守北海相景君铭并阴　汉安二年仲秋□□。在山东济宁州学。

司隶校尉楗为杨孟文石门颂　有额，此缺。建和二年仲冬上旬。在陕西褒城褒斜谷。

鲁相乙瑛奏置孔子庙百石卒史碑　永兴元年六月甲辰朔十八日辛酉。在山东曲阜孔庙。

宛令益州刺史南郡襄阳李孟初神祠碑　永兴二年六月己亥十日戊申。在河南南阳。

鲁相韩敕修孔子庙造立礼器碑并阴侧　永寿二年青龙在涒滩霜月之灵皇极之日，《集古录》考为九月五日。在山东曲阜孔庙。

郎中郑固碑　存上截又下截残石一。延熹元年二月十九日诏拜郎中其四月四日遭命。在山东济宁州学。

元氏封龙山颂　侧有题名，此缺。延熹七年岁具执涂月纪豕韦。在直隶元氏县学。

泰山都尉孔宙铭并阴　延熹七年二月戊辰造。在山东曲阜孔庙。

鲁相史晨飨孔子庙碑　建宁元年四月十一日戊子到官。在同上。

鲁相史晨祀孔子奏铭　建宁二年三月癸卯朔七日己酉上尚书。在同上。

竹邑侯相张寿碑残石　五月辛辰卒，《隶释》云建宁元年。在山东城武。

武都太守李翕西狭颂　建宁四年六月十三日壬寅造。在陕西成县。

司隶校尉杨淮从弟下邳相弼表纪　黄门卞玉纪。熹平二年二月廿二日。在陕西褒城石门摩厓。

司隶校尉忠惠父鲁峻碑并阴　熹平元年□月癸酉卒，明年四月庚子葬。在山东济宁州学。

循吏故闻熹长韩仁铭　熹平四年十一月甲子朔廿二日乙酉月卅日如律令。在河南荥阳县署。

豫州从事尹宙铭　熹平六年四月己卯卒。在河南鄢陵孔庙。

溧阳长潘乾校官碑　光和四年十月己丑朔廿一日己酉造。在江苏溧阳县学。

刘梁碑并侧残石　岁在辛酉三月十五日，武亿考为光和四年。在河南安阳。

白石神君碑并阴　光和四年。在直隶元氏。

郃阳令曹全碑并阴　中平三年十月丙辰造。在陕西郃阳。

谷城长荡阴令张迁表颂并阴　中平三年岁在摄提二月震节纪日上旬刊。在山东东平州学。

圉令赵君碑　初平元年十二月廿八日立。在河南南阳。

孟广宗碑　丙申月建临丑卒，十月癸卯起坟，罗振玉依长术考为河平四年，虑未谛，今附汉末。在云南昭通凤池书院。

三老讳字忌日记　无年月。赵之谦《访碑录》附建武朝，缪荃孙据字体移入汉末，今从之。在浙江上虞周氏。

执金吾丞武荣碑　无年月。在山东济宁州学。

酸枣令刘熊碑残石

武都太守碑残石　年月缺。顾蔼吉考为刘宽碑阴。在陕西华阴华岳庙。

正直碑残石　年月缺。在河南安阳。

子游碑残石　年月缺。在同上。

元孙碑残石　年月缺。在同上。

尚书侍郎河南京令豫州幽州刺史冯焕阙　无年月。在四川渠县。

新丰令交趾都尉沈君神道阙　无年月。在同上。

李夫人灵第之门　无年月。在山东邹县孟庙。

寰宇贞石图第二册目录

魏

公卿将军上尊号奏　两面刻。无年月，考为延康元年十月。在河南许州繁城镇。

受禅表　黄初元年冬十月辛未。在同上。

封宗圣侯孔羡碑　有额，此阙。黄初元年。在山东曲阜孔庙。

黄初残碑　凡四石，此止其一。黄初五年。在陕西郃阳许氏。

大将军大司马曹真碑并阴残石　年月缺，徐松考为太和五年三月。陕西长安出土，今在长白托活洛氏。

庐江太守范式碑并阴　年月缺，《隶释》云青龙三年正月丙戌。在山东济宁州学。

三体石经尚书残字　孙星衍考为正始中。在山东黄县丁氏。

司空东武侯王基碑残石　景元二年四月辛丑薨。在河南洛阳。

荡寇将军浮亭侯李苞通阁道记　景元四年十二月十日。在陕西褒城。

吴

九真太守谷朗碑　凤皇元年四月乙未卒。湖南耒阳。

封禅国山碑　苏建书。《吴·志》云:“天玺元年,封禅国山。”在江苏宜兴。

晋

任城太守夫人碑　□□八年五月庚寅□□十二日甲申□□。案:泰始八年。在山东新泰新甫山下。

齐太公吕望表　有阴,此缺。太康十三年三月丙寅朔十九日甲申造。在河南汲〔县〕县学。

凤皇画象题字　元康　三月七日。在山东兰山鲍宅山摩厓。

振威将军建宁太守爨宝子碑　大亨四年岁在乙巳四月上旬立。在云南宁城扬旗田。

使持节都督青徐诸军事征东将军军司关中侯刘韬墓石　无年月。出河南偃师,今在江苏吴县费氏。

前　秦

广武将军□产碑阴并侧　建元四年岁在丙辰十月一日。旧在陕西宜君,今佚。

宋

龙骧将军护镇蛮校尉宁州刺史都功县侯爨龙颜碑并阴　爨

道庆文。大明二年岁在戊戌九月上旬壬子朔。在云南陆凉贞元堡。

建威将军齐北海二郡太守笠乡侯东阳城主刘怀民墓志　大明八年正月甲申葬。出山东济南，今在长白托活洛氏。

梁

焦山瘗鹤铭　华阳真逸撰，上皇山樵书。在江苏丹徒焦山。

修要离墓残碣　无年月。江苏吴县专诸巷出土，今在长白托活洛氏。

北　魏

光州灵山寺塔下铭　有盖。太和元年岁次丁巳十二月朔八日。山东高密出土。登州张氏藏。

宕昌公晖福寺碑　太和十二年岁在戊辰七月己卯朔一日。在陕西澄城。

孝文帝弔比干文　文曰："维皇构迁。中之元载。岁御次乎。阉茂望舒。会于星纪。十有四日。日惟甲申。"缪荃孙考为太和十八年十一月四日。在河南汲县比干庙。

新城县功曹孙秋生等二百人造象记　上太和七年，下景明三年岁在壬午五月戊子朔廿七日。在河南洛阳龙门大佛洞。

比丘慧成为亡父始平公造象记　孟达文，朱义章书。太和十二年九月十四日。在同上。

仇池杨大眼造象记　无年月，钱大昕云当在宣武初年。在同上。

巨鹿魏灵藏河东薛法绍造象记　无年月。在同上。

著作郎韩显宗墓志　太和廿三年岁次乙卯十二月壬申朔廿一日□酉。出河南洛阳，今在长白托活洛氏。

光州刺史贞侯高庆碑　正始五年岁次戊子八月辛己朔十日庚寅。在山东德州。

宁朔将军司马绍墓志　永平四年岁次辛卯十月癸亥朔十一日癸酉。在河南河内，今佚。

中书令郑文公上碑　永平四年岁在辛卯。在山东掖县云峰山。

中书令郑文公下碑　永平四年岁在辛卯。在同上。

登云峰山论经书诗　郑道昭作。永平四年岁在辛卯。在同上。

登大基山诗　郑道昭作。无年月。在同上。

登云峰山观海岛(童)诗　郑道昭作。无年月。在同上。

泾雍二州刺史别驾皇甫驎墓志　延昌四年岁次乙未四月癸酉朔十八日庚寅。长白托活洛氏藏石。

扬州刺史司马景和妻孟墓志　延昌二年夏六月甲申朔廿日癸卯薨，粤三年正月庚戌朔十二日辛酉葬。河南孟县出土，今在长白托活洛氏。

雒州刺史刁遵墓志并阴　熙平二年岁次丁酉冬十月己酉朔九日丁酉。在直隶南皮张氏。

持节左将军平州刺史司马昞墓志　正光元年七月廿五日薨，庚子之年玄枵之月廿六日葬。案:此覆刻本，又阙盖。旧在河南孟县，今佚。

李璧墓志并阴　正光元年冬十二月廿一日。山东景州出土，今在济南图书馆。

鲁郡太守张猛龙清颂碑并阴　正光三年正月廿三日。在山东曲阜孔庙。

马鸣寺根法师碑　正光四年岁次癸卯二月庚午朔三日庚申。在山东东安。

营州刺史懿侯高贞碑　正光四年岁次癸卯月管黄钟六月庚辰朔

八日□□。在山东德州〔州〕学。

中坚将军鞠彦云墓志并盖　正光四年岁次癸卯十一月二日。在山东掖县署。

介休令李谋墓志　孝昌二年十月十五日。此翻刻本。山东安丘山土，今在长白托活洛氏。

咸阳太守刘玉墓志　孝昌三年岁次丙午十一月廿四日。曾藏海丰吴氏，今佚。

怀令李超墓志　正光五年八月十八日卒，越六年正月丙午朔十六日辛酉葬。在河南偃师。

散骑贾瑾墓志　普泰元年岁次辛亥十月丁酉朔十三日己酉。山东长山出土，今在长白托活洛氏。

《寰宇贞石图》第三册目录

东　魏

赠代郡太守程哲碑　天平元年岁次甲寅十一月庚壬朔三日壬午。在山西长子。

南秦州刺史司马升墓志　天平二年岁次乙卯二月廿一日薨，其年十一月　日葬。在河南孟县。

沧州刺史王僧墓志　有盖。天平三年岁次丙辰二月壬申朔十三日甲申。直隶沧州王氏藏石。

侍中黄钺太师录尚书事文懿公高盛残碑　天平三年五月廿八日薨于位。在直隶磁州。

侍中黄钺太尉录尚书事孝宣公高翻碑　年月泐，《金石录》云有魏元字可辨，又云岁次乙未，当是元象二年。在同上。

凝禅寺三级浮图碑　元象二年二月乙未朔三日丁酉。在直隶元氏。

齐州刺史高湛墓志　元象二年十月十七日。在山东德州。

冀州刺史刘懿墓志　兴和元年十一月辛亥朔十七日丁卯薨，粤以二年岁在庚申正月庚戌朔廿四日癸酉葬。在山西忻州。

蔡儁残碑并阴　兴和二年八月八日。长白托活洛氏藏石。旧出河南安阳。

敬使君显儁碑并阴　兴和二年龙集庚申。在河南长葛。

李仲璇修孔子庙碑并阴　有侧，此缺。王长儒书。兴和二年十二月十一日。在山东曲阜。

渤海太守王偃墓志　有盖，此阙。武定元年闰月廿一日卒，其年十月廿八日葬。在山东陵县。

报德玉象七佛颂碑并侧　武定三年岁在乙酉□□丁丑朔十五日。长白托活洛氏藏石。

修太公庙碑并阴　穆子容撰。武定八年四月庚辰朔十二日辛卯。在河南汲县。

北　齐

开府参军崔頠墓志　天保四年二月甲午朔廿九日。在直隶清河乡贤祠。

清河王高岳造西门豹祠堂碑并阴　天保五年。在河南安阳。

豫州刺史刘碑造寺记　岁在丁丑天保。案：天保八年。在河南登封。

乡老举孝义隽敬碑　阴刻。维磨诘经见阿閦佛品，此缺。皇建元年岁次庚辰十二月戊寅朔廿日丁酉。在山东泗水。

姜纂造象记　天统元年太岁乙酉九月庚辰朔八日丁亥。在河南偃师。

大都邑主宋买廿二人等造象记　天统三年岁次丁亥四月辛丑朔八日戊申。旧在河南偃师,今藏长白托活洛氏。

晋昌郡开国公唐邕写经碑　武平三年岁次壬辰五月廿八日。在直隶房山宣务山。

假黄钺太师太尉公兰陵忠武王高肃碑　有阴,此缺。武平六年。在直隶磁州。

邑主马天祥等造象记　左行。武平九年二月廿八日。

迦叶菩萨经　无年月。

北　周

大将军延寿公碑并阴　保定元年岁次辛巳三月壬午朔十日辛卯。

开府仪同贺屯植墓志　保定四年岁次甲申四月己丑朔廿一日戊申。在长白托活洛氏。

西岳华山神庙碑　万纽于瑾撰,赵文渊书。天和二年岁在丁亥十月戊辰朔十日丁丑。在陕西华阴。

昨和儁等造四面象题名　未全,又缺记。记云保定四年九月八日。在陕西蒲城。

谯郡太守曹恪碑　天和五年十月。在山西安邑。

隋

前陈散骑侍郎刘猛进墓铭　两面刻。大荒之岁建子之月三日丙寅。案:开皇五年。

龙藏寺碑并阴　张公礼撰。开皇六年十二月五日。在直隶正定。

佛说观世音经天公经　缪荃孙《艺风堂金石目》云开皇八年二月。

觉城寺碑并阴侧　开皇九年岁次己酉八月壬戌朔三日甲子。

佛说金棺经　刻开皇九年章仇禹生等造象碑阴。在山东汶上辛家海。

蕲州刺史李则墓志　有盖，此缺。大隋十二年十一月七日。在直隶安平。

陈思王曹子建庙碑　开皇十三年。在山东东阿。

周骠骑将军巩宾墓志　开皇十五年岁次乙卯十月丙戌朔廿四日己酉。陕西武功出土，今在长白托活洛氏。

海陵郡公贺若谊碑　此仅拓上半。开皇十六年八月。在陕西兴平县学。

大将军昌乐公府司士行参军张通妻陶墓志　开皇十七年三月廿六日。旧在陕西咸宁。

美人董氏墓志　开皇十七年岁次丁巳十月甲辰朔十二日乙卯。旧在陕西长安，今佚。

奉车都尉振威将军淮南县令刘明墓志　开皇十八年。长白托活洛氏藏。

邓州大兴国寺舍利塔下铭　仁寿二年岁次壬戌四月戊申朔八日乙卯。在河南祥符。

洪州总管苏慈墓志　仁寿三年岁次癸亥三月癸卯朔七日己酉。在陕西蒲城。

邯郸县令蔡君妻张墓志　大业二年十二月廿九日。长白托活洛氏藏石。

壶关县令李冲墓志　有盖，此缺。大业二年十二月。

主簿吴严墓志　有盖,此缺。大业四年十月。在直隶赵州。

宁越郡钦江县正议大夫宁赟碑　大业五(四)年四月。在广东钦州。

左武卫大将军吴公李氏女墓志　有盖,此缺。大业十七年五月十一日。广东南海李氏藏石。

太仆卿元公墓志　大业十一年太岁乙亥八月辛酉朔廿四日。陕西长安出土,今藏大兴恽氏,已裂为二。

太仆卿夫人姬氏墓志　大业十一年太岁乙亥八月辛酉朔廿四日甲申。亦长安出,今藏恽氏,已断缺,又裂为二。

文殊般若经　无年月。赵之谦以字体疑为隋刻。在山东宁阳水牛山。

郑

大将军舒懿公虞匡伯墓志　有盖,此阙。开明二年七月廿□日。长白托活洛氏藏。

《寰宇贞石图》第四册目录

唐上

孔子庙堂碑　虞世南撰并书。武德九年十二月。宋王彦超重刻。在陕西西安府学。

隋柱国弘义明公皇甫诞碑　于志宁撰,欧阳询书。《寰宇访碑录》云当在贞观初。在同上。

等慈寺碑　颜师古撰。《金石录》云贞观二年。在河南汜水。

幽州召仁寺碑　朱于奢撰。贞观四年十月。有额，此阙。在陕西城武。

九成宫醴泉铭　魏征撰，欧阳询书。贞观□年孟夏之月，《金石文字记》云贞观六年。在陕西麟游。

虞恭公温彦博墓志　欧阳询撰并书，两面刻。贞观十年十月廿二日。

虞恭公温彦博碑　岑文本撰，欧阳询书。有额，此缺。贞观十一年六月□日。在陕西醴泉烟霞洞。

随（隋）益州总管府司马裴镜民碑　李百药制，殷令名书。贞观十一年十月廿一日。在山西闻喜。

睦州刺史张琮碑　于志宁撰。贞观十三年二月十一日。有额，此缺。在陕西三原。

左屯卫将军姜行本纪功碑　贞观十四年岁次庚子六月丁卯朔廿五日辛卯。在新疆哈密。

伊阕佛龛碑　《集古录》云："岑文本撰，褚遂良书。"贞观十五年。在河南洛阳龙门宾旸洞。

文安县主墓志　贞观廿二年三月廿二日。

左监门大将军樊兴碑　永徽元年岁次庚戌七月戊戌朔九日景午。在陕西三原。

蜀王西阁祭酒萧胜墓志　永徽二年八月廿三日。

三藏圣教序并记　太宗制序，高宗记，褚遂良书。永徽四年岁次癸丑十月己卯朔十五日癸己。在陕西长安。

卫景武公李靖碑　许敬宗撰，《金石录》云王知敬书。显庆三年五月。在陕西醴泉烟霞洞。

王居士砖塔铭　上官灵芝撰，敬客书。显庆三年十月十二日，在陕西长安。

三藏圣教序　太宗御制,褚遂良书。龙朔三年岁次癸亥六月癸未朔廿三日乙巳。在陕西同州府学。

道因法师碑　李俨撰,欧阳通书。龙朔三年十月。有额,此缺。在陕西西安府学。

骑都尉李文墓志　麟德元年岁次甲子二月己卯朔十八日丙申。在陕西大荔。

清河长公主碑　李俨撰,杨整书。此缺上截并额。麟德元年。在陕西醴泉老君营。

碧落碑　咸亨元年。在山西绛州署。

三藏圣教序记并心经　太宗制序,僧怀仁集王羲之书。咸亨三年十二月八日。在陕西西安府学。

宣义郎周远志等造阿弥陁象文　上元二年十二月八日。在河南洛阳龙门。

龙游里马君起等造石浮图铭　仪凤四年岁次己卯三月辛巳朔廿六日丙午。在直隶冀州。

晋阳府君精舍碑额　无年月。在山东济宁。

琅邪王征君临终口授铭　王绍宗甄录并书。垂拱二年四月四日。在河南登封嵩山老君洞。

美原神泉诗序　韦元旦撰,尹元凯书。在陕西富平美原镇。

美原神泉诗　徐元伯等撰,尹元凯书。垂拱四年龙集戊子四月戊□。刻前碑之阴。

荣怀县丞梁师亮墓志　万岁通天二年七月。在陕西长安。

益州大都督府参军事张玄弼墓志　李行廉撰。永昌三年九月三日。在湖北襄阳。

处士张景之墓志　天授三年正月六日。在同上。

孝廉张庆之墓志　天授三年正月六日。在同上。

将仕郎张敬之墓志　天授三年正月六日。在同上。

夏日游石淙诗并序　诸臣撰，薛曜书。久视元年岁次庚子律中蕤宾十九日丁卯。在河南登封石淙北岩。

秋日宴石淙序　张易之撰，薛曜书。久视元年。在同上。

少林寺戒坛铭　义净制，李邕书。开元三年正月十五日。在河南登封少林寺。

云麾将军李思训碑　族子邕撰并书。开元八年六月。在陕西蒲城。

端州石室记　李邕撰并书。开元十五年正月廿五日。在广东高要。

麓山寺碑　李邕文并书。有额，此缺。开元十八年岁次庚午九月壬子朔十一日壬戌。碑侧米黻题名附。在湖南长沙岳麓书院。

秀士张点墓志　开元廿一年十月十六日。在湖北襄阳。

河南府参军张軫墓志　开元廿一年十月十六日。在同上。

易州铁象碑颂　王端撰，苏灵芝书。开元廿七年岁次己卯五月壬辰朔三日甲午。在直隶易州。

豫州郾城县丞张孚墓志　开元廿八年六月十四日。在湖北襄阳。

云麾将军李秀碑残石二块　天宝元年正月。在直隶大兴文信国祠。

衮公颂　张之宏撰，包文该书。天宝元年岁次壬午四月己亥朔廿三日丁酉。有侧，此缺。在山东曲阜孔庙。

灵岩寺碑二石　李邕撰并书。天宝元年岁次壬午□月壬申朔十五日景辰。在山东长清。

河南宇文琬墓志　周玠撰，曹惟良书。天宝三载十月廿日。在陕西。

河南府参军张轿墓志　丁凤撰。天宝四载六月十七日。在湖北襄阳。

千福寺多宝佛塔感应碑　岑勋撰，颜真卿书。天宝十一载岁次壬辰四月乙丑朔廿二日戊戌。在陕西西安府学。

大中大夫守新定郡太守张朏墓志　天宝十二载八月廿六日。在湖北襄阳。

东方先生画赞并碑阴记　晋夏侯湛赞，颜真卿记并书。天宝十三载季冬辛卯朔。在山东陵县。

《寰宇贞石图》第五册目录

唐下

城隍庙碑　李阳冰撰并书。乾元二年秋。在浙江缙云。

赠工部尚书臧怀恪碑　颜真卿撰并书。广德元年十月。在陕西三原。

怡亭铭并序　李阳冰书序，李莒书铭。永泰元〔年〕乙巳岁夏五月十一日。在湖北武昌。

阳华岩铭　元结撰，瞿令问书。永泰二年五月十一日。在湖南江华。

峿台铭　元结撰，瞿令问书。大历二年岁次丁未六月十五日。在湖南祁阳浯溪。

李氏三坟记　李季卿撰,〔李〕阳冰书。大历二年。两面刻。在陕西长安。

听松二字　李阳冰书。无年月。在江苏无锡慧山。

广平宋文贞公神道碑　颜真卿撰并书。大历七年岁次壬子九月二十五日。两面刻。在直隶沙河。

广平宋文贞公神道侧记　颜真卿撰并书。大历十三年春三月。

宋州官吏八关斋会报德记　颜真卿撰并书。大历七年。八面刻。

玄靖先生广陵李君碑残石十四块　颜真卿撰并书。大历十二年夏五月。在江苏句容。

改修吴延陵季子庙碑　萧定记,张从申书,李阳冰篆额。大历十四年岁〔次〕己未八月戊戌朔廿七日甲子。在江苏丹阳九里镇季子庙。

容州刺史元结表墓碑　颜真卿撰并书。大历。

赠太子太保颜惟贞家庙碑　颜真卿撰并书,李阳冰篆额。建中元年七月。在陕西西安府学。

大兴善寺大辩正广智三藏国师碑　严郢撰,徐浩书。建中二年岁次辛酉十一月乙卯朔十五日己巳。在同上。

大秦景教流行中国碑并侧　僧景净撰,吕秀岩书。建中二年岁在作噩太簇月七日大耀森文日。在同上。

淮南节度讨击副使兼泗州长史田侁志　桑叔文撰,储彦琛书。贞元三年八月四日。在江苏目泉。

泗州长史田侁第二志　贞元十一年八月廿七日。在同上。

济渎庙北海坛祭器碑阴　碑贞元十三年立。在河南济源。

辅国大将军苻璘碑　贞元十四年七月廿四日。有额,此缺。

轩辕黄帝铸鼎碑铭　王颜撰,袁滋书。贞元十一年岁次辛未。有阴，此缺。在河南阌乡。

武夫人裴氏墓志　贞元廿年七月一日。

南阳张夫人墓志　元和元年八月廿五日。

彭城刘通墓志　元和八年十月十日。

谷城县令张瞟墓志　崔归美撰，屈贲书。元和八年十一月廿三日。湖北襄阳。

大达法师玄秘塔碑　裴休撰，柳公权书。会昌元年十二月廿八日。在陕西西安府学。

陇西董惟靖墓志　邹敦愿述。大中六稔六月十九日。

圭峰定慧禅师传法碑　裴休撰并书。大中九年十月十三日。

多心经并瘗琴铭　经，显庆三年八月一日，庄宁书。铭，顾升撰并书。在江苏吴县。

造象颂残石　年月缺。

金

沂州普照寺碑　仲汝尚撰，集柳公权书。皇统四年十月二十日。有额，此缺。在山东兰山普照寺。

高　丽

新罗真定王巡界碑　戊子秋八月廿一日，赵之谦考为陈光大二年。在朝鲜咸兴中岭镇廨。

朗空大师白月栖灵塔碑　崔仁沇文，释端目集金生书。天祐三年十一月，赵之谦考为后梁贞明三年。在朝鲜荣州。

灵通寺大觉国师碑

日 本

多胡郡碑　和铜四年三月九日甲寅，赵之谦考为唐景云二年辛亥。在朝鲜成氏。

释迦牟尼佛足迹记　天平胜宝五年，罗振玉云当唐天宝十二年。在日本西京药师寺。

修造多贺城碑　天平宝字六年十二月一日，罗振玉云当唐宝应元年。在日本陆奥国宫城郡。

汉

鲁孝王刻石　五凤二年六月。在山东曲阜孔庙。

郙五官掾范功平开阁道记　建平五年六月。陶宗仪《古刻丛钞》云在永康，今佚。

祝其卿坟坛刻石　居摄二年二月。在山东曲阜孔庙。

上谷府卿坟坛刻石　居摄二年二月。在同上。

莱子侯封田刻石　始建国天夙三年二月。在山东邹县孟庙。

蜀郡太守河君造尊楗阁记　建武中元二年六月。

汉中太守鄐君开褒余道记　永平六年。在陕西褒城北石门。

开母庙神道阙铭　《金石文字记》云延光二年。在同上。

泰室神道阙铭　元初五年四月。在河南登封嵩山。

少室神道阙铭　延光二年三月。在同上。

郭巨石室郡善君题字　永建四年四月。在山东肥城孝堂山。

敦煌太守裴岑纪功碑　永和二年八月。在甘肃巴里坤。

武氏石阙铭　建和元年三月。在山东嘉祥紫云山。

右扶风丞李君通阁道记　永寿元年。在陕西褒城北石门。

李翕析里桥郙阁诵　建宁五年二月。在陕西略阳。

司隶校尉杨淮从弟下邳相弼表记　熹平二年二月。在陕西褒城。

鲁王墓石人题字　无年月。在山东曲阜鲁共王墓前。

食斋祠园画象　无年月。旧在山东邹县白杨树村,今藏长白托活洛氏。

魏

荡寇将军李苞通阁道记　景元四年十二月。在陕西褒城石门。

曹子建飞龙篇　无年月。

吴

纪功碑　天玺元年八月。在江苏江宁府学,今佚。

晋

关中侯刘韬墓志　无年月。河南偃师武氏藏,今佚。

北　齐

张景晖造象记　天保五年七月。在山东益都。

比丘道朏造象记　天保十年七月。曾藏钱唐黄氏,今佚。

沙门僧安韦兴祖韦子深等同刊经佛记　无年月。在山东邹县。

* 本篇据鲁迅手稿抄录,原无句读、标点。

《嘉祥关庙画象》说明*

嘉祥关庙画象

高二尺二寸五分，广五尺七寸。右方楼阁，楼上，女子中坐，左右侍者各二；楼下，男子坐持般，一人持节在后，一人跪于前，又三人立，其二持器。左方上半，骑者一，车马一，又一人存半；下半，辎车一，女子三人坐舞，童一人。其后断阙。

在山东历城金石保存所。

* 本篇据鲁迅手稿抄录，原无句读、标点。

《嘉祥洪家山画象》说明*

嘉祥洪家山画象一石

打碑人手记云：在城东北五里，天齐庙壁间。

高四尺八寸，广二尺七寸。上、下、右有缘，中画二层。上层孔子见老子象，共三人；下层一马脱驾，向车而立。

今在山东历城金石保存所。

* 本篇据鲁迅手稿抄录，原无句读、标点。

《嘉祥郗家庄画象》说明*

嘉祥郗家庄画象一石

打碑人手记云：在城南五十里，庄南桥上。

高一尺八寸，广四尺八寸。上下有缘，左端一人拱立，次荷戈人，一骑者，车马各一，马特骏伟，一人拜于车后。

今在山东历城金石保存所。

* 本篇据鲁迅手稿抄录，原无句读、标点。

《凤凰画象》说明*

凤凰画象

摩崖刻，计三处。一刻高一尺，广一尺六寸，画一凤鸟，左方题“凤凰”二字，隶书。一刻高广各一尺八寸，作一凤，较小于前，又一凤首，左上方题小字一行云：“三月毛日凤”，右方大字一行云：“东安王钦元”，均隶书。一刻高五寸，广三寸，有“元康”二字可辨，隶书。

在山东沂水西南七十里鲍宅山。

* 本篇据鲁迅手稿抄录，原无句读、标点。

《嘉祥竹园画象》说明*

嘉祥竹园画象一石

打碑人手记云:在城北八里,朱氏园卧地上。

高一尺一寸,广三尺,画庖厨之事。

今在山东历城金石保存所。罗正钧记云:出肥城。

* 本篇据鲁迅手稿抄录,原无句读、标点。

《蜕龛印存》序（代）*

印盖始于周秦，入汉弥盛，所以封物以为验。故其文止于官守名氏。后世憙事，益多其制，乡壁刊勒，古法荡然。元吾丘子行力主汉法，世稍稍景附，乃复见尔雅之风，至于今不绝。夫秦书八体，五曰摹印。施于印玺，汉氏因之，今秦鉨希有。而汉印时见一二，审其文字，大都方正句曲，绸缪凑会，又能体字画之意，有自然之妙。视盘旋圆转，以曲线取胜者，相去盖远，又古之印章，执政所持，作信万国，故铸凿之事，必有世守之法度，可为后来准的。铁书之宗汉铜，固非徒以泥古故也。岁丙辰三月，张梓生示《蜕龛印存》一卷。云是山阴杜君泽卿之所作也。用心出手，并追汉制，神与古会，盖粹然艺术之正宗。尝闻艺术由来，在于致用，草昧之世，大朴不彫，以给事为足，已而渐见藻饰，然犹神情浑穆，函无尽之意，后世日有迁流，仍不能出其封域，故欧土言图绘雕刻者，必溯希腊。凡玉物之浮彫，土缶之彩绘，不以沈埋掩其晖光。以校后之名世著作，且隐然为之先导。饰文字为观美，虽华夏所独，而其理极通于绘事。是知以汉法刻印，允为不易之程。夫岂逞高心，以为眇论哉。予于杜君未相见，唯读其书。窃憙抱守遗阙，不以世论失其故常，有同志者，因序之云。

* 此篇系1916年元月就周作人原稿改定，曾载1917年《叒社丛刊》第四期，署名“启明”。

一九一八年

《钩骑四人画象》说明*

平刻。高二尺五寸，广二尺四寸，三层。第一层四骑右驰，并残车轮、题字一榜："钩骑四人。"第二层一车一骑右驰，题字二榜："□车"、"骑仓头"。第三层云物，无字。出嘉祥。归吴潘氏，满州托活洛氏。七年售出。

平刻。残石高二尺九寸，广二尺六寸。存四层。第一层马左向，人三右向，题字三榜："王□。关龙蓬。□□。"第二层车马二，后一车阙，右向题字二榜："西部督邮。南部督邮"。第三层云物，无字。第四层孔子弟子六人，第一人左向，后五人右向，题字六榜："□子□。薛子从。陈子□。□□□。陈子伉。任子选。"

* 本篇据鲁迅手稿抄录，原无句读、标点。

一九一九年

《随感录四十一》原刊文*

现在是受了外来的影响,形式上难于办到。社会上虽然深恶痛绝,却未必对面现出战士,迎头杀来;不过几支暗箭,连声冷笑,掷几粒石子,送几封匿名信罢了。

*本篇原刊1919年1月15日《新青年》第六卷第一号。

《孔乙己》文末附记*

这一篇很拙的小说，还是去年冬天做成的。那时的意思，单在描写社会上的或一种生活，请读者看看，并没有别的深意。但用活字排印了发表，却已在这时候，——便是忽然有人用了小说盛行人身攻击的时候。大抵著者走入暗路，每每能引读者的思想跟他堕落：以为小说是一种泼秽水的器具，里面糟蹋的是谁。这实在是一件极可叹可怜的事。所以我在此声明，免得发生猜度，害了读者的人格。

一九一九年三月二十六日记

* 本篇原载1919年4月15日《新青年》第六卷第四号。

《新青年》编辑部与上海发行部重订条件*

一、自七卷一号起，印刷发行嘱上海发行部办理。

二、中国北部约每期可销一千五百份，由发行部尽先寄与编辑部分派。以后如销数增加，发行部应随时供给。

三、以后发行部当担任每期至少添印二百五十份。

四、编辑部担任如期交稿。

五、发行部担任如期出版。

六、发行部每期除赠送编辑部一百份外，并担任编辑费一百五十元。但编辑员于所著稿件仍保留版权。凡《新青年》刊载之小说、戏剧，如发行部欲另刊单行本，其相互条件由著作人与发行部商定之。著作人亦可在别处另刊单行本，但承认发行部有优先权。

七、此上各条件以第七卷为试行期。第八卷以后，应否修改，由编辑部与发行部商酌定之。

* 本篇原载1919年12月1日《新青年》第七卷第一号。

一九二〇年

《一个青年的梦》正误*

武者小路先生知道这剧本要译作汉文的时候，曾将原书误排文字的校正表，寄给周作人君，再转到我这里。那时第一幕已经印出，第二幕也正在付印，不及改正了。其中除了容易发见，当时已经改转，以及误的是语尾变化字，于汉译没有影响的之外，最要紧的有三处，现在写在下方：

卷号	叶	段	行	误	正
七二	七二	中①	一二	因为死了的缘故么？	在死了以后么？
七二	七二	中②	一七	异常的境地	异常的状态
七三	六四	中	八	放开量吞吃	一样一样的吃

一九二〇年二月二十五日，鲁迅记。

* 本篇最初刊于1920年4月《新青年》月刊第七卷第五号。①②实为“下”，鲁迅误写为“中”。

明以来小说年表*

一，云某年作某年成者，皆据序文言之，其脱稿当较先。

二，所据书名注于下，无注者皆据本书。

	戊申（洪武）	元	
	己酉	二	
一三七〇	庚戌	三	
	……………………………		
一三八〇	庚申	十三	
	辛酉	十四	
	……………………………		
一五三〇	庚寅（嘉靖）	九	
	辛卯	十	
	壬辰	十一	常熟杨仪作《高坡异纂》三卷。
	……………………………		
一五八〇	庚辰（万历）	八	
	辛巳	九	吴郡陆粲作《庚巳编》四卷。
	……………………………		
一五九〇	庚寅（万历）	十八	

	辛卯	十九	吴郡陆粲作《说听》二卷。
	……………………………		
	丁酉	廿五	罗懋登作《三宝太监西洋记通俗演义》二十卷，一百回，九月自序。
	……………………………		
一六一〇	庚戌	三八	吴中始有《金瓶梅》刻本，且补原阙之五十三至五十七回（《野获编·二五》）。
	……………………………		
一六二〇	庚申（泰昌）	元	董说生（《甲申朝事小记·一》） 吴冯梦龙补《三遂平妖传》为十八卷，四十回，刻之。
	……………………………		
	丁卯（天启）	七	《醒世恒言》出，四十卷。吴人冯梦龙作。
	……………………………		

一六三〇	庚午(崇祯)	三	蒲松龄生(《聊斋文集》末张元作墓表)。
	…………………………		
	甲申(顺治)	元	金圣叹批《水浒传》。
	…………………………		
	丙申	十三	金圣叹批《西厢记》。
	…………………………		
	辛丑	十八	七月十三日未时,金圣叹以哭庙案被杀。
	…………………………		
	己未(康熙)	十八	淄川蒲松龄成《聊斋志异》十六卷。
	…………………………		
	癸亥	廿二	仁和王晫丹麓作《今世说》八卷,仲春自序。
	…………………………		
	乙亥	三四	彭城张竹坡评刻《金瓶梅》。长洲褚人获增补《隋唐

		志传》为一百回，改名《隋唐演义》。
丙子	三五	山阴陈士斌评《西游记》，曰《西游真诠》。

……………………………

甲申	四三	秋逸田叟吕熊成《女仙外史》一百回（刘廷玑《在园杂志》）。

……………………………

乙未	五四	正月二十二日，蒲松龄卒。

……………………………

己亥	五八	曹雪芹生于南京（《努力一》）。

……………………………

癸卯（雍正）	元	
甲辰	二	纪昀生。

……………………………

丙辰（乾隆）	元	二月，闲斋老人序《儒林外史》。

……………………………

甲子	九	屠绅生（《客窗

			随笔·一》）。
	…………………………		
	戊辰	十三	和邦额生（《夜谭随录》自序云）。西河张书绅评《西游记》，曰《西游正旨》。
	…………………………		
	癸酉	十八	十一月，姑苏水莲居士增补《南唐演义》，十卷，百回，一名《反唐演义》。
	甲戌	十九	十月十四日，吴敬梓卒于扬州。
	乙亥	二十	曹雪芹作《红楼梦》八十回（俞平伯《红楼梦辨》中）。（乙亥至壬午）
	丙子	廿一	
	丁丑	廿二	
	戊寅	廿三	
	己卯	廿四	
一七六〇	庚辰	廿五	
	辛巳	廿六	
	壬午	廿七	
	癸未	廿八	李汝珍生（?）（胡适《〈镜花缘〉引论》）。

	甲申	廿九	曹雪芹卒于北京（努力一）。《绿野仙踪》成，八十回。二月，山阴家鹤序，又，卅六年定超序云百川作。
	乙酉	三十	《红楼梦》初次流行（《辨》中）。
	……………………………		
一七七〇	庚寅	三五	《红楼梦》盛行（《辨》中）。
	……………………………		
	乙未	四十	二月，孝义《雪月梅传》出，五十回，镜洲逸叟陈朗晓山编辑。
	……………………………		
	己酉	五四	夏，纪昀成《滦阳消夏录》六卷，书肆即刻之。
一七九〇	庚戌（乾隆）	五五	
	辛亥	五六	乾隆辛亥冬至后五日，鹗叙云：今年春，友人程子小泉

		过余，以其所购全书见示云云。似补作始于是年之春也。七月，纪昀作《如是我闻》四卷。高鹗补《红楼梦》四十回。和邦额作《夜谭随录》十二卷，六月自序。吴门沈凤起作《谐铎》十卷，七月序。
壬子	五七	六月，纪昀作《槐西杂志》四卷。赏心居士取百十五回本《水浒传》之后三十八回改名《后水浒》，一名《荡平四大寇传》，附刊于七十回本之后以行。程伟元排印本百廿回《红楼梦》出。程及高鹗引言云：壬子花朝后一日。夏，临川乐钧成《耳

			食录》十二卷。
	癸丑	五八	七月,纪昀作《姑妄听之》四卷。
	甲寅	五九	十二月,乐钧作《耳食录二编》八卷。
	……………………………		
	丙辰(嘉庆)	元	
	丁巳	二	《后红楼梦》出,三十回,续程本,有逍遥子序,托言雪芹原稿。
	戊午	三	七月,纪昀成《滦阳续录》六卷,时年七十五。九月,秦雪坞自序所作《续红楼梦》,三十卷,卷一回,续程本。
	……………………………		
一八〇〇	庚申	五	八月,北平盛时彦合刻纪昀五书为《阅微草堂笔记五种》。海昌管世灏月楣作《影谈》四卷,辛酉自序云。

			磊砢山房原本《蟫史》二十卷。
	辛酉	六	屠绅卒。山阴俞蛟作《梦厂杂著》十卷,四月自序。
	…………………………		
	乙丑	十	二月十四日,纪昀卒。
	…………………………		
	戊辰	十三	盐城印垣作《南峰语乘》,上元后一日,周之冕序。
	…………………………		
一八一〇	庚午	十五	秋,文溪荆园居士成《挑灯新录》六卷。刘一明评《西游记》曰《西游原旨》。
	辛未	十六	青城子作《亦复如是》八卷,仲秋自序(按:作者似湖南慈利人)。秀水陈球作《燕山外史》八卷,仲冬吴

				展成序。
	……			
	癸酉		十八	舒位卒
	……			
	丙子		廿一	五月，平湖伏虎道场行者汇辑《南峰语乘》残本，得三卷，易名《野语》，刻之。
	……			
一八二〇	己卯		廿四	归锄子作《红楼梦补》四十八回，续前八十回。
	……			
	辛巳	道光	元	
	……			
	丙戌		六	山阴俞万春始作《结水浒传》。
	丁亥		七	云间许元仲作《三异笔谈》四卷，时年七十五。
	戊子		八	王韬生。李汝珍《镜花缘》出，百回。
	……			

一八三〇	庚寅	十	李汝珍卒(?)。(引论)。
	……………………………		
	壬辰	十二	吴县王希廉香雪作《红楼梦评赞》,花朝日自序。
	……………………………		
	己亥	十九	《施公案》出,八卷九十七回,一名《百断奇观》。
	……………………………		
	壬寅	廿二	陈森书作《品花宝鉴》三十回(《梦华琐簿》)。
	癸卯	廿三	慵讷居士成《恐闻录》十二卷,四月自序。
	……………………………		
	乙巳	廿五	俞鸿渐作《印雪轩随笔》四卷,小春月八日自序。
	丙午	廿六	十一月,海昌许秋垞作《闻见异辞》二卷。

	丁未	廿七	俞万春《结水浒传》成，一名《荡寇志》，七十回，结子一回。
	戊甲	廿八	北平汤用中成《翼駉稗编》八卷，九月序。
	己酉	廿九	陈森书续成《品花宝鉴》后三十回（《琐簿》）。山阴俞万春卒。
一八五〇	庚戌	三十	邹弢生（《三借庐笔谈六》）。
	辛亥（咸丰）	元	俞龙光修整其父万春之《荡寇志》，刻之。
	…………………………		
	戊午	八	魏子安作《花月痕》五十二回，十六卷，暮春自序。
	…………………………		
一八六〇	庚申	十	
	辛酉	十一	云槎外史作《红楼梦影》二十四回，七月西湖散人序。

	壬戌(同治)	元	长洲王韬紫诠成《遯窟谰言》十二卷。
	…………………………		
	丁卯	六	李宝嘉(伯元)生(四月廿九日子时)。吴沃尧生(《新庵笔记四》)。
	…………………………		
一八七〇	庚午	九	
	…………………………		
	甲戌	十三	归安朱翔清成《埋忧集》十卷,续二卷,七月自序。
	…………………………		
	乙亥(光绪)	元	王韬之《遯窟谰言》始排印行世。
	…………………………		
	丁丑	三	九月,金匮邹弢作《浇愁集》八卷。
	戊寅	四	厘峰慕真山人《青楼梦》成,六十四回(据序,俞吟香作)。四月,长白

			浩歌子《萤异草》出，初编、二编，编四卷。
	己卯	五	《忠烈侠义传》（书面题《三侠五义》）出，百二十回，石玉昆述。俞樾作《右台仙馆笔记》，十六卷。十月，南通州戴莲芬作《鹂砭轩质言》四卷。永嘉傅□（声谷）成《燕山外史·注释》。
一八八〇	庚辰	六	
	……	……	
	壬午	八	七月，笱溪程麟作《此山中人语》六卷。
	……	……	
	甲申	十	四月，俞达（吟香）卒。（《三借庐笔谈四》）

	乙酉	十一	淮阴百一居士作《壶天录》三卷，花朝日序。
	……………………………		
	丁亥	十三	王韬作《淞滨琐话》十二卷，中元后三日自序。四月，《萤窗异草三编》出，四卷。
	……………………………		
	己丑	十五	七月，俞樾别撰《三侠五义》之第一回，易名《七侠五义》。
一八九〇	庚寅	十六	石玉昆述之《小五义》出，百二十四回。十月，《续小五义》出，百二十四回。
	辛卯	十七	《永庆升平》出。郭广瑞录哈辅源《演说》，共九十七回。
	壬辰	十八	《正续小五义全传》出，十五卷六十回。贪梦道人《彭公案》

			出，百回。
	癸巳	十九	《续永庆升平》成，百回。次年印行。
	甲午	二十	云间花也怜侬《海上花列传》出。
	乙未	廿一	天长宣鼎作《夜雨秋灯录》，四集，共十六卷。
	……………………………		
	戊戌	廿四	月，上海孙漱石《海上繁花梦新书》初集出，三十回。
	……………………………		
一九〇〇	庚子	廿六	李伯元创《繁华报》。
	……………………………		
	壬寅	廿八	春，青山山农《红楼梦广义》出，上下卷。
	癸卯	廿九	李宝嘉《官场现形记》出，一至五编，共六十回，中秋后五日序。吴沃尧始作章回体小说

		《最近怪现状》，自序云。秋，《轰天雷》出，十四回，题籐谷古香著。
……………………………		
丙午	三二	刘鹗《老残游记》出，二十章，秋白序，　月，休宁汪维甫创刊《月月小说》，以吴趼人主笔政。三月十四日巳时，李宝嘉卒。九月，吴沃尧《恨海》出，十回。十一月，《怪现状》甲至丁卷(一至五十五回)出。
丁未	三三	八月，禺山黄小配作《廿载繁华梦》四十回。《孽海花》发表于《小说林》，曾朴作。
戊申	三四	七月，吴沃尧《上海游骖录》出，十回。

	己酉	宣统	元	
一九一〇	庚戌		二	九月十九日，吴沃尧卒，年四十四（《新庵笔记四》）。九月，吴沃尧《最近社会龌龊史》（原名《近十年之怪现状》）初、二编出，共二十回。据《自序》云，似己酉年作。
	…………………………			
	壬子	民国	元	
	…………………………			
	乙卯		四	十一月，山阴蔡元培作《石头记索隐》成。六月，上海孙漱石《续海上繁华梦》初集出，六卷，三十回。
	丙辰		五	四月，青浦钱静方《小说丛考》出，二卷。二月，《续海上繁华梦》二集

			出，六卷，三十回；八月，三集出，八卷，四十回。
	丁巳	六	九月，山阴蔡元培《石头记索隐》出。
	……………………………		
一九二〇	庚申	九	
	……………………………		
	癸亥	十二	四月，德清俞平伯《红楼梦辨》出，三卷。三月，胡适《西游记考证》出。

＊本篇据鲁迅手稿抄录，原无句读、标点。无内容年份者以省略号代替。

采录小说史材料书目*

目一

〇香祖笔记十二卷

王士禛　康熙乙酉　宋荦序

〇古夫子亭杂录六卷

前人　乙酉后作

〇山阳县志二十一卷

同治十二年重修　何绍基　丁晏等纂

〇七修类稿五十一卷　续稿七卷

郎瑛

〇西湖游览志馀二十六卷

田汝成　嘉靖二十六年,自序

〇百川书志二十卷

高儒　嘉靖庚子自序

〇野获编三十卷 补遗四卷

沈德符　万历三十四年序　补遗四十七年序

〇居易录三十四卷

王士禛　康熙辛巳跋

〇蕙櫋杂记一卷

严元照

〇少室山房笔丛四十八卷

胡应麟　万历壬申

〇两般秋雨盦随笔八卷

梁绍壬　道光十七年汪适孙序

〇江州笔谈二卷

王侃　咸丰间作

〇天启淮安府志二十四卷

六年修

〇康熙淮安府志十三卷

二十四年修

〇光绪淮安府志四十卷

十年修

〇山阳志遗四卷

吴玉搢

〇梦华琐簿一卷

杨懋建　道光二十二年自序

小说小话

蛮　　在小说林中　丁未(光绪)至戊申印行

〇剧说六卷

焦循　嘉庆乙丑

〇五杂组十六卷

谢肇淛　万历

〇十驾养新录二十卷

钱大昕　嘉庆九年阮元序

目二

〇癸巳存稿十五卷

俞正燮　道光二十九年张穆序

〇石亭记事续编一卷

丁晏　道光二十八年自序

〇归田琐记八卷

梁章钜　道光二十五年许惇书序

〇浪迹丛谈十卷 续谈八卷

前人

〇茶香室丛钞廿三卷 续钞廿五卷 三钞廿九卷

俞樾　光绪癸未自序

〇因树屋书影十卷

周亮工　康熙六年丁未姜承烈序

〇甲申朝事小纪八卷

之江抱阳生　道光庚寅序

〇吹网录六卷

叶廷琯　道光咸丰九年自序

〇啸亭杂录十卷 续录三卷

礼亲王昭梿　光绪六年重编

〇关陇舆中偶忆编一卷

张祥河　道光时

〇扬州梦四卷

焦东周生　戊午(盖咸丰八年)成　周似名国英

〇印雪轩随笔四卷

俞鸿渐　道光乙巳自序

〇冷庐杂识八卷

陆以湉　咸丰六年自序

〇客窗偶笔四卷　二笔一卷

金捧阊　嘉庆元年序

〇玉尘集二卷

洪亮吉　乾隆己丑序

〇北江诗话　卷

洪亮吉

〇刁园藏稿鹨堂诗话合序

师范　嘉庆九年作

〇粟香随笔至五笔各八卷

金武祥　光绪七至二十四年

〇三借庐笔谈十二卷

邹弢　光绪十一年序

〇桐阴清话八卷

倪鸿　咸丰戊午

〇虫鸣漫录二卷

采蘅子　光绪三年二月序

〇新庵笔记四卷

周梿生　民国三年

〇我佛山人笔记四卷

吴沃尧　民国四年序

〇燕下乡脞录十六卷

陈康祺　光绪七年序

○续文献通考二百五十四卷

王圻

○国朝先正事略　　卷

李元度

○劝戒近录 续录 三录 四录各六卷

梁拱辰　道光癸卯至戊申

○江阴县志三十卷

光绪四年知县卢思诚等修

○今世说八卷

王晫　康熙癸亥自序

○觚剩八卷续编四卷

钮琇　康熙庚辰序，续壬午序

四库全书总目二百卷

○光绪嘉兴府志八十八卷

四年　知府许瑶光修

○竹叶亭杂记八卷

姚元之　道光中作

○新世说八卷

易宗夔　民国七年自序

○求益斋文集八卷

强汝询　光绪戊戌年刻

○射鹰楼诗话二十四卷

林昌彝　咸丰元年序刻

〇晚学集八卷

桂馥　乾隆五十九年序

＊本篇据鲁迅手稿抄录。

一九二一年

文澜阁本《嵇中散集》校记*

十年一月，以明闽漳张燮绍和纂六卷本校。异字旁注，其与程同者以“。”识之。

*本篇据鲁迅手稿抄录，原无句读、标点。

丛书堂本《嵇康集》抄本校记*

贵阳赵味沧桢又就原钞校一过，以朱笔移录之。十年三月廿一日。

*本篇据鲁迅手稿抄录，原无句读、标点。

一九二二年

汪士贤校刊本《嵇康集》校记*

十一年八月，又用张溥《百三家集》中一卷本校。张溥本无附，有《怀香赋》及《原宪》、《兖城童》、《司马相如》、《许由》并《丹琴》六赞。

* 本篇据鲁迅手稿抄录，原无句读、标点。

一九二三年

关于猪八戒*
（与本年的干支的关系）

今年是亥年，是猪的年。十二支似乎是从周代就已经有了的，那时十二支同动物并没有什么关系，例如讲到子年，仿佛并不是指的所谓鼠，而是指儿童而言的，至于把动物同十二支相配，我想大概是从汉或唐代开始的事，而且，那时同十二支相配的动物中的猪，从十二支的其他动物大多均与家庭有关系这一点来看，我想所指的并非日本的所谓猪，而是我国的所谓猪，即日本的所谓豚。

却说，为亥年配上我国的所谓猪即日本称呼的豚，虽是汉唐时代的事，从那时起经过了很多年，见之于诗文和小说的极少，特别是诗，唐代仅见过二三处，就是在小说方面，同猪有关系的也很少有，《西游记》中的猪八戒是最有名的，猪八戒以外，在小说中写到猪，是六朝时代的事，而某部书中，写猪变成了人。它是这样说的："某个懒堕的男子，在某处旅店住宿时，有一个美丽的女子来访，这个女子这一夜就在男子处过宿，两人一夜里谈了种种的话，第二天这个女子回去时，男子又相约再见的机会，并把刻有铃的印章给了她。男子在女子回去以后,感到非常寂寞,为了排遣这寂寞就去散步,当他在乡间的小路上走着时,发现其家饲养的猪(即豚)的腿上,系着一个刻有铃的印章。”

再说,关于《西游记》中的猪八戒,也有种种说法,我以为它描写的并不是猪变成人,而是人接近于猪。猪八戒和孙悟空一同随从三藏法师前往西天竺的路上,尽管孙悟空经常好好地劳动,猪八戒却是除了一度为师父用鼻子平掉了一座小山而显出神通以外,他什么时候都是讨厌而又懒于劳动的,猪八戒真是个懒汉的代表性人物。

再者,猪八戒这个人物,在《西游记》出现以前就已经存在。换而言之,《西游记》中的猪八戒,并不是作者新创作出的人物,而是沿用从前已有的人物创造出来的。据说,孙悟空是在宋代(南宋)的所谓《唐三藏取经诗话》中出现的,猪八戒是在元曲的所谓《唐三藏取经》中出现的,然而两种书今天在中国都不存,只是根据散见于其他书中的记载才知道的。然而,前者即所谓《唐三藏取经诗话》,日本的三浦观村将军藏有原书,三年前罗振玉氏曾将它出版。后者《唐三藏取经》,原本何处都未见到,只有《纳出楹曲谱》中曾揭载其一部分。

* 本篇原载1923年1月初出版的日文《北京周报》第四十七期(新年特别号),戈宝权译。

“面子”和“门钱”*

同中国人一接触，就会从他们身上发现许多异于日本人的性格，也会感到其中格外有一种日本人始终无法理解的强韧的主张，存在于中国人中间。这就是所谓“面子”。

假如说，中国人以生命维护“面子”，未免有些夸张，但其重视的程度可以说仅次于生命。

对一个人来说，仿佛是再无“面子坏了”（受到损伤）这件事更为耻辱的。这并不仅仅限于中产阶级以上的人们，就是西崽、车夫和目不识丁的一帮子人们，一论到“面子”，就会用几近于迷信的强大力量加以维护。

比如，当有什么过错受到申斥时，在旁边无人的时候加以申斥，即使会不吭声，一遇有同事在场，就会毅然坚持说自己并没有过错。甚至整顿行装，要求发给未清的工资。

假若加以慰抚，那又当别论，如果说什么那你就请吧，他就会扬长而去。但其实有时会在过了二三天以后，又托了熟识的西崽前来说情，要求再让他回来干下去。总之，一旦损伤了“面子”，那就会忘掉一切利害关系顽固到底。

不了解他们的这种癖性，有时免不了会遇到麻烦事。反之，如能让对方很好地保住“面子”，对方也会尊敬我们，事情就会办得顺利。倘若认为中国人只讲实利主义，那就错了。

然而，日本人不大容易了解这个“面子”的含义。日本人也常说“脸上有光”、“有关脸面”、“损伤脸面”、“脸上无光”等等脸面这个词儿。但中国人的“面子”这个词儿，却似乎比这些词包含更强烈的意思。我们曾为这个问题请教中国小说研究家周树人氏，他说了这样的话：

“面子”这个词，并非整个中国都用，而是北方，特别是北京人常用的。南方人则不大用。南方有“场面”这个词，同北方的“面子”含义不同。

“面子”一词初见于小说，乃从明代开始，其前则不常遇到。关于“面子”一词究竟从何词变化而来，含有何意，我尚未深入研究。我想，它大抵上和文言的“体统”一词含义相同。“体统”我想恐怕先是变成“体面”之类的词，然后在社会上又变成了“面子”一词。

我想，一种事物有一种事物的“体统”，如果遭到损坏，就失去存在的价值。“体统”一词说来难懂，于是在社会上就变成“面子”一词，“面子”一丢，其人的价值随之亦尽，而价值一无，就等于失去生存的主张，因而“面子”一事颇受重视。

“面子”一词较之日本人所说的“体面”等词，有着更强烈、更不同的含义，但除此之外一时却想不出可以表达其含义的日本语词。

当向周作人氏请教时，他说：我想“面子”一词仍然主要为北京人所用的词，由于北京是古都，这种词也自然就更为受到了重视地流传开来。一经成为一国的首都，那地方的人们对于其他地方的人们一般都要保持一种体面。

尤其是它越古老越优秀,它的体面的主张,便成为一种硬撑门面的意思了。

比如,在北京人爱面子的故事里有这样一则。早先年,大家庭的主人变穷以后仍然要下馆子。到馆子里去即便是吃了个两三文钱的烧饼,也要摆出吃了什么山珍海味似的面孔走出来。

即便是拣那烧饼掉下来的芝麻吃,也都不是随便去拣的。在指头上蘸了唾沫,装着在桌子上写字。这样蘸了写,写了蘸,把芝麻一粒粒粘着吃掉。

假若是芝麻粒掉在桌子上的缝隙里,要弄出来,就装作思索一件事忽然有所领悟似地用手拍拍桌子,把芝麻粒震出来,然后再装作写字送到嘴里去。

这种故事也表明了这"面子"的一面的意思。有实际价值的人就是不吭声,别人也尊重他。实际价值并不高,只在表面上努力装出有价值,那就有必要在"面子"问题上下苦功夫了。

据周作人氏的意见,"面子"一词里包含着"硬撑门面"的意思,有着正像日本江户时代末期那种"武士没吃饭,装模作样用牙签"的神气。今天一部分北京人的心情,也许有同德川末叶江户武士的境遇相似之处。

这样,这种城市人士的"面子"观念,感化波及于车夫苦力等下层阶级的人们,他们尽管收入微薄过着可怜的生活,却也有作为人的意气。对于雇主,也许会以"面子"这个词来表示反抗。这样,这个"面子"里面所包含的,并不止于单纯的倔强,而是有着值得同情的某种成分。

假如在他们的生活境遇中,竟然连这种单纯的信条"面子"

都不能主张，那就真成了可怜的奴隶了。

周树人氏还说：由于“面子”一词以表面的虚饰为主，其中就包含着伪善的意思。把自己的过错加以隐瞒而勉强作出一派正经的面孔，即是伪善，不以坏事为坏，不省悟不谢罪，而摆出道理来掩饰过错，这乃是极为卑鄙的伪善。因而可以说，“面子”的一面便是伪善。

谈到“面子”和“门钱”，大肆主张“面子”的西崽等等，在门口抓住出入的商人强行索取若干“门钱”，是最能说明“面子”所以是伪善的这个道理的。据说这种索取“门钱”的风气，在古代的中国国民中是不曾存在过的。

周树人氏认为，观察出现在小说中的情况（虽尚不确实），这好像是元人征服中国以后出现的风气。

大抵是说，元人以强大的暴力征服中国，到处建立了自己的势力以后，如若以金钱塞进其腰包，则任何请求就均可以答应。对各处的守门人，握以几许，也便能通过。自从产生这种习惯之后，这种门钱主义便成了一股风气。

总之，北京的“面子”和“门钱”，乃是研究中国人性格的两点应予注意的事情。

＊本篇原载 1923 年 6 月 3 日出版的日文《北京周报》第六十八期，署两周氏谈，李芒译。

教育部拍卖问题的真相*

最近中国报纸报导，教育部已决定将全部家私(除若干重要历史文物外)，自行交付拍卖。一个财政困难的政府，即使发生种种奇怪的现象，像教育部这样一个机关，竟然自行拍卖，实在是自古未有的奇闻。原来从(民国)九年秋季以来，北京政府各部经常发不出经费。(民国)十年三月曾发生国立八大学联合罢课，参谋本部及其它各部，也常常发生罢业。其间政府有几次变动，任何一个政府登台，总是发不出经费来，因此在(民国)十年十一年两年中，曾几度发生各部部员与总长发生冲突的事，索薪会大举涌入国务院，与国务总理等人大打出手，有时甚至发生流血事件。北京政府发不出经费，已成了一种普通的现象，而每月发给经费的，倒被看做不可思议的怪事了。每当财政总长更迭的时候，都以有没有筹措每月经费的本领为必要条件，特别在今夏黎元洪去津后高摄政内阁在任期间，形势更为紧迫；但各部人员，因抱着选出新总统成立正式内阁的希望，没有兴起猛烈的索薪风潮。可是新总统曹锟氏上台之后，正式内阁产生困难，曹锟也几乎没有尽力筹措经费的模样。各部的索薪团，特别如欠薪九个月之久的教育部，都继续罢业。八大学及公立中小学校等，事实上已陷于不能继续进行的状态。其中如招收官费生的男女师范学校，在饭铺里积欠了几万元的伙食费，各饭铺已不能继续供应伙食，如果再不发给经费，除了罢课再也没有别的办法了。政府各部中，除了交通部、财政部等基本未停发经费或仅停发二三个月之外，都已无法进行业务。北京政府的各机关，几乎都处在停顿状态，像教育部那样的机关，更无法维持了，因此传说教育部穷极无奈，已决定把机关的房屋和图书设备，交付拍卖。

中国报纸上甚至登出了这样的拍卖通告：

因教育部被政府抛弃，无法执行公务及维持人员生计，不得已将公文官印上缴国务院，国务院如不接受，则交博物馆保存，四库全书及其他二三种特殊文物，拟移交历史博物馆，其它图书及部内全部房屋器材设备，一律交付拍卖，拍卖日期，容再公告云云。

教育部拍卖房屋与设备，可说是教育部的独立行动，如果此事属实，北京政府真是从内部彻底破产了。虽然为数不多，教育部确有一些在东洋文化史上颇有价值的图书，比其它各部的拍卖，更引起多数人的注目。关于此事，该部社会教育司第一科科长周树人氏，以照例幽默的口吻，作了如下的谈话：

教育部决定拍卖房屋和图书的传说，我也听说了。但教育部并无此种决议。这种房屋器材图书能不能拍卖，稍微有常识的人，都立刻可以明白，不过确实有过这样的说法。大概有人向报纸写过信，说是如果拍卖，四库全书就可以卖很多的钱。不过四库全书不过是包罗广泛，到底有多少价值，也是可疑的。例如抄写上的错误，清朝为自己的需要作了许多窜改，已大大减低了它的价值。比方四库全书价值一百万元，要买的人有这些钱，大可以去买一部未经窜改的书。而且像这样的书，即使出卖也不能用拍卖的方法，这是很明白的事，谁也不会当做问题的。

政府机关中，教育部是仅次于参谋本部的欠薪最多的部，已经九个月没有发薪了，部员中生活困难的确实不少，其中有回乡的，也有不能再到部的。最困难的是彭允彝教育总长时代今春进部的人，这些人连一个月的月薪也没有领到过。加之彭已经不在了，所以那时进部的人，差不多连一个同情的人也没有，其中有的部员还是特地从家乡出来的，在北京无一相识，其情况更为狼狈。

教育部人员常在部里开会，上国务院奔走，向曹氏请愿，要求早日任命总长，决定部的负责人，要求迅速发给经费，看样子都无结果。我觉得做这些活动也不会有办法，因此开会时从未去过。这样的内阁，不管说多少话，差不多都是空的。所以部员们觉得反正没有希望，就有人发表过激的言论，有人说，必须做彻底的改革，我们是革命派。真要革命就得到民间去宣传革命，依靠人民的力量来反对政府。依然留在当官的地位，因为领不到薪水，便变了革命家，实在太滑稽了。这些人只要把薪水十足领到，他就可以当官，并不是什么革命家。所以他们的话是毫无作用的。不管哪个国家也找不到官吏兼革命家的人物，身为官吏，口谈革命，既为官吏又为革命家的人，也只有我国才有。教育部拍卖房屋图书的话，大概也只有我国才能听到。总之，对于我国的现状，我不想认真去想，也没有什么好说。

＊本篇原载1923年11月18日出版的日文《北京周报》第八十九期，楼适夷译。

一九二四年

《幸福的家庭》附记*

我于去年在《晨报副刊》上看见许钦文君的《理想的伴侣》的时候，就忽而想到这一篇的大意，且以为倘用了他的笔法来写，倒是很合式的；然而也不过单是这样想。到昨天，又忽而想起来，又适值没有别的事，于是就这样的写下来了。只是到末后，又似乎渐渐的出了轨，因为过于沉闷些。我觉得他的作品的收束，大抵是不至于如此沉闷的。但就大体而言，也仍然不能说不是"拟"。

二月十八日灯下，在北京记。

*本篇原载1924年3月1日上海《妇女杂志》(月刊)第十卷第三号。

《论雷峰塔的倒掉》附记*

这篇东西，是一九二四年十月二十八日做的。今天孙伏园来，我便将草稿给他看。他说，雷峰塔并非就是保俶塔。那么，大约是我记错的了，然而我却确乎早知道雷峰塔下并无白娘娘。现在既经前记者先生指点，知道这一节并非得于所看之书，则当时何以知之，也是莫名其妙矣。特此声明，并且更正。

十一月三日

* 本篇原载1924年11月17日北京《语丝》(周刊)第一期。

《俟堂专文杂集》目录*

俟堂专文杂集第一

元平元年专。会稽冯氏臧。

河平元年专二种。同范异专。

番延寿莂。在通州张氏，陈师曾手杔见赠。

番延寿墓砖四种。会稽徐以巽先生所臧，曩见赠杔本。

建宁元年专二种。番延寿墓专也，前一种似伪。

马卫将作专三种。亦番墓专也，皆异范。

大吉兮多所宜专。亦番墓中物。

甘露元年专。

凤皇三年残专。

子孙善□残专。旧已琢为砚。

章孟高专。出台州。

泰元廿一年专。

泰和三年黄氏专。

虞凯专。曩在越中时，书估持来，买之不成，止留杔本一枚。

大同九年专。

大明二年丁功专。曹专。

天鉴二年专。普通四年专，皆断专，存端。

大同十一年专。已制为砚，商契衡持来，盖剡中物。

应天寺八角殿专。徐以巽先生赠杼本。

应天佛塔专。并背面刻文。

月江禅师专。并背后刻文。

□氏残专。

十二月葬专。

虎首形专。无字。

己未大吉专。盖出吴兴，旧已琢为花盆，北迁时毁失。

澄泥砚。背文附。

元康元年残专。已下皆会稽陈氏藏。

永昌元年晋安君墓专四种。

咸和三年孙仲公专四种。

太元十七年张锁专。

𥘘专。

青龙专二种。

曩尝欲著《越中专录》，颇锐意蒐集乡邦专甓及拓本，而资力薄劣，俱不易致，以十余年之勤，所得仅古专二十余及杼本少许而已。迁徙以后，忽遭寇劫，孑身逭遁，止携大同十一年者一枚出，余悉委盗窟中。日月除矣，意兴亦尽，纂述之事，渺焉何期？聊集燹余，以为永念哉！甲子八月廿三日，宴之敖者手记。

俟堂专文杂集第二

急就专。

齐专。

晋专。端氏旧藏。

海内皆臣岁登成熟道毋饥人专。

同前。端氏物。

单于和亲千秋万岁安乐未央专。端氏藏。

同前。亦端氏藏。

吉利宜王残专。端氏。

富乐未央子孙益昌专。

同前。自此以下六种皆端氏藏。

同前。

苌乐未英子纾益昌专。

长乐未英子孙益昌千秋万岁专。

同前。

宜子孙乐未央专。

千秋万岁专二种。

千秋万世专。

后子孙吉专二种。贵筑姚华所藏。

治天下驾五车专。

日入千万专。上虞罗振玉之藏。

宜子孙富贵专。又残专。

宜子孙富贵专。宜子□王专。

寿若大山专。千秋万岁专。

蒐专。大吉专。

大吉千秋专。大吉专。

万世不倾专。后王专。寿□专。大吉专。

吉利残专。吉残专。贵残专。大残专。

花纹专二种。

吉残专。大吉日残专。

俟堂专文杂集第三

日华专。

君子馆专。

君子馆专。

建初元年残专。

同前。

永元元年专。

永元十一年专。信阳州出。

永元□□年专。元元十一年专。永初七年专。

本初元年专。吴兴出。会稽徐氏藏之。

同上残凷。

建安十年专。端氏物。

徐仲明专。

王氏用置者吉专。

右行专。

荷戈人画专。车马画专。

渔画专。车马画专。

骑者画专。

舞女画专。

亯堂画专。

亥形画专一角。端氏藏。

青龙专。

专侧杂华纹。

信阳州所出古专杂花文十种。专今在历史博物馆。

树木残画专。端氏物。

未央宫东阁瓦。

铜雀台瓦。

南郡官冶专。

汲瓶印文。

俟堂专文杂集第四

嘉平年专。端氏物,已琢为砚。

嘉平四年专。

嘉平二年七月专。七月辛未残专。正始九年专。

正元二年郤氏专。正元二年残专。

景元四年专。

上真万年专。

家富昌利后世专。

万九千枚专。

凤皇三年施氏专。

天纪元年专。

泰始元年陈黑专。

咸宁元年任氏专。

大康七年专。大康七年专。

大康九年夜国君专,其二。大康九年王氏专。

元康元年专,其二,其三。

元康□年贺氏专。元康三年专。

元康五年立君专。

元康七年专。元康八年专。

元康八年仆氏专。

永元六年专。建兴二年专。

大宁二年专,其二。

永和二年郭氏专。

永和六年专。永和六年莫龙编侯专。

泰和元年宜侯王专。泰和三年残专。齐□中大夫李君专,其二。

好大王陵专,其二。

好大王陵专。

国吏徐君专。甲子专。朱鸟专。张氏残专。

元玺元年专。

元嘉廿年专。

元嘉廿年刘氏专。

元嘉廿年孙君专,其二。

大明五年残专。

泰始五年桑氏专。

天监八年专。

至德六年专。

天吉专。

天平元年大苌劳专。

龙凤专。

天和七年沈金专。

元和元年残专。

安乐塔专。

俟堂专文杂集

泰始元年张光专。

咸宁四年周伯孙专。

刘谭刚专。

孟敞专。

景明三年赵续生专。

景明三年张林张专。

正光四年姬伯度专。

孝昌三年张神龙息□茂专。

武定四年贾尼专。

武定二年吕光专。

建德元年任虎专。

武平年阙名专。

* 本篇据鲁迅手稿抄录，原无句读、标点。

一九二五年

《忽然想到》附记*

我是一个讲师，略近于教授，照江震亚先生的主张，似乎也是不当署名的。但我也曾用几个假名发表过文章，后来却有人诘责我逃避责任；况且这回又带些攻击态度，所以终于署名了。但所署的也不是真名字；但也近于真名字，仍有露出讲师马脚的弊病，无法可想，只好这样罢。又为避免纠纷起见，还得声明一句，就是：我所指摘的中国古今人，乃是一部分，别有许多很好的古今人不在内！然而这么一说，我的杂感真成了最无聊的东西了，要面面顾到，是能够这样使自己变成无价值。

一月十五日

* 本篇原载1925年1月17日《京报副刊》第三十九号。

偕　行*

民国十四年八月一日，杨荫榆毁校，继而章士钊非法解散，刘百昭率匪袭击，国立北京女子师范大学蒙从来未有之难。同人等敌忾同仇，外御其侮。诗云："修我甲兵，与子偕行。"此之谓也。既复校，因摄影，以资纪念。

十二月一日

＊本篇原题于 1925 年 12 月北京女子师范大学复校时 24 名学生合影照上。

《这个与那个》正误*

第十八号第三面下栏十一行"易竭"误"已竭"；又十九行"对于锲而不舍的人们"下脱"也一样"三字；又第四面上栏二十一行第二十七字"改"误为"的"。

＊本篇原载 1925 年 12 月 24 日北京《国民新报副刊》(乙刊)。

一九二六年

《学界的三魂》文末附记*

今天到东城去教书，在新潮社看见陈源教授的信，在北京大学门口看见《现代评论》，那《闲话》里正议论着章士钊的《甲寅》，说“也渐渐的有了生气了。可见做时事文章的人官实在是做不得的，……自然有些‘土匪’不妨同时做官僚，……”这么一来，我上文的“逆我者‘匪’”，“官腔官话的余气”云云，就又有了“放冷箭”的嫌疑了。现在特地声明：我原先是不过就一般而言，如果陈教授觉得痛了，那是中了流弹。要我在“至今还没有完”之后，加一句“如陈源等辈就是”，自然也可以。至于“顺我者‘通’”的“通”字，却是此刻所改的，那根据就在章士钊之曾称陈源为“通品”。别人的褒奖，本不应拿来讥笑本人，然而陈源现就用着“土匪”的字样。有一回的《闲话》(《现代评论》五十)道：“我们中国的批评家实在太宏博了。他们……在地上找寻窃贼，以致整大本的剽窃，他们倒往往视而不见。要举个例吗？还是不说吧，我实在不敢再开罪‘思想界的权威’。”按照他这回的慷慨激昂例，如果要免于“卑劣”且有“半分人气”，是早应该说明谁是土匪，积案怎样，谁是剽窃，证据如何的。现在倘有记得那括弧中的“思想界的权威”六字，即曾见于《民报副刊》广告上的我的姓名之上，就知道这位陈源教授的“人气”有几多。

从此，我就以别人所说的“东吉祥派”、“正人君子”、“通品”等字样，加于陈源之上了，这回是用了一个“通”字；我要“以眼还眼以牙还牙”，或者以半牙，以两牙还一牙，因为我是人，难于上帝似的铢两悉称。如果我没有做，那是我的无力，并非我大度，宽恕了加害于我的敌人。还有，有些下贱东西，每以秽物掷人，以为人必不屑较，一计较，倒是你自己失了人格。我可要照样的掷过去，要是他掷来。但对于没有这样举动的人，我却不肯先动手；而且也以文字为限，“捏造事实”和“散布‘流言’”的鬼蜮的长技，自信至今还不屑为。在马弁们的眼里虽然是“土匪”，然而“盗亦有道”的。记起一件别的事来了。前几天九校“索薪”的时候，我也当作一个代表，因此很会见了几个前“公理维持会”即“女大后援会”中人。幸而他们倒并不将我捆送三贝子花园或运入深山，“投畀豺虎”，也没有实行“割席”，将板凳锯开。终于“学官”“学匪”，都化为“学丐”，同聚一堂，大讨其欠账，——自然是讨不来。记得有一个洋鬼子说过：中国先是官国，后来是土匪国，将来是乞丐国。单就学界而论，似乎很有点上这轨道了。想来一定有些人要后悔，去年竟抱了“有奶不是娘”主义，来反对章士钊的罢。

一月二十五日东壁灯下写

＊本篇原载1926年2月1日《语丝》(周刊)第六十四期。

高长虹《心的探险》附记*

鲁迅掠取六朝人墓门画像作书面。

* 本篇原附于高长虹《心的探险》(北新书局 1926 年版)目录页后,题目为编者所加。

《汉画象集》拟目*

第一篇	阙　　二卷	
	南武阳阙	王稚子阙
	太室阙	少室阙
	开母阙」	武氏阙
	高颐阙	司马孟台神道阙
	沈君阙	丁房阙」
第二篇	门　　一卷	
	射阳石门	李夫人灵第门」
第三篇	石室	三卷
	郭巨石室	朱鲔石室」
	武氏右室三石	又前室十五」
	又后室十	又左室十
	又祥瑞图等五	
第四篇	食堂　　一卷	
	永元	永建
	文叔阳	
第五篇	阙室画象残石	四卷
第七(六)篇	摩崖　　一卷	
	五瑞	凤皇
第八(七)篇	瓦甓　　三卷	共十五卷

* 本篇据鲁迅手稿抄录。"」"为分卷标志,题目为编者所加。

说 目*

青史子

《隋·志·子部·小说》:"梁有《青史子》一卷。亡。"

《前汉书·艺文志·小说家》:"《青史子》五十七篇。"注:"古史官记事也。"

《汉·艺文志考证七》:"《青史子》五十七篇。《风俗通义》引《青史子》书。"《大戴礼·保傅篇》:"青史氏之记曰:'古者胎教'。"《隋·志》:"梁有《青史子》一卷。"《文心雕龙》云:"《青史》由缀于街谈。"

宋子

《前汉书·艺文志·小说家》:"《宋子》十八篇。"注:"孙卿道宋子,其言黄、老意。"

《汉艺文志考证七》:"《宋子》十八篇。孙卿道宋子。"荀子云:"宋子有见于少,无见于多。注:宋钘,宋人也,与孟子同时。孟子作宋牼。"又云:"宋子蔽于欲而不知得。"又引子宋子曰:"明见侮之不辱,使人不斗。"注:庄子说曰"见侮不辱,救民之斗。"宋子盖尹文弟子。又云:"子宋子曰:'人之情欲寡而皆以己之情欲为多,是过也。'"

语林

《隋·志·子部·小说》:"梁有《语林》十卷,东晋处士裴启撰,亡。”

郭子

《隋·志·子部·小说》:“《郭子》三卷,东晋中郎郭澄之撰。”

《旧唐·志·子部·小说家》:“《郭子》三卷,刘澄之撰,贾泉注。”

《新唐·志·子部·小说家类》:“贾泉注《郭子》三卷。”注:“郭澄之。”

笑林

《隋·志·子部·小说》:“《笑林》三卷,后汉给事中邯郸淳撰。”

《旧唐·志·子部·小说》:“《笑林》三卷,邯郸淳撰。”

《新唐·志·子部·小说家类》:“邯郸淳《笑林》三卷。”

侯唐《补三国艺文志四·子·小说类》:“邯郸淳《笑林》三卷。一名竺,字子叔,颍川人,魏给事中。淳事见《王粲传》注引《魏略》。章怀《后汉书·文苑传》注引《笑林》云云,欧阳询《艺文类聚·八十五》引《笑林》曰云云。二人皆唐初人,所引当出淳书。若他书所引,容有出自何自然《语林》者也。何自然《语林》三卷见《唐·志》,当是唐人。”

俗说

《隋·志·子部·小说》:“梁有《俗说》一卷,亡。”

《隋·志·子部·集》:“《俗说》三卷,沈约撰。梁五卷。”

《宋·志·子部·小说类》:“沈约,《俗说》一卷。”

小说

《隋·志·子部·小说》:“《小说》十卷,梁武帝勅安右长史殷芸撰。梁目，三十卷。”

《旧唐·志·子部·小说》：“《小说》十卷，殷芸撰。”

《新唐·志·子部·小说家类》：“殷芸《小说》十卷。”

《宋·志·子部·小说类》：“殷芸《小说》十卷。”

小说

《隋·志·子部·小说》：“《小说》五卷。”

《旧唐·志·子部·小说》：“《小说》十卷，刘义庆撰。”

《新唐·志·子部·小说家类》：“刘义庆《小说》十卷。”

水饰

《隋·志·子部·小说》：“《水饰》一卷。”

妒记

《隋·志·史部·杂传》：“《妒记》二卷，虞通之撰。”

《新唐·志·史部·杂传记类》：“虞通之《妒记》二卷。”按：《旧唐·志》无《妒记》，有虞通之《后妃记》四卷，疑即《妒记》之讹。《新唐·志》有《后妃记》四卷，《妒记》二卷，虞通之撰。殆合《隋·志》、《旧唐·志》而已，非见原书也。虞通之《后妃记》未见类书征引？

章宗源《隋志考证》：“《妒记》二卷，虞通之撰。”

《宋书·后妃传》：“宋世诸主，莫不严妒。太宗每疾之。湖熟令表慆妻以妒忌赐死，使近臣虞通之撰《妒妇记》。”《唐·志》卷同。

《郡斋读书志》曰：“古有《妒记》，久已亡之。”

宣验记

《隋·志·史部·杂传》：“《宣验记》十三卷，刘义庆撰。”

冥祥记

《隋・志・史部・杂传》:《冥祥记》十卷,王琰撰。”

《旧唐・志・史部・杂传》:“《冥祥记》十卷,王琰撰。”

《新唐・志・子部・小说家类》:“王琰《冥祥记》十卷。”

《法苑珠林・一百》:“《冥祥记》一部十卷,右齐王琰撰。”

列异传

《隋・志・史部・杂传》:“《列异传》三卷,魏文帝撰。”

《旧唐・志・史部・杂传》:“《列异传》三卷,张华撰。”

《新唐・志・子部・小说家类》:“张华《列异传》一卷。”

侯唐《补三国艺文志四》:“魏文帝《列异传》三卷。”裴氏注:“《三国志》凡两引此书。《华歆传》引一条,记歆自知当为公;《蒋济传》引一条,记济亡,儿为泰山录事。惟济于齐王时,始徒(徙)领军将军,而书中有‘以济为领军’之语,则非出自文帝。又《御览・七百七》引一条景初时事;八百八十四引一条甘露时事,皆在文帝后,岂后人又有增益耶?又据《史记・封禅书索隐》引一条,说秦移公获陈宝《水经・渭水注》。《后汉书・光武纪》注引一条,记秦文公时梓树化为牛,则所载不独时事也。”

《隋志考证》:“《列异传》三卷,魏文帝撰。”

《隋・志・序》曰:“魏文帝作《列异》,以序鬼物奇怪之事。”

古异传

《隋・志・史部・杂传》:“《古异传》三卷,宋永嘉太守袁王寿撰。”

《旧唐・志・史部・杂传》:“《石(古)异传》三卷,袁仁寿撰。”

《新唐·志·子部·小说家类》:“袁王寿《石异传》三卷。”

甄异传

《隋·志·史部·杂传》:“《甄异传》三卷,晋西戎主簿戴祚撰。”

《旧唐·志·史部·杂传》:“《甄异传》三卷,戴异(祚)撰。”

《新唐·志·子部·小说家类》:“戴祚《甄异传》三卷。”

《封氏闻见记》云:“戴祚作《西征记》”云云。祚,江东人,晋末从刘裕征姚泓。

述异记

《隋·志·史部·杂传》:“《述异记》十卷,祖冲之撰。”

《旧唐·志·史部·杂传》:“《述异记》十卷,祖冲之撰。”

《新唐·志·子部·小说家类》:“祖冲之《述异记》十卷。”

《宋·志·子部·小说》:“伍昉《述异记》二卷。”

《隋志考证》:“《述异记》十卷,祖冲之撰。”《初学记·人部》:“苻健皇始四年……武功部豫章人漆澄……”《御览·人事部》:“晋元兴末,魏郡陈氏女……又陈留周氏婢……并引祖冲之《述异记》。”

灵鬼志

《隋·志·史部·杂传》:“《灵鬼志》三卷,荀氏撰。”《旧唐·志》同。

《新唐·志·子部·小说》:“荀氏《灵鬼志》三卷。”

《隋志考证》:“《灵鬼志》三卷,荀氏撰。《世说》注四事并引《灵鬼志》‘谣征’似‘谣假’,乃《志》中分篇。《太平御览》所引多志怪异,惟‘兵部’引关中歌陈安。”云云。此与志怪不类。

志怪

《隋·志·史部·杂传》："《志怪》二卷，祖台之撰。"

《旧唐·志·史部·杂传》："《志怪》四卷，祖台之撰。"

《新唐·志·子部·小说》："祖台之《志怪》四卷。"

《隋志考证》："《志怪》二卷，祖台之撰。"

《晋书·祖台之传》："台之撰《志怪书》行于世。"

《史通·杂述篇》曰："若祖台《志怪》、干宝《搜神》、刘义庆《幽明录》、刘敬叔《异苑》，此之谓杂记者也。"

志怪

《隋·志·史部·杂传》："《志怪》四卷，孔氏撰。"

《旧唐·志·史部·杂传》："《志怪》四卷，孔氏撰。"

《新唐·志·子部·小说》："孔氏《志怪》四卷"。

《隋志考证》："《志怪》四卷，孔氏撰。"

《文苑英华·顾况·戴氏广异记序》称："孔慎言《神怪志》。"

神录

《隋·志·史部·杂传》："《神录》五卷，刘之望撰。"《隋志考证》作"之遴"。

《旧唐·志·史部·杂传》："《神录》五卷，刘之道(遴)撰。"

《新唐·志·子部·小说》："刘之遴《神录》五卷。"

齐谐记

《隋·志·史部·杂传》："《齐谐记》七卷，宋散骑侍郎东阳无疑撰。"

《旧唐书·史部·杂传》："《齐谐记》七卷，东阳无疑撰。"

《新唐·志·子部·小说》："东阳无疑《齐谐记》七卷。"

《隋志考证》云："今存。"案：今已亡，章氏误也。

幽明录

《隋·志·史部·杂传》："《幽明录》二十卷，刘义庆撰。"

《旧唐书·史部·杂传》："《幽明录》三十卷，刘义庆撰。"

《新唐·志·子部·小说》："刘义庆《幽明录》三十卷。"

《隋志考证》："《幽明录》二十卷，刘义庆撰。"此书见引甚多。"幽明"或作"幽冥"。

《史通》言："唐修《晋书》，多取《幽明录》。"今考《御览》所引如《人事部》"石勒问佛图澄"、"谢安石梦乘桓温与"、"魏武梦三马"、"王茂宏梦人买长豫"，此类皆《晋书》所取资。

旌异记

《隋·志·史部·杂传》："《旌异记》十五卷，侯君素撰。"

《旧唐书·志·史部·杂传》："《旌异记》十五卷，侯君集（素）撰。"

《新唐·志·子部·小说》："侯君素《旌异记》十五卷。"

《隋志考证》："《旌异记》十五卷，侯君素撰。"

《北史·李文博传》：同郡侯白，字君素，著《旌异记》十五卷。（《隋书》附《陆爽传》）。

《法苑珠林·百》："《旌异传》一部二十卷，右隋朝相州秀才仟林郎侯君素奉文皇帝勅撰。"

鬼神列传

《隋·志·史部·杂传》："《鬼神列传》一卷，谢氏撰。"

《旧唐·志·史部·杂传》："《鬼神列传》二卷，谢氏撰。"

《新唐·志·子部·小说》："谢氏《鬼神列传》二卷。"

志怪记

《隋·志·史部·杂传》:“《志怪记》三卷,殖氏撰。”

《隋志考证》:“《志怪记》三卷,殖氏撰。”《北堂书钞》引二事并引《志怪记》,而不著殖氏名。

集灵记

《隋·志·史部·杂传》:“《集灵记》二十卷,颜之推撰。”

《旧唐·志·史部·杂传》:“《集灵记》十卷,颜之推撰。”

《新唐·志·子部·小说》:“颜之推《集灵记》十卷。”

异闻记

侯康《补后汉书艺文志四·子部·小说类》:“陈寔《异闻记》。”胡元瑞《二酉缀遗》曰:“陈太丘绝,不闻著书,而《抱璞子》载陈仲弓《异闻记》。”云云。(唐案在《对俗篇》。)案:此书《太平广记》及《御览》并不载,盖其亡已久。

周婆《卮林》曰:“予又览《北户录》引陈仲弓《异闻记》曰云云,则此书唐尚存也。”案:《隋》、《唐·志》无此书,唐时未必存。或段公路从他处转引。

《抱朴子》云:“故太丘长颖川陈仲弓,笃论士也。撰《异闻记》。”云云。

玄中记

罗必路《史发挥·二》注云:“《玄中》之书,《崇文总目》不知撰人名氏,然书传所引皆云郭氏《玄中记》,而《山海经》信狗封氏事与《记》所言同,知为景纯”。

续异记

《隋·志·史部·杂记》:“《续异苑》十卷。”(疑即此。)

录异传

《隋志考证》曰："《初学记》颇引《录异传》。《御览》作引，亦皆叙鬼物事。惟尹氏、袁安二事与《录异》似不相涉。袁安事，《汝南先贤传》亦载之。隗炤事，《晋书·艺术传》取之。"

神异记

《太平御览》引用书目云："王浮《神异记》。"

《法苑珠林·五十五》云："晋时道士王浮造《明威化胡经》。"

《晋世杂录》云："道士王浮每与沙门帛远抗论，王屡屈焉。遂改换《西域传》为《化胡经》，言喜与聃化胡作佛，佛起于此。"（《辩正论六》）

集异记

《御览》引："式题郭季产《集异记》。"

《隋·志》："《续晋纪》五卷，宋新与太守郭季产撰。"

神怪录

陆氏异林

曹毗志怪

杂鬼神志怪

详异记

异　说

* 本篇据鲁迅手稿抄录，原无句读、标点。

一九二七年

书录司马相如《大人赋》题记*

时若暧暧将混浊兮，召屏翳诛风伯刑雨师。西望昆仑之轧沕荒忽兮，直径驰乎三危。排阊阖而入帝宫兮，载玉女而与之俱归。登阆风而遥集兮，亢鸟腾而壹止。低徊阴山翔以纡曲兮，吾乃今日睹西王母暠然白首。戴胜而穴处兮，亦幸有三足乌为之使。必长生若此而不死兮，虽济万世不足以喜。

将去厦门，行箧束缚俱讫，案头遂无一卷书。翻废纸，偶得司马相如《大人赋》数十字，录应斐君矛尘两君钧命。

鲁迅

* 本篇据鲁迅手稿抄录。

《望·蔼覃照片》附注*

此各处似乎还有阴影。

原图似乎没有如此之光滑，如刀切一样。

* 此为鲁迅在《小约翰》作者望·蔼覃照片上所加的小注，附于 1927 年 10 月 4 日致台静农、李霁野信后。第一句写在照片的头部左右，第二句写在照片的胸部左右。题目为编者所加。

《花甲闲谈》题记*

此书版归广雅书局后，所印缺失甚多。卷五缺第十三页；卷十三缺第一、二及第四页；第十四缺第一至四、第六及第七；第十一及第十二、又十四至十六页；卷十五缺第一至第十二页；卷十六缺第一至四、七至十五及第十八页。

* 本篇据鲁迅手稿抄录。

一九二九年

柔石赠木刻题记*

Robers Gibbings 木刻三枚，其夫人寄与柔石者。

*本篇据鲁迅手稿抄录，原无句读、标点。

一九三〇年

《海婴百日照》题记*

斐君先生惠存

海婴敬赠

时在一九三〇年一月四日。因生后只一百日，不能写字，故由鲁迅代记。上海。

*本篇据鲁迅手稿抄录，题目为编者所加。

《你的姊妹》题记*

你的姊妹。

德国凯尔·梅斐尔德所作木刻七幅。

诗荃寄自柏林，鲁迅藏于中国。1930。

*本篇据鲁迅手稿抄录，原无标点。

《红的笑》说明*

这是一篇战斗的故事——战争的真面目，如现在决胜负的战争，无意于掩饰，也无意于夸大。题目是从一个可怕的偶然的事而来的，一颗爆弹炸去一个军官的头，其时他的嘴唇正扭着微笑。“且那个短的红的在涌血的东西，仍似乎在作一种微笑，一种无齿的笑，一种红的笑。”

*本篇原载1930年7月商务印书馆出版《红的笑》护封。

一九三一年

柔石遗稿目录及说明*

柔石，有子二人，女一人。文学上的成绩，据调查到的总开如下：

1 疯人（短篇小说集） 1922年
2 人间的喜剧，（诗剧，未发表） 1924年
3 旧时代之死（长篇） 1927年
4 三姊妹（中篇） 1928年
5 二月（中篇） 1929年
6 希望（短篇小说） 1929年
7 浮士德与城（翻译，戏曲） 1930年
8 阿尔泰莫诺夫氏之事业（翻译，小说） 1930年
9 丹麦短篇小说集（翻译） 1930年
10 为奴隶的母亲（短篇小说一篇） 1930年
11 一个伟大的印象（随笔一篇） 1930年
12 血在沸（诗一篇） 1930年

此外零星遗稿，尚可有二三万字，在寄存于他同乡友人处的这些遗稿中，发现未写完的一篇题名“Pionier”的短篇，及计划中

的长篇《长工阿和》和大纲一纸。尤其可惜的，是他最近作的一二篇在原稿中的短篇，均于他的住处被查抄时被搜去了。

＊本篇最初发表于1931年4月25日上海《前哨》(纪念战死者专号)，为《被难同志传略·柔石》的最后一部分，未署名，题目为编者所加。

《士敏土》序言*

小说《士敏土》为革拉特珂夫所作的名篇，也是新俄文学的永久的碑碣。关于那内容，戈庚教授在《伟大的十年的文学》里曾有简要的说明。他以为在这书中，有两种社会底要素在相克，就是建设的要素和退婴，散漫，过去的颓唐的力。但战斗却并不在军事的战线上，而在经济底战线上。这时的大题目，已蜕化为人类的意识对于与经济复兴相冲突之力来斗争的心理底的题目了。作者即在说出怎样地用了巨灵的努力，这才能使被破坏了的工厂动弹，沉默了的机械运转的颠末来。然而和这历史一同，还展开着别样的历史——人类心理的一切秩序的蜕变的历史。机械出自幽暗和停顿中，用火焰辉煌了工厂的昏暗的窗玻璃。于是人类的智慧和感情，也和这一同辉煌起来了。

这十幅木刻，即表现着工业的从寂灭中而复兴。由散漫而有组织，因组织而得恢复，自恢复而至盛大。也可以略见人类心理的顺遂的变形，但作者似乎不很顾及两种社会底要素之在相克的斗争——意识的纠葛的形象。我想，这恐怕是因为写实底地显示心境，绘画本难于文章，而刻者生长德国，所历的环境也和作者不同的缘故罢。

关于梅斐尔德的事情，我知道得极少。仅听说他在德国是一个最革命底的画家，今年才二十七岁，而消磨在牢狱里的光阴倒有八年。他最爱刻印含有革命底内容的版画的连作，我所见过的有《汉堡》，《抚育的门徒》和《你的姊妹》，但都还隐约可以看见悲悯的心情，惟这《士敏土》之图，则因为背景不同，却很示人以粗豪和组织的力量。

以上这一些，是去年三闲书屋影印这图的时候，由我写在前面作为小序的。现在要复制了插入本书去，最好是加上一点说明，但因为我别无新知，就只好将旧文照抄在这里。原图题目，和本书颇有不同之处，因为这回是以小说为主，所以译名就改从了本书，只将原题注在下面了。

鲁迅记

一九三一年十月二十二日

* 本篇最初印入新生命书局再版董绍明、蔡咏裳合译的《士敏土》一书。

“限定版”书目*

雄鸡和杂馔

法国科克多作，太田黑元雄译。1928 年东京第一书房印行。荷兰木炭纸印 320 部中之第 154 号。

阿坡里耐尔诗抄

堀口大学译，插画 12 幅。1927 年东京第一书房印行。初版特制 1500 本中之一。

读书放浪

文艺随笔，内田鲁庵作，斋滕昌三、柳田泉编纂。1932 年东京书物展望社印行。限定版 1000 部之第 153 号。

工房有闲

一部二册，小杉木醒作。1931 年横滨雅博拿书房刊行。限定预约版 300 部之一。

霰

诗集，千家元麿作，中川一政装画。1931 年横滨雅博拿书房刊行。限定版 300 部之一。

魔女

诗集，佐滕春夫作，川上澄生插画，秋朱之介装帧。1931 年横滨以士帖印社印行。读书家版 1000 部之第 92 号。

英语入门

画集一本，诗集一本，川上澄生作并刻，雅博拿丛书之一。

1930 年横滨雅博拿书房刊行。限定版 300 部内之第 180 号，著者签名。

散文诗集

法国波德莱尔(C. Baudelaire)作，拉布雷顿(la Breton)木刻插画。19〔?〕年巴黎勒内·里埃费出版社出版。限定版第 49 号。

诗歌全集

法国维尼(A. de Vigny)作，儒(Louis Jou)木刻插画，博迪埃(Paul Baudier)木刻作者像。1920 年巴黎乔治·克雷斯-西出版社出版。高级日本纸印本 40 部中之第 36 号。

禽虫吟

一名《阿尔斐的护从》，阿波里耐尔(G. Apollinaire)作，杜飞(R. Dufy)木刻插画。1918 年巴黎"人头鸟女妖"出版社印行。原纸印本 1200 中之第 846 号。

我们的朋友路易·儒

卡尔科(Francis Carco)和卡苏(Jean Cassou)作，附路易·儒(Louis Jou)木刻选。1929 年巴黎特莱莫瓦出版社印行。限定版 460 本中之第 436 号(仿羊皮纸)。

格斯纳的田园诗

格斯纳(Salomon Gessner)作，维贝尔(P. -E. Vibert)木刻插画。1922 年巴黎克雷斯-西出版公司出版。限定版 360 部中之第 341 号。

埃斯特拉马杜拉的嫉妒的卡里札莱斯

塞万提斯·萨维德拉(Miguel de Cervantes Saavedra)作，

儒(Louis Jou)木刻插画。1916 年法兰西文学社印行。仿羊皮纸印 380 本中之第 174 号。

波斯勋章和别的奇闻

俄国契诃夫作,马修廷(W. N. Massjutin)木刻插图 8 幅,并署名。1922 年柏林世界出版社出版。限定版 200 部中之第 64 号。

卡尔·施特恩海姆《编年史》的木刻集

比利时麦绥莱勒作,由艺术家签名。慕尼黑三面具出版社出版。印本 100 中之第 69 号。

为托尔斯泰《克莱采奏鸣曲》所作镂版画十二幅和镂版封面一幅

德国盖格尔(W. Geiger)作,由艺术家签名。19〔22〕年慕尼黑三面具出版社印行。限定版 85 本中之第 81 号。

肖像和漫画

比利时麦绥莱勒作,木刻 60 幅。19〔26〕年慕尼黑沃尔夫出版社出版。印本 400 部中之第 69 号。

太阳

比利时麦绥莱勒作,木刻 63 幅。1920 年德国慕尼黑沃尔夫出版社出版。限定版 800 本中之第 786 号。

柏拉图的斐多篇

威廉·乔伊特(William Jowett)译,埃里克·吉尔(Eric Gill)装画。1930 年英国巴克夏金鸡出版公司印行。限定版 500 本之第 64 号。

第七人

副题《南海岛食人者的真实故事》,木刻插画 15 幅,罗伯特·吉宾斯(Robert Gibbings)作,1930年英国巴克夏金鸡出版公司印行。限定版500本之第307号。

《累丁狱中的歌》木刻插画

奥斯卡·王尔德(Oscar Wilde)作,麦绥莱勒木刻插画。1923年慕尼黑三面具出版社印行。限定版250本中之第173号。

士敏土之图

梅斐尔德作木刻10幅。1931年上海三闲书屋翻印。珂罗版夹宣纸印250本之一。

欢迎与告别

套色木刻,瓦尔特·施密特作。限定版350本之第61号。

夏娃

木刻,奥格·贝克尔作。

苏姗那入浴

铁流之图

木刻4幅,毕斯凯莱夫作。

* 本篇据鲁迅外文手稿翻译、整理,译者吴元坎、王俊伟、程培玉、徐仲君,题目为编者所加。

一九三二年

日译本《故乡》附记*

在我国,尽管读者和编辑皆喜好某作家的作品,但由于现政府的野蛮禁锢,却使他不得不沉默,其新旧诸作便可能借用邻邦的语言问世。如果我的理想变成了现实,那么,翻译者也当是对中国文明做出了贡献的。

* 本篇原载 1932 年 1 月号《中央公论》。

古燕瓦拓片题记*

古燕半瓦拓片。四纸,二十种。一九三〇年燕下都考古团发掘所得,三二年七月静农自北平寄赠。

* 此文写在 1932 年 7 月 11 日台静农寄赠鲁迅古燕瓦拓片包装袋上。

《勇敢的约翰》校样批语*

三色版做成铜板，便不象样到这个样子，但正式印刷时，用咖啡色，故较为好看，其中三张是三色版，却是好的。

* 本篇据鲁迅手稿抄录，题目为编者所加。

《阿Q正传》“押宝图”解说*

A＝庄家

B＝天（前方）＝天门

C＝地（左侧）＝青龙

D＝人（右侧）＝白虎

E＝穿堂（中间）

F＝角（隅）

E处揭牌，C和D胜时，E亦胜，两方负时，E亦负，两方一胜一负时，E无胜负。F亦等此例。

骨牌决胜负是极简单的赌博，以点数多方胜。（但有十点、二十点、八十点等）

*本篇最初发表于1932年11月日本东京改造社版、井上红梅译《鲁迅全集》，原书中有一段说明文字：“最近的鲁迅氏及特地给译者的《阿Q正传》中的赌博解说图。”原文为日文，吕元明译。

一九三三年

谷中安规《少年画集》题记*

《少年画集》，谷中安规木刻八帧，鲁迅得之，留给后来者。

一九三三年一月十二日，三闲书屋购藏。是夜，迅记。

* 本篇据鲁迅手稿抄录。

一九三四年

《引玉集》牌记*

一九三四年三月，三闲书屋据作者手拓原本，用珂罗版翻造三百部，内五十部为纪念本，不发卖；二百五十部为流通本，每部实价一元五角正。

*本篇原载1934年3月三闲书屋版《引玉集》末页，原无标题。

题《唐宋传奇集》赠增田涉*

合本而已，毫无订正之处。出版者赠十册，无所用之，故以其一赠增田兄，借减自己行箧之重量也。

鲁迅记于上海

一九三四年五月三十日

*本篇据鲁迅手稿抄录，题目为编者所加。

“夜来香”*

林琴南式的史汉文章已经少见了，但它还躲在电影院里，凡有电影的说明书，几乎大抵是“某生者，英伦人也”文体。鸳鸯蝴蝶却比他走运，从新飞黄腾达了。我们走过上海的店头弄里，时常听到无线电播音的“哗啦哗喇”，不过倘不驻足静听，就不知道它说些什么。多谢近来有几种报纸上登了“精采播音情报”，给我能够以目代耳，享受这“文明”玩意。“苏滩”，《啼笑姻缘》，《狸猫换太子》，不登原文，无福消受了，有的是各种诗歌，这真是集肉麻之大成，尽鸳鸯之能事，听之而不骨头四两轻者鲜矣。懒于抄录，现在只介绍《夜来香》三首之一在这里：

“夜来香，夜里香，千万种香花儿比不上，少年郎，貌堂堂，佩几朵香花儿扣上西装，知心姐，一见笑洋洋，哥哥喜爱夜来香，一阵一阵香风儿透入两个心房，不仅人香，就是爱也香。”

你看，“哥哥喜爱夜来香”就“不仅人香”“爱也香”了，多么骨软筋酥，飘飘荡荡。只要记得这一首，就懂得洋场上顾影自怜的摩登少年的骨髓里的精神。

这“播音情报”，虽然看起来难免肉麻，但为通达中国社会的一部分计，却是有用的。而且此外也无可希望。在鸦片当饭，指南针看风水，镪水浇衣服的国度里，单能想播音不宣传肉麻文学吗？

* 本篇原载 1934 年 5 月 8 日《中华日报·动向》，署名阿二。

彼得·亚历克舍夫介绍*

Peter Alekseev 是十九世纪七十年代的革命家——彼得堡的纺织工人，当时所谓"五十人案件"中的要犯；审判时他拒绝律师的辩护而自己要求演说，那篇供词在当时很出名。他痛骂俄皇政府的专制，因此更加重了罪名，被判决了十年的苦役，后在西伯利亚被人所杀。

* 原附于 1934 年初版《引玉集》目录页，题目为编者所加。

《准风月谈》后记（删稿）*

……快，但我所怕的，倒是我的杂文还好像说着现在或甚而至于来年。

先前的《伪自由书》，是北新书局出版的，其实也还是为了“生意经”，很在《出版界》广告上夸张了几句，不久，就在《社会新闻》五卷十三期（二十二年十一月九日出）上，出现了一篇用花边围起来，以显示其重要的文章——

读《伪自由书》书后

莘

《伪自由书》，鲁迅著，北新出版，实价七角。书呢，不贵，鲁迅的作品，虽则已给《申报》《自由谈》用过一道，但你要晓得，这里还有八千字的后记呢，就算单买后记，也值。并且你得明了鲁迅先生出此一书的本意，是为了那些写在《自由谈》上的杂感吗？决不是，他完全是为了这条尾巴，用来稳定他那文坛宝座的回马枪。

既然问题的主要点在此，则《社会新闻》不便束身事外了。因为照《伪自由书》《后记》的说法，指鲁迅还是“左翼”之总要角，供《自由谈》以发舒文化路线，以至造成五、六月间文坛纠纷的，都是《社会新闻》在造谣，污蔑鲁迅。假使你更懂得一点透视作用，还能看出《社会新闻》在领导着一条攻击《自由谈》的阵线——当然附带了告密，施行人身袭击，以至造成言论不得自由的罪名。

为了要完成以上的任务，书店当局更在特辑的《出版界》第一期上，加以按语："鲁迅先生将其过去在《自由谈》上所发表的散文，总辑为《伪自由书》一册……篇末有七八千字之后记，详述其投稿《自由谈》之经过，以及年来中国文坛之丑态，吐其感想，讥嘲怒骂，淋漓尽致，……"。于是《社会新闻》便能在"淋漓尽致"之下，判定了罪名。

我们是用不到辩的，我仅想应用两节现成的文字，来证明鲁迅是否是"左联"的主角以及共产党同"左联"的关系："中国左翼文化总同盟为小林多喜二募捐启事，列名者有鲁迅、陈望道、茅盾、郁达夫等八人"(《中国论坛》第十四期)；则鲁迅之为"左联"主角，不是造谣。"向上海及北平等处之文委党团提议，动员左翼作家关于中国苏维埃文学艺术的广泛散布"(《红旗》五十九期，中央召集全苏大会的通知)；则"左联"之为共党党团，左翼作家之为共党宣传员，也不是造谣。造谣既不成立，则附带条件的告密，人身袭击，以至造成言论不得自由的罪名，也无从附带了。《社会新闻》只知道铲除人群的蟊贼，揭发文氓的丑态，尤其是共产党的文化宣传。

至于鲁迅写在《自由谈》上的那些文字——《伪自由书》的本身是否是在执行共党文化路线，恕我不再参加意见，等大家去看吧！

但《伪自由书》却被禁止了，不能"等大家去看"。据《出版消息》第三十三期(本年四月一日出)所载,是"中央宣传委员会前曾开列禁书单,计禁书籍一百四十九种,上海出版界异常恐慌,经数次之集会,并向市党部等请愿。后由市党部将事情转呈中央,最近中央已来批答,将原禁书单,加以修改"。修改之后,《伪自由书》还是禁,那批语是——

内共有杂文四十余篇,多讥评时事,攻讦政府当局之处,以《伪自由书》为书名,其意亦在诋毁当局。

＊原载上海鲁迅纪念馆编1982年3月版《纪念与研究》第四辑。

一九三五年

《引玉集》再版牌记*

一九三五年四月，再版二百五十部，内十五部仍为赠送本，不发卖；二百部为流通本，每部实价一元五角。上海四川路底施高塔路，内山书店代售。

*本篇印在1935年三闲书屋再版《引玉集》版权页，原无标题。

题《死魂灵》赠孟十还*

这是重译的书，以呈　十还先生，所谓“班门弄斧”者是也。

鲁迅

一九三五年十一月十五日，上海

*本篇据鲁迅手稿抄录，题目为编者所加。

一九三六年

《花边文学·骂杀与捧杀》增补*

(“色借,日月借……枯竹窍借……”),后由曹聚仁先生指出,谓应标点为“色借日月,借烛,借青黄,借眼:色无常。声借钟鼓,借枯竹窍,借……”所以再版上也许不再看见此等“语妙”了。

*本篇据鲁迅手稿抄录,题目为编者所加。

萧军简介*

萧军跟目前中国的进步青年作家一样,籍贯和真实姓名不详,即便他自称姓刘,也不可确信。他是北方人,年龄将近三十岁。曾在哈尔滨、青岛的报纸上发表过作品,从去年起,他的小说在上海著名的文学杂志上刊登以后,名声大扬,赢得了众多的读者。

作品集有去年出版的短篇小说集《羊》,和正在排印中的第二本小说集《江上》。

*本篇原载1936年6月号日文《改造》月刊。

鲁迅杂文集编目*

书名	写作年月	定价	印集书店
坟	一九〇七至二五年	一元	北新书局
热风	一九一八至二四年	四角五分	同上
华盖集	一九二五年	六角	同上
华盖集续编	一九二六年	八角	同上
而已集	一九二七年	六角五分	同上
三闲集	一九二七至二九年	七角	同上
二心集(禁止)	一九三〇至三一年	一元	合众书店
南腔北调集(禁止?)	一九三二至三三年	八角	
伪自由书(禁止)	一九三三年	七角	北新书局
准风月谈	一九三三年	九角	兴中书局
花边文学	一九三四年		
且介亭杂文	一九三四年		
且介亭杂文二集	一九三五年		
集外集	一九〇三至三三年	七角	群众图书公司
集外集拾遗			
鲁迅杂感选集	一九一八至三三年		北新书局

* 本篇据鲁迅手稿抄录,题目为编者所加。

书 信

本编所收鲁迅书信及残简，统一按写作日期顺序编号。如 1912 年 7 月 23 日，编号即为 120723；1928 年 3 月 8 日，编号即为 19280308。

120723　致周作人*

我于爱农之死，为之不怡累日，至今未能释然。昨忽成诗三章，随手写之，而忽将鸡虫做入，真是奇绝妙绝，辟历一声，速死豸之大狼狈矣。今录上，希大鉴定家鉴定，如不恶，乃可登诸《民兴》也。天下虽未必仰望已久，然我亦岂能已于言乎？

二十三日，树又言。

* 此信原附于《哀范君三章》诗稿之后。

240418　致胡适*

周树人收

适之先生送来书价四十五元正。

四月十八日

* 此信写在鲁迅名片上。

260118　致张目寒*

内函并银两元,乞面交赵荫棠兄。

迅托　一,一八。

* 此信据鲁迅手迹。

280308　致北新书局*

收到稿费壹百元。

(一九二八年)三月八日

* 此信写在鲁迅名片上。

280503　致蔡漱六*

收到大洋壹百元正。此复
蔡先生。

(一九二八年)五月三日

* 此信写在鲁迅名片上。

280725　致李小峰*

收到洋百元正。奉上《语丝》稿一束。

十七年七月廿五日

* 此信写在鲁迅名片上。

290908　致郁达夫*

达夫先生：

昨得小峰来信，其中有云："《奔流》的稿费，拟于十六号奉上，五期希即集稿为盼。"

这也许是有些可靠的，所以现拟"集稿"。第五本是"翻译的增大号"，不知道先生可能给与一篇译文，不拘种类及字数，期限至迟可以到九月底。

密期王并此致候。

迅上　九月八夜

* 此信据鲁迅手稿。

290918　致北新书局*

今收到

北新书局第一回所付版税洋贰千贰百元正。

鲁迅

中华民国十八年九月十八日

* 此信据鲁迅手稿。

291002　致郁达夫*

……(缺页)

商量出一类似《奔流》之杂志，而稍稍驳杂一点，似于读者不无小补。因为《奔流》即使能出，亦必断断续续，毫无生气，至多不过出完第二卷也。

北新版税，第一期已履行；第二期是期票，须在十天之后，但当并非空票，所以归根结蒂，至延期十天而已。

迅启上　十月二夜

* 此信据鲁迅手稿。

291011 致郁达夫*

达夫先生：

十一信当天收到。Tieck 似乎中国也没有介绍过。倘你可以允许我分两期登完，那么，有二万字也不要紧的。

昨天小峰又有信来，嘱集稿，但那“拟于十六”，改为“十五以后”了。虽然从本月十六起到地球末日，都可以算作“十五以后”，然而，也许不至于怎样辽远罢。

迅上 十一下午

* 此信据鲁迅手稿。

310724 致郦荔丞*

荔丞老棣足下：

日前乔峰持来所 惠妙绘一帧，发视怅然感念并集。遽忆睽离故乡且三十载，与情亲不相谋面者亦已久矣。中表兄弟隔以云天，而俱已鬓垂斑白，岂亲睹 高情于毫素，粲者华于萧斋，则诚不禁恍忽远念，如见儿时相见于皇甫庄时之梦也。吾 棣笔法清正，自是花鸟正脉，而近来㧑叔、仓石末流，恣为荒怪，适足投沪上浅躁之心。萎花枯叶，奉为珍异，则健实之作，而冀为世所赏，盖亦难矣。一切如此，固不特绘事为然也。特此声谢，并颂

曼福不尽。

愚小兄

周树人顿首

七月廿四日

* 此信据鲁迅手稿。

320822　致合众书店*

今收到《二心集》版权费大洋陆百元正。

鲁迅

一九三二年八月二十二日

* 此信据鲁迅手稿。

330419　致姚克*

敬请

莘农先生于星六(二十二)午后六时驾临福建路大马路口知味观杭菜馆七座一叙,勿却是幸。即颂日祉。

周树人订

(一九三三年)四月十九日

令弟亦务希惠临为幸　鲁迅并记

* 此信据知味观杭菜馆请柬填写。

书籍广告

本编收入鲁迅撰写或由他人撰写经鲁迅修改后的广告,以撰写或发表时间为序。

一九〇九年

《域外小说集》(第一册)以后译文及新书豫告*

域外小说集第一册以后译文

英国淮尔特　黄鹂

匈加利育珂　怨家　伽萧太守

瑙威毕伦存　父　人生閟事

丹麦安兑然　寥天声绘

芬兰哀禾　先驱

波兰显微支　灯台等

俄国都介纳夫　毕旬大野　犹太人

俄国迦尔洵　四日　绛华

其他法人福勒特尔美人亚伦坡新希腊人比该罗斯及南欧名小品

新书豫告

赤笑记　俄安特来夫

并世英雄传　俄来尔孟多夫

神盖记　匈密克札忒

* 本篇原载1909年2月日本东京神田印刷所《域外小说集》(第一册)书后。

《域外小说集》(第二册)以后译文及新书豫告*

域外小说集第二册以后译文

英国淮尔特　杜鹃

匈加利青珂　伽萧太守

俄国都介纳夫　犹太人　莓泉

俄国凯罗连珂　海　林籁

瑙威毕伦存　父　人生閟事

丹麦安兑然　和美洛斯　垅上之华

芬阑丕复林多　荒地　术人

及其他欧美名家小品

新书豫告

波阑显克微支　粉本(原名炭画)

匈加利密克札忒　神盖记

法国摩波商　人生

俄国安特来夫　赤笑记

俄国来尔孟多夫　并世英雄传

* 本篇原载 1909 年 6 月日本东京神田印刷所印《域外小说集》(第二册)书后。

一九二五年

厨川白村著《苦闷的象征》出版*

这是一部文艺论，共分四章，现经我用照例的拙涩的文章译出。印成一本，内有插画五幅。实价五角，初出之两星期内（三月七日至二十一日）特价三角五分，但在此期内，暂不批发。北大新潮社代售。鲁迅。

* 本篇原载 1925 年 3 月 9 日《语丝》第 17 期。

《莽原》半月刊出版预告*

这本是已经出了大半年了的周刊，想什么就说什么，能什么就做什么，笑和骂那边好，冷和热那样对，绅士和暴徒那边妥，创作和翻译那样贵，都满不在乎心里。现在要改半月刊了，每期出版四十余面，用纸洁白，明年一月出第一期。目录续登。

* 本篇原载 1925 年 12 月 25 日北京《国民新报副刊》广告栏。

《出了象牙之塔》出版预告*

日本厨川白村作论文十篇。鲁迅翻译。陶元庆画封面。纸数二百七十面。纸质上等。插图五幅。实价七角。自十二月二十八日起至明年一月十日止特价八折。每日下午一点半至六点钟，在沙滩新开路五号“未名社刊物经理处”发卖。

*本篇原载1925年12月25日北京《国民新报副刊》广告栏。

一九二六年

预　告*

罗曼罗兰(Romain Roiland)的六十寿辰本在今年一月,国内似乎还没有什么纪念他的文章出现,因此我们想在下期的本刊上集印几篇文章,作为纪念他的寿辰的特刊。页数随文章之多少增加,预备要插入他的画像和手迹有三张。如果印刷来不及,这特刊就改在第七期。现在已定的文章有:赵少侯先生作的《罗兰评传》,常惠先生译的《致蒿普德曼论战争书》,金满城先生译的《超于战争》,和张凤举先生对于《超于战争》的批评。另外常惠先生还要选译一篇他的作品。其余的还说不定。不过订阅的人不另外再多拿钱。

* 本篇最初刊于1926年3月10日《莽原》(半月刊)第五期。

李霁野译《往星中》广告*

这是安特列夫的反映一个时代的名剧，表现一九〇五年革命失败后充满绝望与革命，坚信与怀疑的精神的俄国社会中矛盾和混乱的情绪，作者追询人生的意义之深刻与对于人生的态度亦可于此书中见出。

* 本篇原载 1926 年 6 月 25 日《莽原》（半月刊）第十二期封底。题目为编者所加。

《坟》出版预告*

莽原丛刊《坟》

这是鲁迅的论文集。自一九〇七年留学日本的文言文《人的历史》起，按年代排列，经登在《新青年》的白话文而至一九二六年登在本刊的《论费尔泼赖应该缓行》，并演说二篇，共二十四篇。作者较成片段的文章，大概都收录在内。现已付印，不日出版。

* 本篇原载 1926 年 9 月 10 日《莽原》（半月刊）第十七期。题目为编者所加。

鲁迅的杂感与纂辑*

热风(再版)　　(四角)

杂感第一集,四年中作。

华盖集(再版)　　(六角)

杂感第二集,一年中作。

中国小说史略(三版)　　(八角)

自周至清二十八篇。

小说旧闻钞　　(四角半)

所采书七十余种。

唐宋传奇集　　(近出)

校录善本三十余篇。

北京东城翠花胡同十二号北新书局发行

* 本篇原载1926年8月北京北新书局印行的《彷徨》初版本书后。

一九二七年

《唐宋传奇集》广告*

上卷出版　定价六角

鲁迅校录。共九卷。唐人作者五卷三十二篇;宋人作者三卷十六篇。末一卷为稗边小缀,即鲁迅所作考证,文言一万五六千字。是一部小心谨慎,用许多善本,校订编成的书。编者在序例上说:"本集篇卷无多,而成就颇亦非易。……广赖众力,才成此编。"则其不草率从事也可想。治文学史则资为材料,嗜文艺则玩其词华,有此一编,诚为两得,现已付印,不日出版。

北新书局启

* 本篇原载 1927 年 12 月 17 日《语丝》第四卷第一期。

《小约翰》广告*

读者日日渴望的小约翰

现已出版！实价八角。

荷兰望蔼覃著，鲁迅译。是用象征来写实的童话体散文诗。叙约翰原是大自然的朋友，因为要求知，终于成为他所憎恶的人类了。前有近世荷兰文学大略，作者的详传及照像，孙福熙画封面。

发行者：北京未名社

上海总经售：北新书局

* 本篇最初刊于 1928 年 1 月 18 日《语丝》第四卷第七期。

《苏俄新文艺的论述》广告*

再版《苏俄的文艺论战》，任国桢译，实价三角半

这是任国桢君就俄国的杂志中选译的论文三篇，使我们藉此可以知道他们文艺上论辩的大概，别有蒲力汗诺（夫）的艺术问题一篇，可供读者连类的参考。

再版《新俄的演剧运动与跳舞》，画室译，实价五角半

本书内容包含“革命期的俄国演剧运动的三权威”、“舞台装置的革命”、“最近的三种跳舞剧”等篇；并有关于舞台装置，舞台意匠及跳舞的插图多幅，是论述新俄文艺最感到兴趣的一编。

再版《新俄运动的曙光期》，昇曙梦著，实价四角

俄国文学的内容与形式，在十月革命以后，受了革命及新社会组织的影响，有重大的变化。本书对于这时期的俄国文坛的变迁，各派消长兴衰的痕迹，及新文学之发生和其新运动及新收获，叙述极为详明，介绍过来足与吾国文坛以不少的新刺激。

再版《新俄罗斯的无产阶级文学》，昇曙梦著，实价四角半。无产阶级文学现在已形成为苏俄文坛的主潮了。本编的内容是专论它的运动及现状的；关于无产阶级文学的发达，变适，内容，特质，作品等叙说得明了而详细，足供关心新文学者的参考。

* 本篇最初刊于1928年2月4日《语丝》第四卷第八期。

一九二八年

《思想 山水 人物》广告*

日本鹤见祐辅著，鲁迅译。

这是一部论文和游记集，著意于政治，其中关于英美现势的观察及人物的评论，都有明快切中的地方，滔滔如瓶泻水，使人不觉终卷。选译二十篇，全编三百页，插图九幅，实价九角半。

上海北新书局

* 本篇原载 1928 年 6 月 18 日《语丝》第四卷第二十四期。

《苏曼殊全集》广告*

苏曼殊全集

一二三集出版了，柳亚子编

平装每集一元，精装每集一元五角

曼殊大师是旷代的薄命诗人，他的天才的卓越，词藻的倚丽和情感的丰富凡稍读过他的作品的人，都可以同样的感觉到，他的诗集是我们近百年来无二的宝贵的艺术品，他的译品是真正教了我们会悟异乡的风味，他的说部及书札都无世俗尘俗气，殆所为一却扇一顾，倾城无色者，现经柳亚子先生广为搜辑，遂成此集，为曼殊作品之最完全者，分为曼殊著作及附录两部，装订成五册，前三册是曼殊自己的作品，日内可以出齐，附录二册，是曼（殊）友人寄赠哀悼之作，及后人研究曼殊的文字，十月内均可出齐，凡爱读曼殊作品，不可不手置一编也。

*本篇最初刊于1928年7月27日《语丝》第四卷第三十五期。

一九二九年

朝花社出版新书*

鲁迅等编译:奇剑及其他 近代世界短篇小说集(1)

每册实洋六角,用二号纸精印,并有摩而那及其夫人像片一张。

本集选译近代比利士,捷克,法兰西,匈牙利,俄罗斯等国著名短篇小说十三篇,内三分之一未曾发表,计作家十,如巴比塞,摩而那,高尔基,淑雪兼珂等正健在着,享着盛名。

鲁迅编:艺苑朝华 第一期·第四辑

比亚兹莱画选　每辑实洋四角

比亚兹莱(A. Beardsley)的作品,因为翻印了"沙乐美"的插画,还因为我们本国时行艺术家的摘取,似乎连风韵也颇为一班所熟悉了。但他的装饰画,却未经诚实地介绍过。现在就选印十二幅,略供爱好比亚兹莱者看看他未经撕剥的遗容。

朝花旬刊

朝花周刊第二十期以后改为旬刊,第一卷第一期六月一日出版。另售每期实洋六分,半年一元,全年一元八角,外国每半年加邮费五角。

* 本篇最初刊于1929年5月13日《语丝》第五卷第十期、第十一期。

本社出版新书*

奇剑及其他

近代世界短篇小说集(1)

鲁迅等编译

每册实洋六角

本集选译近代比利士，捷克，法兰西，匈牙利，俄罗斯等国著名短篇小说十三篇，内三分之一未曾发表，计作家十，如巴比塞，摩尔那，高尔基，淑雪兼珂等正健在着，享着盛名。用二号纸精印，并有摩尔那及其夫人像片一张。

朝花周刊合订本

每本实洋七角

《朝花周刊》第一期至第二十期业已汇订成册，用二号纸印，十六开本，一百六十页，十六万字，计论述六篇，戏剧二篇，诗歌二十三篇，小说二十篇，随笔十五篇，杂撰九篇，并木刻，版画十幅。本合订本共仅二百册，购者从速。

合记教育用品社发行

上海棋盘街

* 本篇原载 1929 年 6 月 1 日《朝花旬刊》一卷一期。

鲁迅编:未名丛刊*

1. * 苦闷的象征。日本厨川白村作;鲁迅译。(七版)价五角。

2. * 苏俄文艺论战。俄国楮沙克等作;任国桢译。(再版)价三角。

3. 出了象牙之塔。日本厨川白村作;鲁迅译。(四版)价七角。

4. 往星中。俄国安特列夫作;李霁野译。(再版)价四角半。

5. 穷人。俄国陀思妥夫斯基作;韦丛芜译。(三版)价六角半。

6. * 十二个。俄国勃洛克作;胡斆译。价三角半。

7. 外套。俄国果戈里作;韦素园译。(再版)价三角。

8. 白茶。俄国班珂等作;曹靖华译。(再版)价五角。

9. * 争自由的波浪。俄国但兼珂等作;董秋芳译(再版)价五角半。

10. * 工人绥惠略夫。俄国阿尔志跋绥夫作;鲁迅译。价六角。

11. * 一个青年的梦。日本武者小路实笃作;鲁迅译。(五版)价八角。

12. 小约翰。荷兰望蔼覃作;鲁迅译。(再版)价八角。

13. 文学与革命。俄国特罗茨基作;韦素园与李霁野译。(再版)价一元一角。

14. 黑假面人。俄国安特列夫作;李霁野译。价三角半。

15. 格里佛游记(卷一)。英国斯伟夫特作;韦丛芜译。(再版)价五角。

16. 烟装。苏联爱伦堡等作;曹靖华译。价八角半。

17. 格里佛游记(卷二)。英国斯伟夫特作;韦丛芜译。(再版中)价五角半。

18. 黄花集。北欧诗歌小品散文集;韦素园译。价五角半。

19. 不幸的一群。俄国,波兰,美国小说选集;李霁野译。价七角。

20. 第四十一。苏联拉甫列捏夫作;曹靖华译。价七角半。

21. 蠢货。俄国契诃夫等作;曹靖华译。即出。

22. 罪与罚。俄国陀思妥夫斯基作;韦丛芜译。在印。

23. 被侮辱与损害的。俄国陀思妥夫斯基作;韦素园李霁野译。在印。

北京东城
景山东街 未名社出版部发行

有*号者,上海北新书局发行。

*本篇原载“未名新集”——《朝花夕拾十篇》1929 年 7 月第三版书后。

鲁迅著译及纂辑各书*

呐喊　小说第一集。价七角。

彷徨　小说第二集。价八角。

野草　散文诗集。价三角五分。

坟*　论文集。价九角。

热风　杂感第一集。价四角。

华盖集　杂感第二集。价六角。

华盖集续编　杂感第三集。价八角。

而已集　杂感第四集。价六角。

中国小说史略　自周至清二十八篇。价八角。

小说旧闻钞　所采书七十余种。价四角五分。

唐宋传奇集上下　校录善本三十余篇。价各六角。

桃色的云　爱罗先珂戏剧。价八角。

苦闷的象征　厨川白村文艺论四篇。价五角。

工人绥惠略夫　阿尔志跋绥夫小说。价六角。

一个青年的梦　武者小路实笃戏剧。价八角。

出了象牙之塔*　厨川白村论文及演说十二篇。价七角。

小约翰*　望蔼覃童话。价八角。

思想 山水 人物　鹤见右辅论文集。价九角五分。

有*号者北平未名社出版部发行

余由上海北新书局发行

*本篇原载1929年未名社《朝花夕拾》第三版书后。

一九三〇年

介绍现代文艺丛书*

1. 十月(A. 雅各武莱夫著)

鲁迅译　三月出书

2. 一周间(U. 里白进斯基著)

江思　苏汶译　二月出书

3. 裸之年(B. 毕力涅克著)

蓬子译　四月出书

4. 水门汀(F. 革拉特珂夫著)

柔石译　九月出书

5. 溃灭(A. 法兑耶夫著)

鲁迅译　八月出书

6. 浮士德与城(A. 卢那卡尔斯基著)

蓬子译　十月出书

7. 被解放的董吉诃德(A. 卢那卡尔斯基著)

鲁迅译　十一月出书

8. 铁之流(A. 绥拉斐摩维支著)

曹靖华译　十二月出书

9. 新俄短篇小说集(一)

同路人作品Ⅰ　二月出书

10. 新俄短篇小说集(二)

同路人作品Ⅱ　三月出书

11. 新俄短篇小说集(三)

无产作家作品Ⅰ　七月出书

12. 赫莱尼多之遍历(Ⅰ. 爱伦堡著)

鲁迅译　十二月出书

鲁迅编　春潮书局印行

* 本篇最初刊于1930年1月1日《萌芽月刊》一卷一期。

现代文艺丛书十种*

鲁迅编

十月	雅各武莱夫著	鲁迅译
裸之年	毕力涅克著	蓬子译
装甲列车	伊凡诺夫著	侍桁译
铁之流	绥拉斐摩维支著	曹靖华译
浮士德与城	卢那卡尔斯基著	柔石译
被解放的董吉诃德	卢那卡尔斯基著	鲁迅译
叛乱	孚尔玛诺夫著	成文英译
火马	华拉特珂夫著	侍桁译
溃灭	法兑耶夫著	鲁迅译
贫农组合	班菲洛夫著	鲁迅译

* 本篇原载1930年4月神州国光社出版《文艺讲座》第一册。

一九三一年

三闲书屋校印 决不欺骗读者的书籍*

铁流

A. 绥拉菲摩维支作　曹靖华译

附序文注释及作者自传

地图一张插画　六张内　三色版二张

实价　大洋一元四角

士敏土之图

凯尔·梅斐尔德作　鲁迅序

木刻十幅，玻璃板中国宣纸印

只印二百五十部，现只余百部

实价　大洋一元五角

上海北四川路底施高塔路口内山书店代售

* 本篇原刊 1931 年 10 月三闲书屋再版《毁灭》书后。

一九三三年

《文艺连丛》出版预告*

投机的风气使出版界消失了有几分真为文艺尽力的人。三闲书屋曾经想来抵抗这颓运，而出了三本书，也就倒灶了。我们只是几个能力未足的青年，可是要再来试一试，看看中国的出版界是否永是这么没出息。

我们首先要印一种关于文学和美术的小丛书，就是《文艺连丛》。为什么“小”，这是能力的关系，现在没有法子想。但约定的编辑，是真的肯负责任的编辑，他决不只挂一个空名，连稿子也不看。因此所收的稿子，也就是切实的翻译者的稿子，稿费自然也是要的，但决不是专为了稿费的翻译。总之：对于读者，也是一种决不欺骗的小丛书。

现在已经付印的是：

1. 不走正路的安得伦　苏联聂维洛夫作，曹靖华译。作者是一个最伟大的农民作家，可惜在十年前就死掉了。这一篇中篇小说，所叙的是革命开初，头脑单纯的革命者在乡村里怎样受农民的反对而失败，写得十分生动。译者深通俄国文字，又在列宁格拉的大学里教授中国文学有年，所以难解的土话，都可以随时询问，其译文的可靠，是早为读书界所深悉的。内有蔼支(EZ)的插画五幅。现已付印，不日出版。

2. 山民牧唱　西班牙巴罗哈作，鲁迅译。西班牙的作家，中国大抵只知道因欧洲大战时候，作书攻击德国的伊本纳兹，但文学的本领，巴罗哈实远在其上。日本译有选集一册，所记的都是山地住民跛司珂族的风俗习惯，译者曾选译数篇登《奔流》上，颇为读者所赞许。这是选集的全译。上有作者画像一幅。现已付印，不日出书。

3. Noa Noa　法国戈庚作，罗忼译。作者是法国画界的猛将，他厌恶了所谓文明社会，逃到野蛮岛泰息谛去，生活了好几年。这书名还未一定，或者就可以改为《泰息谛纪行》罢。里面所写的就是所谓"文明人"的没落，和纯真的野蛮人被这没落的"文明人"所毒害的情形，并及岛上的人情风俗，神话等。译(者)是一个无名的人，但译笔却并不在有名的人物之下。有木刻插画十二幅。现已付印。

上海野草书屋谨启

* 本篇原附于野草书屋1933年版《萧伯纳在上海》书后。

《北平笺谱》牌记*

一千九百三十三年九月匀工选材，印造一百部，十二月全书成就，此书为第××部。藏版者：荣宝斋、淳菁阁、松华斋、静文斋、懿文斋、清秘阁、成兴斋、宝晋斋、松古斋。

选定者：鲁迅　西谛。

* 本篇原载 1933 年 12 月版《北平笺谱》。

《北平笺谱》广告*

中国古法木刻，近来已极凌替。作者寥寥，刻工亦劣，其仅存之一片土，惟在日常应用之“诗笺”，而亦不为大雅所注意。三十年来，诗笺之制作大盛，绘画类出名手，刻印复颇精工。民国初元，北平所出者尤多隽品，抒写性情，随笔点染，每入前人未尝涉及之园地。虽小景短笺，意态无穷。刻工印工，也足以副之。惜尚未有人加以谱录。近来用毛笔作书者日少，制笺业意在迎合，辄弃成法，而又无新裁，所作乃至丑恶不可言状。勉维旧业者，全市已不及五七家，更过数载，出品恐将更形荒秽矣。鲁迅西谛二先生因就平日采访所得，选其尤佳及足以代表一时者三百数十种（大多数为彩色套印者），托各原店用原刻版片，以上等宣纸，印刷成册，即名曰：《北平笺谱》。书幅阔大，彩色绚丽，实为极可宝重之文籍；而古法就荒，新者代起，然必别有面目，则此又中国木刻史上断代之唯一之丰碑也。所印仅百部，除友朋分得外，尚余四十余部，爰以公之同好。每部预约价十二元，可谓甚廉。此数售罄后，续至者只可退款。如定户多至百人以上，亦可设法第二次开印，惟工程浩大（每幅有须印十余套色者），最快须于第一次出书两月后始得将第二次书印毕奉上。预约期二十二年十二月底截止。二十三年正月内可以出书。欲快先睹者，尚希速定。

* 本篇原载1933年12月《文学》第一卷第六期，原题《北平笺谱》，系据郑振铎初稿改定。

一九三四年

《木刻纪程》出版告白*

中国青年作家出品木刻纪程(第一辑)出版

内皆去今两年中的木刻图画，由铁木艺术社选辑，人物风景静物具备，共二十四幅。用原刻木版，中国纸精印，订成一册。只有八十本发售。爱好木刻者，以速购为佳。实价大洋一元，邮购加寄费一角四分。上海北四川路底内山书店代售。

* 本篇原载1934年11月《文学》(月刊)第三卷第五号。

《北平笺谱》再版牌记*

一千九百三十三年九月旬工选材，印造一百部。一千九百三十四年再版一百部，此为再版第××部。藏版者：荣宝斋、淳菁阁、松华斋、静文斋、懿文斋、清秘阁、成兴斋、宝晋斋、松古斋。

选定者：鲁迅　西谛。

* 本篇刊于1934年版《北平笺谱》目录后。

一九三五年

《十竹斋笺谱》广告*

《十竹斋笺谱》，明胡曰从编，全部彩色木刻套印，鲁迅西谛编的《版画丛刊》第一种。中国彩色套印的技术，为世界最早的发明者。向来总以为《芥子园画谱》是极早的一部，却不知这技术，在明万历天启间便已达于登峰造极之境，海阳胡曰从氏所编的十竹斋画谱、笺谱尤为其中白眉。见了这些精工绝伦的刊物，才明白芥子园不过拾其唾余耳。惜十竹斋所刻，原印者极为罕遇。画谱经后人叠次翻印，几乎尽失原形。笺谱则告成于崇祯甲申，而当国事大变那一年，故印数不多，流传尤少而幸得免于坊贾模印。今借通县王氏藏本，选求北平最好之刻工、印工，照原样全部翻印，五彩绚烂，古雅绝伦，逼肖原作，几可乱真，实为二百年来未有之美术的刊物。和近人之珂罗版作底子而套印木版者绝不相侔。惟全部工程过钜，难于克期告成。兹先将已刻竣之第一册，刷印发售，以快先睹。此册计有彩色版画五十六幅并附加以弁言及原序等。用上等棉料纸精印三开大本。特价每部售洋四元五角。初版仅印二百部。现已出售。

* 本篇原刊于 1935 年 5 月《文学》第 4 卷第 5 号。

《博古叶子》广告*

老莲的画，一代绝作，然真迹罕见，反不若版画中可得其真。编者搜求老莲版画多年，所得颇多。惟以不见博古水浒二册为憾。博古页子从前海上某肆曾以石印翻出一部，其原底却是描绘的，不是木刻原本。因此原作精神，遂大为减色。今此册为周子竞先生所藏每幅皆有刻工黄子立的签名，珍秘之至，世间未见第二全本。承周先生慨允借印，大是幸事。因特先印出版。余若九歌，西厢诸图，待后续印。此册由故宫印刷所制版精印，丝毫不失木版的精神。较之近人影印版画，往往描绘上石，全失原作气韵者绝对有异。全书原图及序跋，共五十六幅，并附西谛跋及老莲与子立传。仅印二百部，再版不易。其中有十部系用旧纸印刷，古朴之至。二十五年五月内可出书。特价每部三元。（旧纸印者每部价拾元，如已售完，得退款。）特价截止期二十四年五月底。

*本篇最初刊于1935年5月《文学》第4卷第5号。

一九三六年

《珂勒惠支版画选集》广告*

KAETHE KOLLWITZ

珂勒惠支

版画选集

二十一幅

三闲书屋印

书印无多

欲购从速！

* 本篇据鲁迅手稿抄录。

附录:家用账

本编收入鲁迅亲手所记家用账，共分三册，时间自农历癸亥年六月二十日至乙丑年十二月二十九日(即公历1923年8月2日至1926年2月11日)。账中所记日期均为农历，数字中整数单位为元，小数点后三位分别为角、分、厘。

癸亥年

民国十二年旧历六月二十日迻居砖塔胡同六十一号

六月

二十	煤球	百斤八吊	〇．四一二
	铁炉		一．四〇〇
廿一	房租	两月份	一六．〇〇〇
	女工		二．〇〇〇
	零用		四．〇〇〇
廿二	米		三．二〇〇
廿五	碗碟		〇．四〇〇
廿六	零用		一．〇〇〇
	洋烛		〇．一六〇
廿七	煤球		〇．四一二
廿八	零用		一．〇〇〇

总计　二九．九八四(内房钱双份)

七月

初二	房租	本月份	八．〇〇〇
初三	水		一．〇〇〇
初四	零用		一．〇〇〇
	煤		〇．四〇二

初七	零用	一.八五	二.〇〇〇
初十	米		六.四〇〇
	零用		一.〇〇〇
十一	煤		〇.四〇三
十二	零用		一.〇〇〇
十七	煤		〇.四三〇
	零用		二.〇〇〇
二十	女工		二.〇〇〇
廿一	零用		二.〇〇〇
廿五	零用	内煤百斤	二.〇〇〇
廿九	炭及盆		二.〇〇〇
卅	零用		二.〇〇〇
	总计		三三.六八〇

八月

初一	房租	八.〇〇〇
	煤	〇.四五〇
初二	米	七.〇〇〇
	零用	一.〇〇〇
初四	水	一.〇〇〇
初八	煤及柴	一.〇〇〇
初九	零用	一.〇〇〇
十四	零用	三.〇〇〇
十五	酱油	〇.三〇〇
十六	零用	一.〇〇〇

十八	南货		一.六二〇
十九	零用		一.〇〇〇
廿二	女工		二.〇〇〇
廿三	零用	内煤百斤	三.〇〇〇
廿九	零用		二.〇〇〇
	总计		三三.七三〇

九月

初一	房租		八.〇〇〇
初五	零用	内煤百斤	二.〇〇〇
初七	鸡	六个又三个	二.〇〇〇
初八	水		一.〇〇〇
初十	炭		一.〇〇〇
十一	零用		二.〇〇〇
十四	零用		二.〇〇〇
十八	零用		二.〇〇〇
二十	女工		三.〇〇〇
	米		七.〇〇〇
廿二	零用		一.〇〇〇
	鲞		〇.五二〇
廿四	零用		三.〇〇〇
廿七	零用		二.〇〇〇
卅	装火炉		三.三五〇
	煤		一.四〇〇
	总计		四一.二七〇

十月

初一	房租	八．○○○
	石油	二．○○○
初三	零用	二．○○○
初六	柴	一．○○○
	零用	二．○○○
初十	零用	二．○○○
十五	水	一．○○○
十八	零用	二．○○○
二十	女工	一．○○○
廿一	零用	二．○○○
廿八	零用	二．○○○
卅	米	一四．四○○
	送费	○．一○○
	总计	三九．五○○

十一月

初一	房租	八．○○○
	零用	二．○○○
初五	零用	二．○○○
初八	零用	二．○○○
十一	零用	二．○○○
十三	石油	二．○○○
	零用	二．○○○
十八	零用	二．○○○

廿一	女工	二.〇〇〇
廿三	零用	二.〇〇〇
	柴	一.〇〇〇
廿四	零用	三.〇〇〇
廿七	水	一.〇〇〇
	土车捐	一.〇〇〇
	总计	三二.〇〇〇

十二月

初一	房租	八.〇〇〇
	零用	二.〇〇〇
初六	零用	二.〇〇〇
初九	零用	五.〇〇〇
十五	零用	一.〇〇〇
十六	米	七.二〇〇
十七	零用	二.〇〇〇
二十	零用	二.〇〇〇
廿一	女工	二.〇〇〇
廿五	零用	四.〇〇〇
	石油	二.〇〇〇
三十	零用	一.〇〇〇
	女工节钱	一.〇〇〇
	车夫节钱	一.〇〇〇
	总计	四〇.〇〇〇

本年陆月另十日共用钱二百四十九元七角另四分。

平均每月用钱三十九元四角三分。

甲子年

民国旧历甲子之年

正月

初三	房租	八.〇〇〇
初五	零用	三.〇〇〇
初九	零用	二.〇〇〇
初十	柴	一.〇〇〇
	水	一.〇〇〇
十二	零用	二.〇〇〇
十七	零用	二.〇〇〇
十九	女工	二.〇〇〇
廿一	零用	二.〇〇〇
廿五	零用	二.〇〇〇
廿九	零用	二.〇〇〇
	总计	二七.〇〇〇

二月

初一	房租	八.〇〇〇
初五	零用	二.〇〇〇
初十	零用	二.〇〇〇

十四	零用	二.〇〇〇
十八	洋油	二.〇〇〇
	零用	二.〇〇〇
二十	女工	二.〇〇〇
廿一	零用	二.〇〇〇
廿四	零用	二.〇〇〇
廿七	米	一四.四〇〇
	又送力	〇.〇六〇
廿八	零用	二.〇〇〇
	总计	四〇.四六〇

三月

初一	房租	八.〇〇〇
初二	水	一.〇〇〇
	零用	二.〇〇〇
初七	零用	二.〇〇〇
初十	零用	四.〇〇〇
	炭	一.〇〇〇
十六	零用	二.〇〇〇
二十	零用	二.〇〇〇
廿一	女工	二.〇〇〇
廿三	零用	二.〇〇〇
廿六	零用	二.〇〇〇
三十	零用	二.〇〇〇
	总计	三〇.〇〇〇

四月

初二	煤油	二．四〇〇
初四	房租	八．〇〇〇
	零用	一．六〇〇
初七	零用	二．〇〇〇
十一	零用	四．〇〇〇
十四	零用	二．〇〇〇
十八	零用	二．〇〇〇
十九	女工	二．〇〇〇
廿一	零用	二．〇〇〇
廿三	女工	〇．五〇〇
	零用	二．〇〇〇
廿五	零用	二．〇〇〇
廿八	零用	二．〇〇〇
	虾米	〇．五〇〇
	总计	三三．〇〇〇

五月

初二	零用	二．〇〇〇
初四	零用	二．〇〇〇
初七	零用	二．〇〇〇
初十	零用	二．〇〇〇
十三	零用	二．〇〇〇
十五	零用	二．〇〇〇
十七	零用	二．〇〇〇

二十　女工　二．五〇〇
廿二　米　一四．八〇〇
面　三．一〇〇
送力　〇．一〇〇
零用　二．〇〇〇
廿五　零用　五．〇〇〇
廿九　零用　二．〇〇〇
三十　女工潘　二．五〇〇
总计　四六．〇〇〇

六月

初二　零用　二．〇〇〇
初四　石油　二．二五〇
零用　二．〇〇〇
以下失记

八月

初一　柴　一．〇〇〇
初三　零用　三．〇〇〇
初七　零用　二．〇〇〇
初十　煤油　二．三〇〇
十一　零用　五．〇〇〇
十二　节赏　三．〇〇〇
十五　零用　二．〇〇〇
十八　零用　二．〇〇〇
二十　女工　三．〇〇〇

廿一	零用	五．〇〇〇
廿四	零用	二．〇〇〇
廿七	零用	五．〇〇〇
	总计	三五．三〇〇

九月

初三	煤	三．〇〇〇
初五	零用	五．〇〇〇
初七	米二担	三四．〇〇〇
	面	三．一〇〇
初十	零用	二．〇〇〇
十二	零用	五．〇〇〇
十五	煤油	二．三〇〇
十五	零用	五．〇〇〇
十九	零用	五．〇〇〇
二十	女工	三．〇〇〇
廿三	煤一吨	一三．〇〇〇
	车钱	一．二〇〇
	零用	二．〇〇〇
廿六	零用	五．〇〇〇
	总计	八八．六〇〇

十月

初一	零用	二．〇〇〇
初四	零用	二．〇〇〇
初七	装火炉	七．三〇〇

	零用	四.〇〇〇
十二	零用	二.〇〇〇
十五	零用	五.〇〇〇
十九	煤球	三.〇〇〇
二十	女工	三.〇〇〇
廿一	零用	五.〇〇〇
廿三	石油	二.三〇〇
廿四	零用	二.〇〇〇
廿六	零用	二.〇〇〇
廿八	零用	三.〇〇〇
卅	硬煤	一.〇〇〇
	茶叶	二.〇〇〇
	总计	四五.六〇〇

十一月

初二	零用	五.〇〇〇
初七	零用	五.〇〇〇
初八	煤球	一.〇〇〇
初九	零用	五.〇〇〇
十四	零用	五.〇〇〇
十八	零用	五.〇〇〇
十九	拜寿钱	三.〇〇〇
又	女工	三.〇〇〇
廿三	硬煤	一.〇〇〇
廿五	煤油	二.三〇〇

廿八	煤球	四．〇〇〇
	柴	四．〇〇〇
廿九	茶叶	一．〇〇〇
	总计	四四．三〇〇

十二月

初二	零用	五．〇〇〇
初三	红煤一吨	一三．五〇〇
	大车钱	〇．七〇〇
初九	零用	五．〇〇〇
十三	零用	五．〇〇〇
	南货	五．〇〇〇
十四	女工	三．〇〇〇
十五	茶叶	二．〇〇〇
十七	米	一六．六〇〇
	面粉	三．五五〇
十八	零用	五．〇〇〇
	火腿	四．〇〇〇
廿一	零用	一〇．〇〇〇
廿六	零用	五．〇〇〇
廿八	煤油	二．三〇〇
	零用	二．七〇〇
廿九	女工年犒	二．〇〇〇
	总计	九〇．三五〇
	平均每月用泉	四八．〇六一元

乙丑年

民国旧历乙丑之年

正月

初十	零用	五.○○○
十六	零用	五.○○○
十九	茶叶	二.○○○
二十	煤球	三.○○○
	女工	三.○○○
廿二	零用	五.○○○
廿九	零用	五.○○○
	总计	二八.○○○

二月

初三	零用	五.○○○
初七	柴、煤	五.○○○
初九	零用	二.○○○
十五	零用	一○.○○○
二十	女工	三.○○○
廿二	米	一五.八○○
	力钱	○.一○○
廿三	茶叶	二.○○○

廿五	零用	五．〇〇〇
	总计	四七．九〇〇

三月

初一	零用	一〇．〇〇〇
初八	零用	五．〇〇〇
十三	煤球	二．〇〇〇
十六	零用	一〇．〇〇〇
二十	女工	三．〇〇〇
廿七	零用	一〇．〇〇〇
	总计	四〇．〇〇〇

四月

初二	米	一五．八〇〇
初六	零用	五．〇〇〇
初九	零用	一〇．〇〇〇
十一	茶叶	一．〇〇〇
二十	女工	三．〇〇〇
廿二	零用	一〇．〇〇〇
	总计	四四．八〇〇

闰四月

初三	零用	一〇．〇〇〇
初六	茶叶	三．六〇〇
十二	米	一五．八〇〇
	面	三．七〇〇
十三	零用	一〇．〇〇〇

十九　零用　一〇.〇〇〇
二十　女工　三.〇〇〇
三十　零用　一〇.〇〇〇
总计　六六.一〇〇

五月

初四　女工节钱　二.〇〇〇
又　茶叶　二.一〇〇
初九　零用　一〇.〇〇〇
二十　女工　三.〇〇〇
又　零用　一〇.〇〇〇
廿八　零用　一〇.〇〇〇
总计　三七.一〇〇

六月

初五　米　一五.八〇〇
力钱　〇.二〇〇
初六　零用　一〇.〇〇〇
十二　零用　一〇.〇〇〇
二十　女工　三.〇〇〇
廿一　零用　一〇.〇〇〇
廿九　零用　一〇.〇〇〇
总计　五九.〇〇〇

七月

初八　零用　一〇.〇〇〇
初十　修屋　八.〇〇〇

十六	石油	二．二〇〇
十七	茶叶	二．二〇〇
十八	零用	五．〇〇〇
廿一	米	一五．八〇〇
	面粉	三．七〇〇
	女工	二．五〇〇
廿七	零用	一〇．〇〇〇
	总计	五九．〇〇〇

八月

初五	零用	一〇．〇〇〇
初七	煤两吨	三二．〇〇〇
	煤车钱	二．〇〇〇
十二	零用	五．〇〇〇
十四	节赏	二．〇〇〇
十六	零用	一〇．〇〇〇
廿一	零用	一〇．〇〇〇
廿三	女工	二．五〇〇
廿九	米	一五．八〇〇
	面	三．四五〇
	送力	〇．二〇〇
卅	零用	一〇．〇〇〇
	总计	一〇二．九五〇

九月

四日	零用	一〇．〇〇〇

七日	煤球千斤	六.〇〇〇
十一	零用	一五.〇〇〇
十七	米二包	三三.〇〇〇
十八	零用	一〇.〇〇〇
二十	女工	二.五〇〇
廿一	零用	一〇.〇〇〇
廿九	装火炉	一二.〇〇〇
	总计	九八.五〇

十月

初三	零用	一〇.〇〇〇
初九	零用	一〇.〇〇〇
十七	零用	一〇.〇〇〇
二十	女工	二.五〇〇
廿四	零用	一〇.〇〇〇
廿九	零用	一〇.〇〇〇
	总计	五二.五〇〇

十一月

初五	茶叶	二.四〇〇
	零用	一〇.〇〇〇
十一	零用	一〇.〇〇〇
十四	煤球	五.〇〇〇
十九	拜寿赏钱	二.〇〇〇
	零用	一〇.〇〇〇
廿一	女工	二.五〇〇

廿三	零用	一〇．〇〇〇
	总计	五一．九〇〇
十二月		
初二	零用	一〇．〇〇〇
初五	零用	一〇．〇〇〇
初六	米二包	三三．〇〇〇
初八	零用	一〇．〇〇〇
十一	女工	五．〇〇〇
十四	煤	一〇．〇〇〇
十六	零用	一〇．〇〇〇
廿三	零用	一〇．〇〇〇
廿八	零用	一〇．〇〇〇
廿九	年节赏	二．〇〇〇
	总计	一一〇．〇〇〇
	平均每月用泉	六六．六四五

编 后 记

这本书，是在《鲁迅佚文全集》的基础上完成的。

2001 年 9 月，群言出版社出版了由我编辑整理的《鲁迅佚文全集》。该书由陈漱渝先生作序，首印 8000 部，受到研究界和广大读者的重视。朱正先生、孙郁先生、朱金顺先生、董大中先生等诸位先生，或给予热情鼓励，或提出中肯批评。对此，我是非常感激的。

这部《鲁迅佚文全集》，既是我搜集、钩沉鲁迅佚文十余年的一个总结，也是我步入鲁迅研究领域的一个开始。在欣喜、庆幸它顺利出版的同时，我也逐渐对它不满意起来，那就是它的不成熟和不完备。不成熟体现在编辑体例不够科学，失之于“滥”和“宽”，尤其是附录的“书信钩沉”“日记疏证”“讲演汇编”等，现在看起来，将其当作鲁迅的佚文，的确有些勉强。另外，还存在少量误收的问题。不完备则体现在对鲁迅佚文的收录并不完全上，漏收了不少篇目，如鲁迅早期的讲义《小说史大略》等。

因此，我便寄希望于能有重新编辑、修订的机会，而且自信能比原来做得好些。

尽管如此，新版《鲁迅全集》修订工作的启动，还是使《鲁迅佚文全集》派上了用场。2001 年 12 月 11 日—13 日，《鲁迅全集》修订委员会就鲁迅佚文佚信的增补专门召开会议。会上，与会的专家和委员对《鲁迅佚文全集》逐篇进行了讨论，最后确定收录其中的佚文 22 篇，佚信 17 封，鲁迅致许广平信（即《两地书》中鲁迅的部分原信）68 封，以及鲁迅增田涉师生之间的“解疑答问录”的全部，共约 20 万字。从我的本意来说，我希望《鲁迅佚文全集》中大部分篇目能够被新版《鲁迅全集》吸纳进来，这样，它也就完成了自己的使命。因此，我在会上建议将鲁迅早期的两部著作《中国矿产志》和《人生象敩》收入《鲁迅全集》，并力陈其理由。再比如，《孔乙己》《忽然想到》《学界的三魂》等篇的附记，本来就是独立成篇的，但从 1958 年版《鲁迅全集》开始，就归入注释被“埋没”了起来，我认为应该作为独立篇目入集，以与鲁迅译文的附记“享受同等的待遇”。但我毕竟人微言轻，这些建议并没有被采纳。

2005 年 11 月 30 日，作为为新版《鲁迅全集》贡献过绵薄之力的一员，我应邀出席了在人民大会堂举行的“2005 年新版《鲁迅全集》新书发布会”和在西山八大处召开的“2005 年新版《鲁迅全集》座谈会”。当我拿到样书的时候，既为这一新版的面世感到由衷的喜悦，同时也不免感到有些遗憾。除了注释和校勘方面存在有待商榷的地方之外，我感到它在收录鲁迅佚文方面还存在着很大程度上的遗珠之憾。在我看来，《鲁迅全集》不能仅仅局限于收录鲁迅的文学创作，事实上，1958 年版、1981 年版和 2005 年版《鲁迅全集》所收录的，也并没有局限于鲁迅的文学创作，其中也包含鲁迅在古籍整理、碑刻校录、科学研究等方面的著作。既然如此，《鲁迅全集》就应该是一个包含鲁迅全部学术、创作成果的全集。作为后人，没有任何理由将鲁迅早期的科学著作、辑佚成果等排除在《鲁迅全集》之外。

正是本着这样的念头，我对《鲁迅佚文全集》进行了重新梳理。首先是删减：一是删除了已经收入新版《鲁迅全集》的篇目，二是删除了原书收录的“译作”和“附录”的全部内容，三是删除了个别误收的篇目。其次是增补：一是增补了鲁迅早期的小说史讲义——《小说史大略》，二是增收了从鲁迅手稿中抄录的《明以来小说年表》《〈俟堂专文杂集〉目录》《谢承〈会稽先贤传〉序》等古籍著作，三是增收了《〈一个青年的梦〉正误》《柔石遗稿目录及说明》等佚文，四是增收了鲁迅的部分书信和残简，五是增收了鲁迅撰写或修改的书籍广告和鲁迅亲笔记录的家用账等，总计约40万字。

在本书的编辑过程中，远在云南的鲁迅研究专家强英良先生给予了大力帮助，或详加审定篇目，或慷慨提供资料，使我节省了很多时间，避免了不少失误，同时也丰富了本书的内容，在此谨致谢忱。

这本书的编辑出版，得到了天津人民出版社总编辑陈益民先生和文史编辑室主任韩玉霞女士的热情支持。2005年春，在校注《鲁迅自选集》时，我们之间曾有过一次愉快的合作。再度合作，更觉愉快，但愿这种愉快的合作能够持续下去，也希望由愉快的合作而建立的友谊更加稳固，更加深厚。

刘运峰

2006年4月13日于天津看云斋

增订本后记

岁月无情，时光飞逝，转瞬之间，距离2005年《鲁迅全集》的出版，已经过去了13个年头，距离这本《鲁迅全集补遗》的初版，也已经过去了12个年头。

这本书，是2006年6月由天津人民出版社出版的，之所以要编这本书，是在看到2005年版《鲁迅全集》的样书之后，有一种不满足的感觉，因为它和我心目中的《鲁迅全集》还有相当的距离。于是，我便在2001年9月群言出版社《鲁迅佚文全集》的基础上，编辑了这本《鲁迅全集补遗》。责任编辑韩玉霞女士、总编辑陈益民先生对此书颇有信心，第1版即印了5000册。这是需要勇气和魄力的。

事实也证明了他们判断的准确。这本书的销路还算不错，许多书店把它和《鲁迅全集》摆放在一起，很多读者也正是因为买《鲁迅全集》进而对这本书发生兴趣的。2007年的深秋时节，我到中共中央党校参加中央部委所属高校哲学社会科学教学科研骨干研修班学习，早晨散步的时候，遇到北京大学的一位教授，不知道怎么就聊到了《鲁迅全集》，他说，那本《鲁迅全集补遗》也很好，正好和《鲁迅全集》配套。我说，那是我编的。他有些吃惊，说没想到编者就是你！我说，这本书编的还有些缺憾，在体例上和《鲁迅全集》也有很大不同，权当一个补充吧。第二天，他从家中将那本《鲁迅全集补遗》取来，郑重其事地要我签名，我有些惶恐，但也只好从命。从此，我们便成了很好的朋友，有时会交流一些淘书的体会。

这本书也受到了国外研究者的关注。今年春节期间，我去日本旅游，顺便访问了日本中央大学图书馆和中国文化研究中心，在这两个地方都存有《鲁迅全集补遗》，榎本泰子教授还特意把这本书拿出来向我展示。看到自己编的书出现在异邦并得到利用，我感到了一种快乐。

十余年来，鲁迅的佚文佚信又时有发现，而且，这本书也已经脱销，有些相识和不相识的朋友和读者还会经常提到这本书，希望能够再版。现在，终于得到了增订的机会。这是我早就盼望的。

这个增订本可谓名实相符，“增”就是增补篇目，将《鲁迅全集补遗》出版以来新发现的鲁迅的文字增补进来，尽量做到“全”；“订”就是订正文字，将原书中的错讹改正过来，尽量做到“准”，目的在于提高这本书的使用价值，也为将来《鲁迅全集》的修订提供一些有益的参考。

鲁迅的早期弟子曾经回忆到，在生理学课上，大家提出请鲁迅讲一次生殖系统，鲁迅答应了，说：“我讲可以，但你们不能笑。”这时候，有的学生找鲁迅要讲义，鲁迅说：“要，你们就拿去，反正你们也看不懂！”原来，鲁迅的讲义在涉及男女生殖器官时，使用的都是拉丁文、德文或是英文，学生们自然无法读懂，因此也就没有带来不必要的麻烦。一个多世纪过去了，人们对于生殖器官早已不再讳莫如深。为了减少读者阅读的障碍，特请郭宇飞老师将这些外文译成中文，对此深表谢意。

衷心期待读者的批评。

刘运峰

2017 年 10 月 21 日，南开大学主楼